AVEZ-VOUS PEUR DU NOIR ?

DU MÊME AUTEUR

JENNIFER OU LA FUREUR DES ANGES, Denoël, 1981.

JENNIFER, Gallimard, 1982.

MAÎTRESSE DU JEU, Denoël, 1983 ; Gallimard, 1988.

SI C'ÉTAIT DEMAIN, Stock, 1987 ; LGF, 1989.

UN ANGE À BUCAREST, Stock, 1988.

LES SABLES DU TEMPS, Presses de la Cité, 1990 ; Presses-Pocket, 1991.

QUAND REVIENDRA LE JOUR, Presses de la Cité, 1991 ; Presses-Pocket, 1992.

OPÉRATION JUGEMENT DERNIER, Presses de la Cité, 1992 ; Presses-Pocket, 1992.

LE FEU DES ÉTOILES, Presses de la Cité, 1993.

RIEN N'EST ÉTERNEL, Coll. « Grand Format », Grasset, 1995.

MATIN, MIDI & SOIR, Coll. « Grand Format », Grasset, 1996.

UN PLAN INFAILLIBLE, Coll. « Grand Format », Grasset, 1998.

RACONTEZ-MOI VOS RÊVES, Coll. « Grand Format », Grasset, 2000.

CRIMES EN DIRECT, Coll. « Grand Format », Grasset, 2001.

MA PART DE NUIT, *mémoires*, Grasset, 2007.

SIDNEY SHELDON

AVEZ-VOUS PEUR DU NOIR ?

roman

Traduit de l'anglais (Etats-Unis)
par
CARINE CHICHEREAU

BERNARD GRASSET
PARIS

L'édition originale de cet ouvrage a été publiée par William Morrow, an imprint of
HarperCollins Publishers, en 2004, sous le titre :

ARE YOU AFRAID OF THE DARK?

ISBN 978-2-246-70361-7
ISSN 1263-9559

POUR ATANAS ET VERA, AVEC TOUT MON AMOUR.

Je voudrais remercier en particulier mon assistante, Mary Langford, dont l'aide m'a été précieuse.

Prologue

Berlin, Allemagne

Sonja Verbrugge ne pouvait deviner que ses heures étaient comptées. Sur les trottoirs encombrés d'Unter den Linden, elle se frayait un chemin parmi le flot des touristes. « Pas de panique, se disait-elle. Restons calme. »

Le message de Franz qui s'était affiché sur son ordinateur l'avait terrifiée : « Va-t'en, Sonja ! Réfugie-toi à l'hôtel Artemisia. Tu y seras en sécurité. Attends d'avoir des nouvelles de... »

Puis, plus rien. Pourquoi Franz n'avait-il pas terminé ? Que se passait-il ? La veille au soir, elle l'avait entendu dire au téléphone qu'il fallait à tout prix arrêter Prima. Mais qui était Prima ?

Elle était presque arrivée à Brandenburgische Strasse où se trouvait l'hôtel Artemisia, établissement réservé aux femmes.

Le feu venait de passer au vert : Sonja Verbrugge s'arrêta au bord du trottoir. Dans la foule, quelqu'un la bouscula et elle se retrouva sur la chaussée. « *Verdammt Touristen !* » Une limousine garée en double file démarra brusquement et la frôla de si près qu'elle tomba. Les gens se précipitèrent autour d'elle.

— *Is she all right ?*

9

— *Ist ihr etwas passiert ?*

— Elle peut marcher ?

Soudain, une ambulance qui passait par là s'arrêta. Deux infirmiers en sortirent et se précipitèrent vers Sonja.

— Ne vous inquiétez pas, nous nous occupons de tout.

Elle se sentit alors hissée dans l'ambulance. Elle entendit la porte se refermer, et aussiôt le véhicule repartit.

Attachée sur le brancard, elle tenta de se relever.

— Je vais bien, protesta-t-elle. Ce n'est rien, je...

L'un des infirmiers se pencha sur elle :

— Tout ira bien, *Frau* Verbrugge. Détendez-vous.

Elle tourna les yeux vers lui, soudain affolée.

— Comment connaissez-vous mon... ?

Elle sentit alors la piqûre d'une aiguille dans son bras et, quelques instants plus tard, elle sombra dans les ténèbres.

Paris

Seul au sommet de la tour Eiffel, Mark Harris ne prêtait aucune attention aux trombes d'eau qui déferlaient sur lui. De temps en temps, un éclair brisait le rideau de pluie, qui se transformait alors en cascade de diamants.

De l'autre côté de la Seine, s'étendaient le Palais de Chaillot et les jardins du Trocadéro, mais il n'était pas là pour contempler la beauté de Paris. Ses pensées étaient focalisées sur cette incroyable nouvelle qui allait bientôt faire le tour du monde.

Les bourrasques viraient à présent à la tornade. Mark Harris consulta sa montre. Ils étaient en retard. Et pourquoi avaient-ils insisté pour se retrouver là, à minuit ? Il entendit soudain la porte de l'ascenseur s'ouvrir. Deux hommes s'approchèrent, luttant contre les rafales de pluie.

Mark se sentit soulagé en les reconnaissant.

— Vous êtes en retard.

— C'est à cause de la flotte, Mark. Désolé.

— Enfin bon, vous êtes là. Tout est prêt pour le rendez-vous de Washington ?

— C'est de ça qu'on doit discuter. En réalité, nous avons eu une longue conversation ce matin quant à la meilleure façon d'amener les choses, et nous avons décidé...

Tandis qu'ils parlaient, le deuxième homme s'était glissé derrière Mark. Tout se passa presque simultanément : il sentit son crâne exploser tandis qu'on le soulevait pour le faire basculer par-dessus le parapet. Dans la pluie froide, son corps plongea vers le trottoir fatal, trente-huit étages plus bas.

Denver, Colorado

Gary Reynolds avait grandi dans la région accidentée de Kelowna, près de Vancouver, au Canada. C'est là qu'il avait suivi sa formation de pilote, aussi était-il habitué à survoler de dangereux sommets. Ce jour-là, aux commandes d'un Cessna Citation II, il considérait d'un œil prudent les pics enneigés qui défilaient sous lui.

Il avait donné un faux plan de vol, avec pour destination officielle Kennedy Airport. Personne n'aurait l'idée d'aller le chercher à Denver. Il passerait la nuit chez sa sœur, puis au matin, il prendrait la direction de l'est, pour se rendre à la réunion. Tout était désormais en place pour éliminer Prima et...

La radio de bord interrompit sa réflexion.

— Citation One One One Lima Foxtrot, ici la tour de contrôle de l'aéroport international de Denver. Répondez, s'il vous plaît.

Gary Reynolds appuya sur le bouton de la radio.

— Ici Citation One One One Lima Foxtrot. Je demande l'autorisation d'atterrir.

— One Lima Foxtrot, quelle est votre position ?

— One Lima Foxtrot. Je suis à vingt-trois kilomètres au nord-est de l'aéroport de Denver. Altitude quinze mille pieds.

Il aperçut Pike's Peak qui se dressait sur sa droite. Le ciel était d'un bleu azur, le temps calme.

Il y eut un instant de silence. Puis la tour de contrôle reprit :

— One Lima Foxtrot, vous avez l'autorisation d'atterrir sur la piste 2-6. Je répète, sur la piste 2-6.

— One Lima Foxtrot, compris.

Soudain, il sentit l'appareil faire un bond. Surpris, il regarda par la vitre de la cabine de pilotage. Un vent fort s'était levé et, en quelques secondes, le Cessna fut pris dans de violentes turbulences telle une feuille dans la bourrasque. Il tira sur les commandes pour reprendre de l'altitude. En vain. Happé au cœur d'un tourbillon furieux, il avait perdu le contrôle. Il appuya brutalement sur le bouton de la radio.

— Ici One Lima Foxtrot. C'est une urgence.

— One Lima Foxtrot, quelle est la nature de votre urgence ?

— Je suis pris dans une tornade ! Turbulences extrêmes ! Je suis au cœur d'un putain de cyclone ! hurla-t-il dans le micro.

— One Lima Foxtrot, vous n'êtes plus qu'à quatre minutes et demie de l'aéroport de Denver et je ne vois aucun signe de turbulences sur les écrans radars.

— Je me fous de ce qu'il y a sur vos écrans ! Je vous répète... (Sa voix se fit stridente.) SOS ! SO...

Stupéfaits, les contrôleurs aériens virent le petit point clignotant disparaître de leurs écrans radars.

Manhattan, New York

A l'aube, là où le pont de Manhattan enjambe l'East River, non loin de la pile dix-huit, une demi-douzaine de policiers en uniforme et d'inspecteurs en civil s'étaient rassemblés autour d'un cadavre qui gisait sur la rive du fleuve où le courant l'avait entraîné, la tête encore ballottée au gré des vaguelettes.

L'homme qui dirigeait l'enquête, l'inspecteur Earl Greenburg de la Manhattan South Homicide Squad, en avait terminé avec la procédure officielle. Personne ne devait toucher au corps avant qu'on l'ait pris en photo. A présent, il notait différentes informations concernant les lieux, tandis que ses collègues cherchaient d'éventuels éléments en rapport avec le crime. Les mains de la victime étaient emballées dans des sacs en plastique propres.

Carl Ward, le médecin légiste, acheva son examen, puis se releva en époussetant son pantalon. Il regarda les deux inspecteurs. Très professionnel, Earl Greenburg était un flic efficace aux états de service impressionnants. Plus âgé, grisonnant, son coéquipier Robert Praegitzer donnait l'impression d'avoir déjà tout vu.

Ward se retourna vers Greenburg.

— Il est à toi, Earl.

— Qu'est-ce qu'on a ?

— La cause du décès est évidente : gorge tranchée, en plein dans la carotide. On lui a fait sauter les rotules, et on dirait bien qu'il a quelques côtes cassées. On l'a bien arrangé.

— Et l'heure de la mort ?

Ward regarda l'eau qui venait lécher la tête de la victime.

— Difficile à dire. Je pense qu'ils ont dû le balancer à l'eau après minuit. Je vous ferai un rapport complet quand il sera arrivé à la morgue.

Greenburg observa le cadavre. Veste grise, pantalon bleu marine, cravate bleu clair, montre de prix au poignet gauche. Il s'agenouilla pour fouiller ses poches. Dans l'une, il trouva un papier qu'il extirpa en le prenant délicatement par le bord.

— C'est en italien. (Il jeta un coup d'œil autour de lui.) Gianelli !

L'un des agents en uniforme arriva au pas de course.

13

— Oui, inspecteur ?

Greenburg lui tendit la note.

— Vous pouvez me déchiffrer ça ?

— « Dernière chance. Retrouve-moi près de la pile dix-sept avec le reste de la came ou tu finiras avec les poissons », lut lentement le policier à voix haute.

L'inspecteur Praegitzer semblait surpris.

— Un coup de la mafia ? Et ils le laisseraient comme ça, bien en évidence ?

— Bonne question.

Greenburg continua de faire les poches du mort. Il en retira un portefeuille bourré de billets.

— En tout cas, ils n'en avaient pas après son argent. (Il trouva également une carte.) La victime s'appelle Richard Stevens.

Robert Praegitzer fronça les sourcils.

— Richard Stevens... On n'a pas parlé de lui dans les journaux récemment ?

— De sa femme ! répondit Greenburg. Diane Stevens. Elle passe au tribunal, pour le meurtre de Tony Altieri.

— Tu as raison. Elle doit témoigner contre le *capo dei capi*.

Et tous deux se retournèrent vers Richard Stevens.

CHAPITRE 1

A Manhattan, dans la salle 37 du palais de justice situé au 180 Centre Street, se déroulait le procès criminel d'Anthony Altieri. La vaste et vénérable salle d'audience était pleine à craquer de journalistes et de spectateurs.

Dans le box des accusés, Anthony Altieri était avachi dans son fauteuil roulant, tel un gros crapaud blafard, recroquevillé sur lui-même. Seuls ses yeux semblaient vivants, et chaque fois qu'ils se posaient sur Diane Stevens, assise sur le banc des témoins, elle sentait tout le poids de sa haine.

Altieri était accompagné de Jake Rubenstein, son avocat, connu pour deux raisons : sa clientèle célèbre, essentiellement constituée de membres de la mafia, et le fait que ses clients étaient presque toujours acquittés.

Rubenstein était un petit homme soigné à l'esprit vif et à l'imagination fertile. Il n'était jamais deux fois le même lorsqu'il plaidait. Son fonds de commerce consistait à jouer les histrions, et il était d'une grande habileté. Il savait débusquer l'adversaire avec talent, et trouvait invariablement son point faible. Parfois, il s'imaginait qu'il était un lion, s'approchant tout doucement de sa proie, ignorant le danger, prêt à fondre sur elle... ou il était une araignée rusée, tissant la toile qui allait se refermer sur ses victimes, les laissant sans défense... Parfois encore, il se voyait comme un pêcheur patient, lançant innocemment sa ligne dans l'eau, la baladant gentiment, jusqu'à ce que le témoin crédule morde à l'hameçon.

A présent, il étudiait avec attention le témoin qui se trouvait à la barre. La trentaine, Diane Stevens possédait une véritable élégance naturelle. Traits nobles. Cheveux blonds, lisses, soyeux. Yeux verts. Éclatante de santé. Tailleur noir sur mesure très chic. Magnifique silhouette. Jake Rubenstein savait que, la veille, elle avait fait bonne impression sur le jury. Il fallait la traiter avec égards. Il choisit la tactique du pêcheur.

Il s'approcha tranquillement de la barre des témoins et prit la parole d'une voix suave.

— Madame Stevens, hier, vous avez témoigné qu'à la date en question, le 14 octobre, vous rouliez vers le sud, quand vous avez constaté que vous aviez un pneu crevé. Alors, vous avez pris la sortie de la 158ᵉ Rue, et vous vous êtes garée sur une voie d'accès réservée à l'entretien dans Fort Washington Park.

— C'est exact, répondit-elle d'une voix douce et cultivée.

— Pourquoi vous êtes-vous arrêtée à cet endroit précis ?

— J'avais crevé et j'ai vu le toit d'une cabane à travers les arbres. J'ai pensé que là-bas, quelqu'un pourrait m'aider. Je n'avais pas de roue de secours.

— Possédez-vous un contrat d'assistance automobile ?

— Oui.

— Avez-vous un téléphone dans votre voiture ?

— Oui.

— Alors pourquoi n'avez-vous pas appelé l'assistance ?

— J'ai pensé que ce serait plus rapide.

— Bien sûr, fit-il compréhensif. Et la cabane n'était pas loin.

— C'est exact.

— Alors vous vous êtes approchée pour demander de l'aide ?

— Oui.

— Faisait-il encore jour, dehors ?

— Oui. Il était environ cinq heures de l'après-midi.

— Donc vous voyiez parfaitement clair.

— Tout à fait.

— Et qu'avez-vous vu, madame Stevens ?

— J'ai vu Anthony Altieri...

— Oh ? Vous l'aviez déjà rencontré ?

— Non.

— Alors comment pouvez-vous être certaine qu'il s'agissait de lui ?

— J'ai vu sa photo dans le journal et...

— Ah, vous avez vu quelqu'un qui ressemblait à une photo de mon client.

— Eh bien...

— Et qu'avez-vous vu dans la cabane ?

Diane Stevens reprit son souffle. Elle s'exprima lentement, revoyant toute la scène dans sa tête.

— Il y avait quatre hommes dans la pièce. L'un d'eux était attaché sur une chaise. M. Altieri semblait l'interroger, et les deux autres attendaient, derrière lui, déclara-t-elle d'une voix tremblante. M. Altieri a sorti un revolver, il a hurlé quelque chose et... et il a tiré sur l'homme, derrière la tête.

Jake Rubenstein jeta un coup d'œil oblique aux membres du jury. Ils étaient suspendus à ses lèvres.

— Et qu'avez-vous fait alors, madame Stevens ?

— Je suis retournée à ma voiture en courant, et j'ai appelé le 911 sur mon téléphone portable.

— Et puis ?

— J'ai démarré.

— Avec un pneu à plat ?

— Oui.

Le poisson commençait à mordre.

— Pourquoi n'avez-vous pas attendu la police ?

Diane se retourna vers l'accusé. Altieri la dévisageait avec une méchanceté affichée. Elle détourna les yeux.

— Je ne pouvais pas rester là... J'avais peur qu'ils sortent de la cabane et qu'ils me voient.

— C'est tout à fait compréhensible, fit Rubenstein avant de durcir le ton. Ce qui l'est moins, c'est qu'après avoir pris votre appel, la police s'est rendue sur les lieux du prétendu crime, et non seulement elle n'a trouvé personne là-bas, madame Stevens, mais elle n'a trouvé aucun signe indiquant une quelconque présence, et encore moins un meurtre !

— Je n'y peux rien. J'ai...

— Vous êtes artiste, c'est bien ça ?

La question la prit de court.

— Oui, je...

— Et ça marche bien pour vous ?

— Eh bien oui, mais...

Il était temps de remonter la ligne.

— Un peu de publicité ne peut pas vous nuire, n'est-ce pas ? Le pays tout entier vous voit au journal télévisé du soir, et vous faites la Une...

Diane lui décocha un regard furieux.

— Je n'ai pas fait ça pour la publicité. Jamais je n'enverrais un homme innocent en...

— Innocent, voilà le mot clef, madame Stevens. Et je vais prouver au-delà du doute raisonnable que M. Altieri est bel et bien innocent. Merci. C'est fini pour vous.

Diane Stevens ne saisit pas la double signification de ses paroles. Elle retourna à sa place, furieuse. Puis elle demanda à voix basse au procureur :

— Puis-je m'en aller ?

— Oui. Je vais vous faire raccompagner.

18

— Ce ne sera pas nécessaire. Merci.

Elle se dirigea vers la sortie et se rendit au parking. Les mots de l'avocat résonnaient dans sa tête.

« Vous êtes artiste, c'est bien ça ?... Un peu de publicité ne peut pas vous nuire, n'est-ce pas ? » Quelle humiliation. Néanmoins, elle était satisfaite de son témoignage. Elle avait dit aux membres du jury exactement ce qu'elle avait vu, et ils n'avaient aucune raison de douter de sa parole. Anthony Altieri allait être condamné et envoyé en prison pour le restant de ses jours. Pourtant, Diane ne parvenait pas à oublier le regard venimeux qu'il lui avait lancé, et elle frissonna.

Elle donna son ticket au voiturier qui partit chercher son véhicule.

Deux minutes plus tard, elle était au volant, en direction du nord. Elle rentrait chez elle.

En chemin, elle s'arrêta à un stop. Un jeune bien habillé, debout sur le trottoir, s'approcha.

— Excusez-moi, je me suis égaré. Pouvez-vous... ?

Elle baissa sa vitre.

— Pouvez-vous m'expliquer comment aller à Holland Tunnel ? demanda-t-il avec un accent italien.

— Bien sûr, c'est très facile. Prenez la première à...

L'homme releva le bras : il tenait à la main un revolver muni d'un silencieux.

— Descendez de voiture, et vite !

Diane blêmit.

— Très bien. Ne me faites pas...

Elle ouvrit la portière, l'inconnu recula d'un pas, et soudain elle appuya sur l'accélérateur et la voiture repartit en trombe. Elle entendit la lunette arrière exploser sous le choc d'une balle, puis une autre s'enfonça dans le coffre. Son cœur cognait si fort qu'elle avait du mal à respirer.

Elle avait déjà entendu parler de cette technique de vol,

19

mais cela lui avait toujours semblé lointain : cela n'arrivait qu'aux autres. Pourtant cet homme avait essayé de la tuer. Etait-ce ainsi que procédaient les voleurs de voiture ? Diane attrapa son téléphone portable et composa le 911. Il fallut presque deux minutes avant qu'on prenne son appel.

— 911. Quel est votre problème ?

Diane raconta tout, sachant pourtant que ce serait inutile. Son agresseur était déjà loin.

— Nous allons envoyer quelqu'un sur les lieux de l'agression. Puis-je avoir votre nom, votre adresse et votre numéro de téléphone ?

Diane répondit, tout en songeant : « Ça ne sert à rien. » Elle se retourna pour regarder la vitre brisée et se remit à trembler. Elle avait très envie d'appeler Richard à son travail, pour lui raconter ce qu'il s'était passé, mais il travaillait sur un projet urgent. Il s'inquiéterait pour elle et se précipiterait à la maison – or elle ne voulait pas qu'il néglige son travail à cause d'elle. Elle lui expliquerait tout quand il rentrerait.

Soudain, elle eut une pensée terrible. Cet incident était-il une simple coïncidence, ou bien le tueur l'attendait-il ? Elle se souvint de sa conversation avec Richard, au début du procès.

— Je crois que tu ne devrais pas témoigner, Diane. C'est dangereux.

— Ne t'en fais pas, mon chéri. Altieri sera condamné. Ils vont le mettre en prison pour toujours.

— Mais il a des amis et...

— Richard, si je ne le fais pas, je m'en voudrais toute ma vie.

Diane opta pour la coïncidence. « Altieri n'est pas assez fou pour s'en prendre à moi, surtout maintenant, en plein procès. »

Diane quitta l'autoroute et prit vers l'ouest, jusqu'à son immeuble de l'East Seventy-Fifth Street. Avant d'entrer dans le garage souterrain, elle jeta un coup d'œil prudent dans son rétroviseur. Tout semblait normal.

*

L'appartement était un duplex spacieux en rez-de-jardin avec un vaste salon aux baies vitrées, et une grande cheminée de marbre. Il était meublé de canapés tapissés de fleurs, de fauteuils, d'une bibliothèque encastrée et d'un large écran de télévision. Les murs étaient décorés de tableaux. Un Childe Hassam, un Jules Pascin, un Thomas Birch, un George Hitchcock, ainsi que plusieurs œuvres de Diane.

A l'étage supérieur se trouvaient la chambre principale, la salle de bains, une chambre d'amis et un atelier très lumineux où Diane travaillait. Plusieurs de ses toiles y étaient accrochées. Au centre de la pièce, sur un chevalet, trônait un portrait à moitié achevé.

Dès qu'elle arriva, la jeune femme se rua dans son atelier. Elle ôta le portrait du chevalet et mit à sa place une toile blanche. Elle essaya de dessiner le visage de l'homme qui avait tenté de la tuer, mais ses mains tremblaient si fort qu'elle dut s'interrompre.

En chemin vers l'appartement de Diane Stevens, l'inspecteur Earl Greenburg grogna :

— C'est la partie du boulot que je déteste le plus.

— Vaut mieux qu'ils l'apprennent par nous qu'au journal du soir, rétorqua Praegitzer. C'est toi qui lui dis ?

Son collègue hocha la tête sans enthousiasme. Il se souvint alors de l'histoire de cet inspecteur qu'on avait chargé d'informer une certaine Mme Adams, épouse d'un policier, du décès de son mari.

— Elle est très sensible, avait déclaré le commissaire à l'inspecteur. Il faudra prendre des gants pour lui annoncer la nouvelle.

— Vous inquiétez pas, je sais me débrouiller.

21

L'inspecteur avait sonné chez Mme Adams. Elle avait ouvert sa porte et il lui avait demandé :

— Bonjour, vous êtes bien la veuve Adams ?

Le coup de sonnette fit sursauter Diane. Elle n'attendait aucune visite. Elle alla à l'interphone.

— Oui ?

— Bonjour, inspecteur Earl Greenburg. J'aimerais vous parler, madame Stevens.

Elle venait de garer la voiture et la police était déjà là. Quelle efficacité !

Elle appuya sur le bouton déverrouillant la porte du hall, et Greenburg se présenta.

— Bonjour.

— Madame Stevens ?

— Oui. Merci d'être venus aussi rapidement. J'ai commencé à dessiner un portrait de l'homme, mais je..., raconta-t-elle avant de reprendre sa respiration. Il avait le teint mat, avec des petits yeux marron enfoncés, et un grain de beauté sur la joue. Son arme avait un silencieux et...

Greenburg l'observait, perplexe.

— Je suis désolé. Je ne comprends pas de quoi...

— La tentative de vol de voiture. J'ai appelé le 911 et... (Elle avisa l'expression de l'inspecteur.) Vous n'êtes pas là pour ça ?

— Non, madame, fit-il avant de faire une pause. Puis-je entrer ?

— Je vous en prie.

Elle le regardait à présent en fronçant les sourcils.

— Que se passe-t-il ? Il y a un problème ?

Le mots refusaient de sortir.

— Oui. Je suis désolé. Je crains... d'avoir de mauvaises nouvelles. C'est à propos de votre mari.

— Qu'y a-t-il ? interrogea-t-elle d'une voix tremblante.

— Il a eu un accident.

Un frisson glacé la parcourut.

— Quel genre d'accident?

Greenburg reprit sa respiration.

— Il a été tué la nuit dernière, madame Stevens. Nous avons découvert son corps sous un pont de l'East River ce matin.

Diane le dévisagea, puis secoua lentement la tête.

— Vous vous trompez de personne, inspecteur. Mon mari est à son travail, au laboratoire.

La mission s'avérait plus difficile que prévu.

— Madame Stevens, votre mari est-il rentré à la maison hier soir?

— Non, mais Richard travaille souvent toute la nuit. C'est un scientifique.

Elle se montrait de plus en plus agitée.

— Madame Stevens, saviez-vous que votre mari était en rapport avec la mafia?

— La mafia? fit-elle en pâlissant. Vous êtes fou?

— Nous avons découvert...

Diane commençait à étouffer.

— Montrez-moi votre plaque.

— Mais bien sûr, répondit Greenburg en la lui tendant.

Diane y jeta un coup d'œil, la lui rendit, et le gifla.

— Est-ce que la municipalité vous paie pour faire peur aux honnêtes citoyens? Mon mari n'est pas mort! Il est à son travail! hurla-t-elle.

Dans ses yeux, Greenburg lut à la fois le choc et le déni.

— Madame Stevens, voulez-vous que j'envoie quelqu'un pour s'occuper de vous et...?

— C'est vous qui avez besoin qu'on s'occupe de vous! A présent, sortez!

— Madame Stevens...

— Dehors!

L'inspecteur Greenburg posa sur la table sa carte.

— Si vous voulez me parler, il y a mon téléphone.

« Heureusement, se dit-il en sortant, que je n'ai pas commencé par : "Etes-vous la veuve Stevens ?" »

Après le départ du policier, Diane ferma sa porte à double tour, puis elle inspira profondément. « Quel imbécile ! Se tromper de personne et me faire peur comme ça. Je devrais écrire à son supérieur. » Elle regarda sa montre. « Richard va bientôt rentrer. Il est temps de préparer le dîner. » Elle voulait lui faire une paella, son plat préféré.

En raison de l'atmosphère de secret qui entourait les travaux de Richard, Diane ne le dérangeait jamais quand il se trouvait à son laboratoire. S'il ne l'appelait pas, cela signifiait qu'il travaillerait tard. A vingt heures, la paella était prête. Elle la goûta et sourit, satisfaite. Elle était juste comme il aimait. A vingt-deux heures, il n'était toujours pas là. Diane rangea la paella au réfrigérateur et mit un mot sur la porte : « Mon chéri, ton dîner est dans le frigo. Monte me réveiller. » Richard aurait faim quand il rentrerait.

Soudain, elle se sentit épuisée. Elle se déshabilla, enfila une chemise de nuit, se brossa les dents, puis se mit au lit. Quelques minutes plus tard, elle dormait profondément.

A trois heures du matin, elle se réveilla en hurlant.

CHAPITRE 2

A l'aube, Diane tremblait encore. Elle était glacée au plus profond d'elle-même. Richard était mort. Jamais plus elle ne le verrait, jamais plus elle n'entendrait sa voix, jamais plus il ne la serrerait dans ses bras. « Et c'est ma faute. Je n'aurais pas dû témoigner à ce procès. Oh, Richard, pardonne-moi... je t'en supplie, pardonne-moi... Je ne crois pas que je pourrai continuer à vivre sans toi. Tu étais ma vie, tu représentais tout pour moi, et maintenant, je n'ai plus rien. »

Elle voulait se faire toute petite.

Elle voulait disparaître.

Elle voulait mourir.

Elle resta couchée là, effondrée, pensant au passé, à la façon dont Richard avait changé sa vie...

Diane West avait grandi dans l'opulence et le calme de Sands Point, dans l'État de New York. Son père était chirurgien, sa mère, artiste, et Diane avait commencé à dessiner dès l'âge de trois ans. Elle avait été élève au pensionnat de St. Paul, puis au cours de sa première année à l'université, elle avait eu une brève liaison avec son charismatique professeur de mathématiques. Il disait qu'il voulait l'épouser car elle était pour lui la seule, l'unique. Quand elle avait appris qu'il était déjà marié et père de trois enfants, elle en avait conclu que sa mémoire ou sa capacité à calculer était défaillante, et elle était partie pour l'université de Wellesley.

Seul l'art l'intéressait, et elle passait tout son temps libre à peindre. A la fin de ses études, elle avait déjà commencé à vendre quelques toiles et se taillait peu à peu une réputation de jeune talent prometteur. Cet automne-là, un éminent galeriste de la Cinquième Avenue lui avait donné sa chance en montant sa première exposition : le succès avait été immédiat. Depuis, Paul Deacon, le propriétaire de la galerie, Afro-Américain riche et cultivé, encourageait la carrière de Diane.

Le soir du vernissage, la galerie était bondée. Deacon s'approcha de Diane, un grand sourire aux lèvres.

— Félicitations ! Nous avons déjà vendu la plupart des toiles ! Je monte une nouvelle expo dans quelques mois, dès que tu es prête.

— Paul, c'est merveilleux, répondit-elle, enthousiaste.

— Tu le mérites, dit-il en lui tapotant l'épaule avant de prendre congé.

Diane signait un autographe quand un homme surgit derrière elle et s'exclama :

— J'adore vos formes.

La jeune femme se raidit. Furieuse, elle pivota sur ses talons, prête à lui renvoyer une remarque bien sentie, mais il ajouta alors :

— Elles ont la délicatesse d'un Rossetti ou d'un Manet, fit-il en observant un des tableaux.

Diane se reprit juste à temps. Elle regarda l'homme de plus près. Il devait avoir dans les trente-cinq ans. Cheveux blonds, yeux bleus pleins d'éclat, l'air athlétique, il devait mesurer près d'un mètre quatre-vingt-cinq. Il était vêtu d'un costume marron clair, d'une cravate d'un ton plus soutenu et d'une chemise blanche.

— Je... Merci.

— Quand avez-vous commencé à peindre ?

— Quand j'étais enfant. Ma mère était artiste.

— La mienne était cuisinière, répondit-il en souriant, mais je ne sais pas cuisiner. Je connais votre nom. Quant à moi, je m'appelle Richard Stevens.

A cet instant, Paul Deacon revint avec trois paquets.

— Voilà vos tableaux, monsieur Stevens. Profitez-en bien, ajouta-t-il en les lui tendant avant de s'éclipser à nouveau.

Diane le considéra avec surprise.

— Vous avez acheté trois de mes tableaux ?

— Et j'en ai deux autres chez moi.

— Je... je suis très flattée.

— J'apprécie le talent.

— Merci.

— Bien, hésita-t-il, vous êtes probablement très occupée, aussi je vais vous laisser...

— Non non, pas du tout, s'entendit-elle répondre.

— Bien, fit-il en souriant, dans ce cas peut-être accepterez-vous quelque chose, Miss West.

Diane regarda sa main gauche : pas d'alliance.

— Oui ?

— J'ai deux billets pour l'ouverture d'une reprise de *Blithe Spirit*, de Noel Coward, demain soir, et je n'ai personne pour m'accompagner. Si vous étiez libre... ?

Elle réfléchit un moment. Il avait l'air sympathique et très séduisant, mais après tout, c'était un étranger. « Trop risqué. Beaucoup trop risqué. » Mais elle répondait déjà :

— Avec plaisir.

La soirée du lendemain fut délicieuse. Richard Stevens était un compagnon divertissant, et ils s'entendirent bien tout de suite. Tous deux s'intéressaient à l'art, à la musique, et à beaucoup d'autres choses encore. Elle se sentait attirée par lui, sans toutefois être certaine de la réciproque.

A la fin de la soirée, Richard lui demanda :

— Vous êtes libre demain soir ?

— Oui, répondit-elle sans hésiter.

Le lendemain soir, ils dînèrent dans un restaurant tranquille de SoHo.

— Parlez-moi de vous, Richard.

— Il n'y a pas grand-chose à dire. Je suis né à Chicago. Mon père était architecte, il construisait des bâtiments à travers le monde. Ma mère et moi, nous le suivions partout. Je suis allé dans une demi-douzaine d'écoles différentes, et j'ai appris quelques langues étrangères pour me défendre.

— Et que faites-vous dans la vie ?

— Je travaille chez KIG : Kingsley International Group. C'est un important groupe d'étude et de réflexion.

— Ça a l'air passionnant.

— Oui, c'est tout à fait fascinant. Nous sommes à la pointe de la recherche en matière de technologie. Si on avait une devise, ce serait quelque chose comme : « Si nous n'avons pas la réponse aujourd'hui, revenez demain. »

Après le dîner, Richard reconduisit Diane chez elle. Arrivé devant sa porte, il lui prit la main et dit :

— J'ai beaucoup apprécié cette soirée. Merci.

Puis il s'en alla.

Diane resta là, le regardant s'éloigner, heureuse qu'il soit un gentleman et pas un goujat.

A partir de ce jour, ils passèrent toutes leurs soirées ensemble. Chaque fois qu'elle voyait Richard, Diane ressentait comme une bouffée de chaleur.

Un vendredi soir, il lui dit :

— J'entraîne une petite équipe de base-ball le samedi. Tu aimerais assister à une séance ?

— Ça me plairait beaucoup, monsieur l'Entraîneur.

Le lendemain matin elle alla donc voir Richard et sa jeune équipe. Il se montrait gentil, patient, attentionné, criant de joie quand le petit Tim Holm, dix ans, saisissait une balle. Les gosses l'adoraient, c'était évident.

« Je suis en train de tomber amoureuse, songea-t-elle. Oui, je tombe amoureuse. »

Quelques jours plus tard, Diane déjeuna avec des amies. En quittant le restaurant, elles passèrent devant le cabinet d'une voyante.

— Si on allait se faire prédire l'avenir? lança soudain Diane.

— Désolée, il faut que je retourne travailler.

— Moi aussi.

— Je dois passer chercher Johnny.

— Mais vas-y, toi, tu nous raconteras.

— OK. Salut, les filles.

Quelques minutes plus tard, elle était assise en face d'une vieille gitane aux traits affaissés, la bouche garnie de dents en or et coiffée d'un châle crasseux.

Elle se trouvait idiote mais d'une façon absurde, pour rire, elle voulait savoir si elle avait un avenir avec Richard. « C'est juste pour rire. »

Elle vit la vieille femme attraper un jeu de tarots et mélanger les cartes sans jamais lever les yeux.

— J'aimerais savoir si...

— Chut.

La gitane retourna une carte. C'était le fou, vêtu de toutes les couleurs et portant une besace. La voyante l'étudia un moment.

— Vous avez beaucoup de secrets à percer.

Elle retourna une autre carte.

— C'est la lune. Vous avez des désirs, mais vous n'êtes pas sûre de vous.

Diane hésita avant d'acquiescer.

— Est-ce à propos d'un homme ?

— Oui.

La vieille retourna la carte suivante.

— C'est l'amoureux.

— Est-ce un bon présage ? demanda Diane en souriant.

— On va voir. La prochaine carte nous le dira, répondit-elle en la retournant. Le pendu. (Elle fronça les sourcils, hésita, puis retourna la carte suivante.) Le diable, murmura-t-elle.

— C'est mauvais ? interrogea la jeune femme avec légèreté.

La gitane resta muette.

Diane la vit retourner encore une carte, secouer la tête, puis sa voix résonna d'un ton étrangement vide :

— La carte de la mort.

Diane se leva d'un bond.

— Je ne crois pas un mot de tout ça, lança-t-elle avec colère.

La voyante releva la tête, et conclut d'une voix blanche :

— Peu importe que vous y croyiez ou pas. La mort est partout autour de vous.

CHAPITRE 3

Berlin, Allemagne

L E *Polizeikommandant* Otto Schiffer, deux policiers en uniforme et le gardien de l'immeuble, Herr Karl Goetz, contemplaient le corps nu, ridé par l'eau, qui gisait au fond de la baignoire remplie à ras bord. Autour de son cou, une trace de contusion.

Le *Polizeikommandant* passa la main sous le robinet qui gouttait.

— C'est froid.

Il flaira la bouteille d'alcool vide posée sur le bord de la baignoire et se retourna vers le gardien.

— Son nom ?

— Sonja Verbrugge. Son mari s'appelle Franz Verbrugge. C'est une sorte de scientifique.

— Elle vivait ici avec lui ?

— Depuis sept ans. C'étaient les locataires parfaits. Ils payaient toujours à la date. Jamais de problème avec eux. Tout le monde appréciait...

Réalisant soudain ce qu'il s'apprêtait à dire, il s'interrompit.

31

— *Frau* Verbrugge travaillait ?

— Oui, au Cyberlin Café, les gens y vont pour surfer sur le web...

— Comment avez-vous découvert le corps ?

— C'est à cause du robinet de la baignoire. Je l'ai réparé plusieurs fois, mais on n'arrive pas à le fermer complètement.

— Et alors ?

— Alors ce matin, le locataire d'en dessous s'est plaint qu'il y avait une fuite d'eau. Je suis passé voir, j'ai sonné, et comme personne ne répondait, j'ai ouvert avec mon passe. Je suis allé dans la salle de bains, et j'ai trouvé...

Un policier entra.

— Il n'y a pas d'alcool ici, que du vin.

— Très bien, acquiesça le *Kommandant*. (Puis il ajouta en désignant la bouteille :) Faites-moi analyser ça pour les empreintes.

— Bien, chef.

Otto Schiffer se tourna de nouveau vers Karl Goetz.

— Vous savez où travaille *Herr* Verbrugge ?

— Non. Je l'aperçois tous les matins quand il part au travail, mais...

Il conclut par un geste vague.

— Et vous ne l'avez pas vu ce matin.

— Non.

— Vous savez si *Herr* Verbrugge avait un voyage en perspective ?

— Je n'en ai aucune idée.

— Renseignez-vous auprès des voisins, reprit alors le *Kommandant* en s'adressant à l'inspecteur. Demandez si *Frau* Verbrugge était déprimée, si elle se disputait avec son mari, ou si elle buvait. Cherchez toutes les informations utiles. Nous allons essayer de retrouver son mari, dit-il à Karl Goetz. Si vous vous souvenez de quelque chose qui puisse nous aider...

— Je ne sais pas si ça peut vous être utile, hésita-t-il, mais un des habitants m'a dit qu'il avait vu une ambulance hier soir, garée devant l'immeuble. Il se demandait si quelqu'un était malade. Quand je suis sorti pour voir ce qui se passait, ils étaient déjà partis. Ça vous intéresse ?

— On va se renseigner.

— Et... pour elle ? demanda le gardien, nerveux.

— Le légiste va arriver. Videz la baignoire et couvrez-la avec une serviette.

CHAPITRE 4

« **J**E crains d'avoir de mauvaises nouvelles... tué la nuit dernière... nous avons découvert son corps sous un pont... »

Pour Diane Stevens, le temps s'était arrêté. Elle errait au hasard, à travers le vaste appartement rempli de souvenirs, qui n'était plus qu'un tas de briques froides, sans charme. Mort.

Elle s'écroula sur le canapé et ferma les yeux. « Richard, mon amour, le jour où nous nous sommes mariés, tu m'as demandé ce que je voulais comme cadeau. Je t'ai répondu que je ne voulais rien. Mais à présent je veux quelque chose. Reviens-moi. Ça m'est égal si je ne peux pas te voir. Prends-moi juste dans tes bras. Je saurai que tu es là. J'ai besoin de te sentir contre moi encore une fois. Je voudrais que ta main caresse mes seins... Je voudrais t'entendre dire que je fais la meilleure paella du monde... que tu me demandes d'arrêter de tirer sur les couvertures... que tu me dises je t'aime. » Elle essaya de retenir le torrent de larmes qui s'apprêtait à déferler, mais ce fut impossible.

*

Quand Diane eut enfin compris que Richard était mort, elle se barricada chez elle, volets clos, et pendant plusieurs jours ne répondit ni au téléphone ni aux coups de sonnette. Elle se terrait tel un animal blessé. Elle voulait demeurer seule avec sa douleur. « Richard, il y a eu tant de fois où je voulais te dire "Je t'aime" pour que tu me répondes "Moi aussi, je t'aime" ! Mais je ne voulais pas avoir l'air d'être en demande. J'étais stupide. Maintenant, tu ne pourras plus jamais me le dire. »

Quand le téléphone se mit à sonner sans interruption, et que sa porte fut assiégée, elle consentit à ouvrir.

Carolyn Ter, l'une de ses plus proches amies, était là. Elle dévisagea Diane :

— Tu as une mine épouvantable. (Puis, sa voix se radoucit.) Tout le monde a essayé de te joindre, ma puce. On était tous morts d'inquiétude.

— Je suis désolée, Carolyn, mais je ne peux pas...

Elle prit Diane dans ses bras.

— Je sais. Mais tu as beaucoup d'amis qui voudraient te voir.

— Non, c'est im...

— Diane, la vie de Richard s'est arrêtée, pas la tienne. Ne repousse pas ceux qui t'aiment. Je vais passer quelques coups de fil.

Les amis de Diane et Richard continuèrent à téléphoner, à venir à l'appartement, et Diane dut écouter s'égrener la litanie sans fin des clichés sur la mort :

« Il faut voir les choses comme ça : Richard est en paix... »

« Dieu l'a rappelé à lui... »

« Je sais que Richard est au ciel, et qu'il veille sur toi... »

« Il est parti pour un monde meilleur... »

« Il a rejoint les anges... »

C'était à hurler.

Le flot de visiteurs semblait interminable. Paul Deacon, le galeriste qui s'occupait des œuvres de Diane, vint la voir. Il passa un bras autour d'elle.

— J'ai essayé de te joindre mais...

— Je sais.

— Je suis tellement triste pour Richard. C'était un gentleman d'une classe rare. Mais, Diane, tu ne peux pas te couper du monde comme ça. Les gens attendent tes tableaux.

— Je ne peux pas. Tout ça n'a plus d'importance, Paul. Plus rien n'a d'importance. C'est fini pour moi.

Elle demeurait inflexible.

Le lendemain, la sonnette retentit à nouveau, et Diane alla à la porte, de mauvaise grâce. Par l'œilleton, elle vit un petit attroupement. Perplexe, elle ouvrit. Une douzaine de garçons se trouvaient dans le hall.

L'un d'eux tenait un petit bouquet.

— Bonjour madame Stevens, dit-il en lui tendant les fleurs.

— Merci.

Soudain, elle se souvint : c'était l'équipe de base-ball que Richard entraînait.

Diane avait reçu des quantités de fleurs, de cartes de condoléances, de courriels, mais cette marque d'affection était à ses yeux la plus touchante.

Les garçons entrèrent.

— On voulait seulement vous dire à quel point on est tristes.

— Votre mari, c'était un type chouette.

— Il était vraiment cool.

— C'était un super entraîneur.

Diane ne parvenait plus à contenir ses larmes.

— Merci. Il vous aimait beaucoup, lui aussi. Il était tellement fier de vous. (Elle reprit sa respiration.) Vous voulez boire quelque chose ou... ?

Tim Hom prit alors la parole :

— Non, merci madame Stevens. On voulait juste vous dire qu'il nous manque à nous aussi. On a tous participé, pour les fleurs. Elles nous ont coûté douze dollars.

— Voilà, on voulait vous dire qu'on est vraiment désolés.

Diane les regarda, puis répondit calmement.

— Merci, les enfants. Je sais combien Richard aurait aimé vous voir ici.

Ils la saluèrent, puis s'en allèrent.

En les regardant partir, elle se souvint de la première fois où elle avait assisté à la séance d'entraînement. Richard s'adressait à eux comme s'il avait eu leur âge, dans une langue qu'ils comprenaient, et ils lui en étaient reconnaissants. « C'est ce jour-là que je suis tombée amoureuse. »

Dehors, Diane entendit le tonnerre gronder et les premières gouttes de pluie s'abattre sur les fenêtres, telles les larmes de Dieu. L'averse. C'était lors d'un week-end prolongé...

— Tu aimes les pique-niques ? demanda Richard.

— J'adore ça.

— J'en étais sûr, dit-il en souriant. Je m'occupe de tout. Je passe te prendre demain à midi.

Il faisait un temps magnifique. Richard avait tout prévu pour faire un pique-nique à Central Park. Il y avait une nappe, des couverts en argent, et quand elle découvrit le contenu du panier, Diane ne put s'empêcher de rire : rôti, jambon, fromages, deux gros pâtés, un assortiment de boissons et une demi-douzaine de desserts !

— Il y en a assez pour nourrir une armée ! Qui attendons-nous ?

Une pensée improbable lui vint. « Un prêtre ? » Elle rougit.

— Tout va bien ? lui demanda Richard qui l'observait.

37

« Si ça va ? Je n'ai jamais été aussi heureuse. »

— Oui, Richard.

— Bien, fit-il en hochant la tête. Dans ce cas, n'attendons pas l'armée. Commençons.

Ils avaient tant de choses à se dire, et chaque mot les rapprochait un peu plus. Le désir aussi était là, de plus en plus fort, ils le sentaient. Soudain, au milieu de cette journée parfaite, il se mit à pleuvoir. En l'espace de quelques minutes, ils furent trempés.

— Je suis désolé, fit tristement Richard. J'aurais dû m'en douter... mais les journaux n'annonçaient pas d'averse. Tout est fichu...

Diane s'approcha de lui et murmura :

— Vraiment ?

L'instant d'après, elle était dans ses bras, ses lèvres se pressaient contre les siennes, son cœur battait la chamade. Quand elle s'écarta enfin, elle déclara :

— Il faut enlever ces vêtements, ils sont mouillés.

— Tu as raison, dit-il en riant. Sinon, on va attraper...

— Chez toi ou chez moi ?

Richard devint soudain très calme.

— Diane, tu es bien sûre ? Je te pose la question car... il ne s'agit pas d'une aventure d'un soir.

— Je sais, répondit-elle doucement.

Une demi-heure plus tard, ils étaient chez Diane, enlacés, jouant à se déshabiller l'un l'autre tandis que leurs mains exploraient des territoires inconnus pleins de promesses. Enfin, ils n'y tinrent plus et se jetèrent sur le lit.

Richard se montrait à la fois tendre et passionné, doux et ardent. Sa langue s'attardait sur elle, avançant lentement, et c'était comme des vagues tièdes déferlant sur une plage de velours. Enfin, il fut en elle, au plus profond, remplissant tout son être.

Ils passèrent le restant de l'après-midi et une bonne partie de la nuit à discuter et faire l'amour, ouvrant leur cœur l'un à l'autre. C'était merveilleux, ineffable.

Au matin, tandis que Diane préparait le petit déjeuner, Richard lui demanda :

— Diane, veux-tu m'épouser ?

Elle se retourna vers lui et répondit doucement.

— Oh, oui.

Le mariage eut lieu un mois plus tard. La cérémonie fut tendre et belle ; famille et amis félicitèrent les jeunes mariés. Devant le visage rayonnant de Richard, Diane songea aux prédictions ridicules de la voyante. Elle sourit.

Pour leur lune de miel, ils devaient s'envoler pour la France, peu après leur mariage, mais Richard l'appela de son bureau.

— Un nouveau projet vient de tomber et je ne peux pas me libérer. Cela t'ennuie si nous repoussons de quelques mois ? Je suis vraiment désolé, ma chérie.

— Mais non, ça ira.

— Veux-tu déjeuner avec moi ce midi ?

— Avec plaisir.

— Tu aimes la gastronomie française, or je connais un excellent restaurant français. Je passe te chercher dans une demi-heure.

Trente minutes plus tard, Richard était sur le seuil de la porte, attendant Diane.

— Bonjour, mon amour. Je dois passer voir un de nos clients à l'aéroport. Il part pour l'Europe. Je le salue et nous allons déjeuner.

— Très bien, dit-elle en le serrant dans ses bras.

A Kennedy Airport, Richard ajouta :

— Il a son jet privé. Je dois le retrouver sur le tarmac.

On les fit entrer dans la zone réservée, où attendait un Challenger. Richard jeta un coup d'œil autour de lui.

— Il n'est pas encore là. Allons l'attendre dans l'avion.

Ils embarquèrent dans le luxueux appareil dont les moteurs étaient déjà allumés.

Un steward sortit de la cabine de pilotage.

— Bonjour.

Ils le saluèrent à leur tour et le virent refermer la porte extérieure.

— Tu crois que ton client en a encore pour longtemps ?

— Je ne pense pas.

Le bruit des moteurs s'amplifia. L'avion se mit à bouger. Diane regarda dehors et pâlit.

— Richard, on bouge.

— Vraiment ? fit-il, surpris.

— Mais regarde ! reprit-elle, prise de panique. Dis-le au pilote !

— Que veux-tu que je lui dise ?

— De s'arrêter, voyons !

— C'est impossible. Nous allons décoller.

Silence. Diane regarda Richard, les yeux écarquillés.

— Où allons-nous ?

— A Paris ! Je t'ai dit que je t'emmenais dans un grand restaurant français.

Une expression de stupéfaction se peignit sur son visage.

— Mais Richard, je ne peux pas partir comme ça ! Je n'ai ni vêtements, ni maquillage, ni...

— Il paraît qu'on trouve tout ça en quantité, à Paris.

Elle le regarda longuement, puis se jeta dans ses bras.

— Oh, toi, tu es fou, je t'aime.

— Tu souhaitais partir en lune de miel, c'est fait, conclut-il avec un grand sourire.

CHAPITRE 5

A ORLY, une limousine les attendait pour les emmener à l'hôtel Plaza Athénée.

A leur arrivée, le réceptionniste les informa :

— Votre suite est prête, Mr. et Mrs. Stevens.

— Merci.

Ils étaient au 310. On leur ouvrit la porte, et ils entrèrent. Diane s'arrêta, sous le choc. Une demi-douzaine de ses tableaux étaient accrochés au mur. Elle se retourna vers Richard.

— Je... Comment... ?

— Je ne sais pas, fit-il innocemment. Ils ont du goût, c'est tout.

Elle l'embrassa avec passion.

*

Le séjour à Paris fut merveilleux. Ils commencèrent par faire un saut chez Givenchy, pour se refaire une garde-robe, puis chez Vuitton, où ils achetèrent des bagages.

Ils descendirent l'avenue des Champs-Élysées depuis l'Arc de Triomphe jusqu'à la place de la Concorde, se promenèrent du côté de la Madeleine, du Palais Bourbon et de la place Vendôme. Ils passèrent toute une journée au musée du Louvre et déambulèrent parmi les sculptures dans le romantique jardin du musée Rodin. Enfin, ils s'offrirent quelques dîners de gourmet à l'Auberge des Trois Bonheurs, Au Petit Chez Soi, et Chez Eux.

Un détail parut étrange à Diane : les coups de téléphone que recevait Richard au beau milieu de la nuit.

— Qui était-ce ? lui demanda-t-elle lorsqu'il eut raccroché, à trois heures du matin.

— Rien, c'est la routine du boulot.

— Diane ! Diane !

Elle fut arrachée à sa rêverie. Carolyn Ter l'observait.

— Ça va ?

— Oui, oui.

Elle prit Diane dans ses bras.

— Il faut du temps. Ça ne fait que quelques jours. Au fait, poursuivit-elle avec hésitation, tu t'es occupée des modalités de l'enterrement ?

Enterrement. Le mot le plus triste du monde. Il sentait la mort, le désespoir.

— Je... je n'ai pas pu...

— Je vais m'en occuper, si tu veux, je choisirai un cercueil et...

— Non ! s'écria Diane plus violemment qu'elle ne l'aurait souhaité.

Carolyn la regarda, surprise.

— Tu sais, reprit-elle d'une voix mal assurée, c'est... c'est la dernière chose que je ferai pour Richard. Je veux qu'il ait des funérailles exceptionnelles. Que tous ses amis puissent lui dire au revoir.

Des larmes se mirent à rouler sur ses joues.

42

— Diane...

— Il faut que je choisisse moi-même le cercueil de Richard pour être sûre... qu'il y soit bien.

Il n'y avait rien à ajouter.

Cet après-midi-là, l'inspecteur Earl Greenburg était à son bureau quand le téléphone sonna.

— C'est Diane Stevens, pour vous.

« Oh non – il se souvenait de la gifle mémorable qu'elle lui avait assenée – qu'est-ce qu'elle me veut ? »

— Inspecteur Greenburg.

— Bonjour, c'est Diane Stevens. Je vous appelle pour deux raisons. La première, c'est pour vous présenter mes excuses. Je me suis mal conduite envers vous, je suis vraiment désolée.

— Vous n'avez pas à vous excuser, madame Stevens, répondit-il, interdit. Je comprends très bien.

Il attendit. Silence.

— Vous avez mentionné deux motifs.

— Oui. Mon mari... (La voix lui manquait.) Le corps de mon mari se trouve quelque part. Comment puis-je le récupérer ? Je voudrais prendre les dispositions pour... son enterrement auprès des pompes funèbres.

Sentant le désespoir dans sa voix, l'inspecteur fit la grimace.

— Madame Stevens, je crains qu'il y ait d'abord de la paperasse à remplir. Pour commencer, il faut que le bureau du légiste ait fini son rapport d'autopsie, ensuite, il faut en aviser différents... (Il réfléchit un instant, et prit sa décision.) Ecoutez, vous avez assez de soucis comme ça. Je m'occupe de tout. Ce sera fini dans deux jours.

— Oh, merci... Merci beaucoup.

Sa voix s'étrangla. La communication était coupée.

Earl Greenburg songea longtemps à Diane Stevens et aux terribles heures qu'elle était en train de vivre. Puis il se plongea comme promis dans la paperasse.

Les pompes funèbres Dalton se trouvaient sur Madison Avenue. C'était un bâtiment impressionnant de deux étages, dont la façade évoquait les plantations du Sud. La décoration intérieure faite de lumières tamisées et de pâles tentures mêlait tact et sobriété.

— Bonjour, j'ai rendez-vous avec M. Jones, je suis Diane Stevens, dit-elle à la réceptionniste.

Celle-ci saisit son téléphone et, quelques instants plus tard, le directeur, un homme grisonnant aux traits agréables, vint accueillir Diane.

— Bonjour, je suis Ron Jones. Nous nous sommes parlé au téléphone. Je sais combien tout cela est difficile pour vous, madame Stevens, et notre tâche consiste justement à vous en décharger. Dites-moi simplement ce que vous voulez et nous ferons le nécessaire pour que vous soyez satisfaite.

— Je... je ne sais pas vraiment ce que je veux, répondit-elle d'une voix incertaine.

Jones acquiesça.

— Je vais tout vous expliquer. Nos services prévoient un cercueil, une cérémonie pour vos amis, une place au cimetière et un enterrement. D'après ce que j'ai lu dans les journaux, poursuivit-il avec hésitation, vous voudrez certainement que le cercueil soit fermé lors de la cérémonie...

— Non !

Il eut un geste de surprise.

— Je veux qu'il soit ouvert. Je veux que Richard puisse voir tous ses amis avant de...

Sa voix se perdit.

Jones l'observait avec compassion.

— Je vois. Dans ce cas, si je puis vous faire une suggestion, nous avons un plasticien qui fait un excellent travail là où c'est nécessaire, ajouta-t-il avec délicatesse. Cela vous conviendrait-il ?

— D'accord.

— Une dernière chose. Nous aurons besoin des vêtements dans lesquels vous voulez que votre mari soit enterré.

Elle le dévisagea, sous le choc.

— Des...

Elle imaginait déjà des mains étrangères violant le corps nu de Richard. Mais elle ne pourrait pas supporter de l'habiller elle-même, de le voir dans cet état, elle voulait se souvenir de... Elle frissonna.

— Madame Stevens ?

Elle sentit sa gorge se nouer.

— Je n'avais pas songé à... (Sa voix s'étrangla.) Excusez-moi, ajouta-t-elle, incapable de poursuivre.

Il la vit sortir en titubant, avant de héler un taxi.

De retour chez elle, Diane alla directement ouvrir le placard de Richard. Il y avait là deux rangées de costumes. Chacun recelait un trésor de souvenirs. Il y avait le marron clair que portait Richard le soir où ils s'étaient rencontrés à la galerie d'art. « J'adore vos formes. Elles ont la délicatesse d'un Rossetti ou d'un Manet. » Pourrait-elle s'en séparer ? Jamais.

Ses doigts s'attardèrent sur le suivant. C'était la veste gris clair sport qu'il portait le jour du pique-nique, quand l'ondée les avait surpris.

« Chez toi ou chez moi ? »

« Il ne s'agit pas d'une aventure d'un soir. »

« Je sais. »

Impossible.

Le suivant était le costume rayé. « Tu aimes la gastronomie française... Je connais un très bon restaurant... »

Le blazer bleu marine... la veste en daim... Diane enroula autour d'elle les manches d'un costume bleu clair et le serra contre elle. « Jamais je ne pourrai m'en séparer. » Chaque vêtement lui rappelait un moment précieux. En pleurs, elle en saisit un au hasard et s'enfuit.

Le lendemain après-midi, elle trouva un message sur son répondeur : « Madame Stevens, c'est l'inspecteur Greenburg. Je voulais vous dire que tout était prêt. J'ai appelé les pompes funèbres. Vous pouvez disposer du corps. Je vous souhaite bon courage. Au revoir. »

Diane appela Ron Jones.

— J'ai cru comprendre que le corps de mon époux était arrivé chez vous.

— Oui, madame Stevens. Nous avons commencé à nous occuper de lui et nous avons bien reçu les vêtements que vous nous avez fait parvenir. Merci.

— Je pensais... les funérailles pourraient-elles avoir lieu vendredi prochain ?

— Vendredi ? Ce sera très bien. Nous aurons alors tout réglé. Puis-je vous proposer onze heures ?

Le jeudi matin, Diane mettait au point les derniers détails de la cérémonie, repassant la longue liste des invités, quand le téléphone sonna.

— Madame Stevens ?

— Oui.

— Ici Ron Jones. Je voulais juste vous dire que nous avions bien reçu vos instructions et que nous avions procédé à tous les changements selon vos souhaits.

— Mais je n'ai rien envoyé au...

— Personnellement, j'ai été un peu surpris, mais bien sûr, votre décision vous appartient. La crémation du corps de votre mari s'est terminée il y a une heure.

CHAPITRE 6

L'ENTRÉE de Kelly Harris quelques années plus tôt dans le monde de la mode avait fait l'effet d'une bombe. A l'approche de la trentaine, cette Afro-Américaine à la peau couleur de miel avait un visage à faire rêver les photographes. Son doux regard noisette respirait l'intelligence. Elle avait des lèvres pleines et sensuelles, des jambes qui n'en finissaient pas, et une silhouette invitant à tous les fantasmes. Ses courts cheveux noirs étaient coiffés avec une négligence calculée, quelques mèches se perdant sur son front. Cette année-là, les lecteurs de *Elle* et de *Mademoiselle* l'avaient élue « plus belle top model au monde ».

Tout en finissant de s'habiller, Kelly regarda autour d'elle, toujours aussi émerveillée par le somptueux appartement-terrasse qu'elle occupait au bout de la rue Saint-Louis-en-l'Isle. La double porte s'ouvrait sur une élégante entrée haute de plafond, aux murs jaune pâle, qui débouchait sur un salon Régence avec une terrasse d'où l'on voyait l'Ile de la Cité et Notre-Dame.

Kelly attendait le week-end avec impatience car son mari lui réservait une des surprises dont il avait le secret.

— Je veux que tu te fasses belle, mon cœur. Tu vas adorer l'endroit où je t'emmène.

47

Kelly sourit. Mark était l'homme le plus merveilleux du monde. Elle jeta un coup d'œil à sa montre et soupira. Elle devait se dépêcher, son défilé commençait dans une demi-heure. Quelques instants plus tard, elle était sur le palier. Au même moment, la porte de l'appartement voisin s'ouvrit et Jocelyne Lapointe en sortit. La petite femme replète avait toujours un mot aimable à l'égard de Kelly.

— Bonjour madame Harris.

— Bonjour madame Lapointe, répondit-elle en souriant.

— Vous êtes toujours aussi resplendissante.

— Merci.

Kelly appuya sur le bouton de l'ascenseur.

A quelques mètres, un homme râblé en bleu de travail arrangeait des fils sur le mur. Il jeta un coup d'œil furtif aux deux femmes.

— Comment va le travail ? demanda Mme Lapointe.

— Ça va très bien, merci.

— Il faut que j'aille vous admirer un jour lors d'un défilé.

— Je vous donne une invitation quand vous voulez.

Lorsqu'elles entrèrent dans l'ascenseur, l'ouvrier chuchota quelques mots dans un petit talkie-walkie, puis s'éclipsa.

Alors que la porte de l'ascenseur allait se refermer, Kelly entendit le téléphone sonner chez elle. Elle hésita. Elle était pressée, mais c'était peut-être Mark.

— Ne m'attendez pas, fit-elle à sa voisine.

Elle ressortit de l'ascenseur en cherchant sa clef dans son sac, se hâta d'ouvrir et courut au téléphone.

— Mark ?

— Anne ? répondit une voix inconnue.

— Désolée, il n'y a personne de ce nom ici, fit-elle, déçue.

— Excusez-moi, j'ai dû faire une erreur.

« Un faux numéro. » Kelly raccrocha. A cet instant, une déflagration secoua tout le bâtiment. Quelques instants plus tard, retentirent de grands cris mêlés à une clameur sourde.

Inquiète, elle se précipita sur le palier pour voir ce qui se passait. Le brouhaha venait d'en bas. Elle descendit en courant, et en arrivant au rez-de-chaussée, s'aperçut que les voix venaient du sous-sol.

Elle descendit avec appréhension. En découvrant l'ascenseur en morceaux et le corps fracassé de Mme Lapointe elle faillit s'évanouir. Pauvre femme. Il y a une minute elles étaient ensemble et sans ce coup de téléphone...

Plusieurs personnes s'étaient rassemblées autour de la cage d'ascenseur et, dans le lointain, on distinguait un bruit de sirènes. « Je devrais rester, pensa Kelly, mais je ne peux pas. Il faut que j'y aille. » Elle contempla l'amas de ferraille sous lequel gisait le cadavre de sa voisine et murmura :

— Je suis vraiment désolée, madame Lapointe.

Quand Kelly arriva à son travail, Pierre, le coordinateur, l'attendait avec impatience.

— Kelly ! Kelly ! Kelly ! martela-t-il. Tu es en retard ! Le défilé a commencé et...

— Je suis désolée, Pierre. Il y a eu... un accident très grave.

— Tu es blessée ? interrogea-t-il soudain alarmé.

— Non.

Elle ferma les yeux un instant. L'idée de travailler après ce qu'elle venait de voir la rendait malade, mais elle n'avait guère le choix : elle était la star du défilé.

— Dépêche-toi ! la houspilla-t-il. Allez, vite !

Elle partit se préparer.

Le défilé le plus prestigieux de l'année se déroulait au 31, rue Cambon, dans le salon d'origine de la maison Chanel. La presse était au premier rang. Tous les sièges étaient occupés et, au fond de la pièce, une foule compacte se pressait pour apercevoir la nouvelle tendance de la prochaine saison. La pièce avait été décorée de fleurs, de tissus drapés, mais personne ne s'intéressait au décor. Les gens n'avaient d'yeux que pour le défilé, rivière au mouvement coloré toute d'élégance et de beauté. Dans le fond, une musique lente au rythme langoureux accompagnait les mannequins.

Tandis que ces ravissantes jeunes femmes avançaient puis faisaient demi-tour, une voix commentait leurs tenues.

Une Asiatique aux cheveux noirs se présenta. « ... veste en satin de laine, aux coutures saillantes sur les épaules, pantalon en crêpe georgette et chemisier blanc... »

Une blonde très fine ondula à sa suite. « ... porte un col roulé de cachemire noir avec un pantalon cargo de coton blanc... »

Une rousse a l'air assuré apparut. « ... veste de cuir noir et pantalon de shantung noir assorti à une chemise en tricot blanche... »

Une Française. « ... cardigan d'angora rose à trois boutons, col roulé rose à torsades et pantalon noir à revers... »

Une Suédoise : « ... ensemble veste et pantalon en satin de laine bleu marine, et chemisier lilas... »

Enfin, l'instant que tous attendaient. La Suédoise repartit, laissant la passerelle déserte. Dans le haut-parleur, la voix annonça :

— A présent, nous avons le plaisir de vous présenter notre nouvelle collection balnéaire.

La rumeur alla crescendo, pour culminer avec l'apparition de Kelly Harris. Elle portait un bikini blanc : le bas épousait ses formes, et le soutien-gorge couvrait à peine sa jeune poitrine ferme. Ses ondulations sensuelles fascinaient la foule. Il y eut un tonnerre d'applaudissements. Kelly esquissa un vague sourire, fit demi-tour, et disparut.

En coulisses, deux hommes l'attendaient.

— Madame Harris, pourriez-vous nous accorder un instant... ?

— Désolée. Je dois me changer rapidement, fit-elle en s'éloignant.

— Attendez! Madame Harris! Nous sommes de la police judiciaire. Je suis l'inspecteur Burnier et voici l'inspecteur Sténin. Nous devons vous parler.

Kelly s'arrêta.

— La police? Mais de quoi voulez-vous me parler?

— Vous êtes bien l'épouse de Mark Harris?

— Oui, fit-elle avec une soudaine appréhension.

— Alors j'ai le regret de vous informer que... votre mari est décédé la nuit dernière.

Kelly eut tout à coup la bouche très sèche.

— Mon mari? Comment?...

— Apparemment, ce serait un suicide.

Il y eut un hurlement assourdissant dans sa tête. Elle parvenait à peine à comprendre ce que disait l'inspecteur.

— ... tour Eiffel... minuit... note... tout à fait regrettable... sympathie la plus profonde.

Ces paroles n'étaient pas réelles. C'étaient juste des sons sans substance.

— Madame...

« Je veux que tu te fasses belle ce week-end, mon cœur. Tu vas adorer l'endroit où je t'emmène. »

— Il doit y avoir une erreur. Mark n'aurait jamais...

— Je suis désolé, reprit l'inspecteur en l'observant. Ça va? Oui, oui.

C'est juste que toute sa vie venait de s'arrêter.

Pierre se rua vers Kelly, un magnifique bikini rayé à la main.

— Chérie, il faut que tu te changes tout de suite. Il n'y a pas une minute à perdre, s'exclama-t-il en lui mettant le maillot sur les bras. Allez! Dépêche-toi!

Mais elle laissa choir le bikini.

— Pierre?

— Oui? répondit-il, surpris.

— Pourquoi tu ne le porterais pas toi-même?

51

Une limousine ramena Kelly chez elle. La directrice avait insisté pour qu'on la raccompagne, mais la jeune femme avait refusé. Elle voulait être seule. En traversant l'entrée, elle aperçut le concierge, Philippe Cendre, et un homme en bleu de travail, entouré par les gens de l'immeuble.

— Pauvre Mme Lapointe, dit l'un d'eux. Quel terrible accident !

— Ce n'était pas un accident, fit l'ouvrier en montrant un lourd câble sectionné. On a coupé le frein de secours de l'ascenseur.

CHAPITRE 7

QUATRE heures du matin. Assise sur une chaise, Kelly regardait par la fenêtre, encore sous le choc. Dans sa tête, résonnaient des bruits de voix. « Police judiciaire... nous devons vous parler... tour Eiffel... note indiquant son suicide... Mark est mort... Mark est mort... Mark est mort. » Les mots martelaient son cerveau.

Dans son imagination, le corps de Mark tombait, tombait, tombait... Elle tendit les bras pour le rattraper avant qu'il ne s'écrase sur le trottoir. « Es-tu mort à cause de moi ? A cause de quelque chose que j'ai fait ? Ou n'ai pas fait ? Ou que j'ai dit ? Ou n'ai pas dit ? Je dormais quand tu es parti, mon amour, et je n'ai même pas eu la chance de te dire au revoir, de t'embrasser, de te dire encore une fois combien je t'aimais. J'ai besoin de toi. Je ne peux pas vivre sans toi. Aide-moi, Mark. Aide-moi comme tu l'as toujours fait... » Elle s'effondra en se souvenant de ces terribles années, bien avant leur rencontre...

*

Kelly était née à Philadelphie. Elle était la fille illégitime d'Ethel Hackworth, domestique noire travaillant chez l'une

53

des familles blanches les plus éminentes de la ville. Le père était juge. Il avait un fils, blond, plein de charme, âgé de vingt ans. Ethel en avait dix-sept. Le jeune homme l'avait séduite. Un mois plus tard, elle découvrait qu'elle était enceinte.

— C'est... c'est merveilleux, fit le jeune homme quand elle le lui apprit.

Puis il se précipita dans le bureau de son père pour lui annoncer la mauvaise nouvelle.

Le lendemain matin, le juge fit appeler la jeune fille dans son bureau :

— Je ne veux pas de prostituée dans ma maison. Vous êtes renvoyée.

Ethel n'avait ni argent ni éducation. Elle prit un emploi de femme de ménage dans un bâtiment industriel, travaillant dur pour faire vivre sa petite fille. Au bout de cinq ans, elle eut assez d'argent pour acheter une baraque en mauvais état, qu'elle transforma en pension pour messieurs. Il y avait un salon, une salle à manger, quatre petites chambres et un réduit où dormait Kelly.

A partir de ce moment-là, les hommes ne cessèrent de défiler.

— Ce sont tes oncles, lui dit Ethel. Ne les embête pas.

La petite fille était contente d'avoir une aussi grande famille, jusqu'au jour où elle comprit que c'étaient tous des inconnus.

Kelly avait huit ans quand, au beau milieu d'une nuit très noire, elle fut réveillée par un chuchotement rauque :

— Chut ! Ne fais pas de bruit.

La petite fille sentit qu'on remontait sa chemise de nuit, et avant qu'elle ait eu le temps de protester, un de ses « oncles » était juché sur elle, la main plaquée sur sa bouche. Elle sentit qu'il essayait de lui écarter les jambes et lutta, mais en vain. Un objet dur pénétra dans son corps, et une douleur sans nom la transperça. Avec brutalité, l'homme se forçait un passage, de plus en plus profond, dans sa chair à vif. Kelly sentit le sang chaud gicler. En silence, elle hurlait, craignant de s'évanouir, piégée au fond des ténèbres terrifiantes de sa chambre.

Enfin, au bout d'une éternité, elle sentit l'homme frissonner, puis se retirer.

— Je m'en vais. Mais si tu racontes à ta mère ce qui s'est passé, je reviendrai pour la tuer, murmura-t-il avant de quitter la pièce.

La semaine qui suivit fut un long calvaire. Elle essaya de soulager son corps ravagé du mieux qu'elle put, jusqu'à ce qu'enfin, la douleur s'atténue. Elle aurait voulu en parler à sa mère, mais elle n'osait pas. « Si tu racontes à ta mère ce qui s'est passé, je reviendrai pour la tuer. »

Le viol n'avait duré que quelques minutes, mais ce bref moment allait transformer à jamais la vie de Kelly. A partir de ce jour, elle ne rêva plus à l'idée de se marier, d'avoir des enfants, et se considéra comme irrémédiablement souillée, perdue. Elle se jura que jamais plus un homme ne la toucherait.

Mais une autre angoisse avait surgi en elle : après cette nuit-là, elle eut peur du noir.

CHAPITRE 8

QUAND Kelly eut dix ans, Ethel la mit au travail. Tous les matins, la petite fille se levait à cinq heures pour récurer les toilettes, laver la cuisine et préparer le petit déjeuner des pensionnaires. Après l'école, elle faisait la lessive, nettoyait à nouveau le sol, faisait les poussières, puis aidait sa mère à servir le dîner. Sa vie devint une misérable routine.

Au début, elle s'attela à la tâche de bonne grâce, dans l'espoir d'obtenir un compliment de sa mère. Il ne vint jamais. Elle était trop occupée par ses pensionnaires pour se soucier de sa fille.

Un jour, un monsieur très gentil lui lut *Alice au pays des merveilles*. La fillette était fascinée par la manière dont Alice parvenait à s'échapper en se glissant dans un terrier magique. « C'est ça qu'il me faut, une façon de fuir. Je ne peux pas passer le restant de mes jours à nettoyer les toilettes, le sol et la crasse derrière tous ces hommes. »

Un jour, elle trouva son terrier magique : son imagination. Elle pouvait la transporter où elle le voulait, quand elle le voulait. Elle se mit à réécrire sa vie...

Elle avait un père, et ses parents étaient tous les deux de la même couleur. Jamais ils ne se mettaient en colère contre elle ni ne hurlaient. Ils vivaient tous les trois dans une belle maison. Ses parents l'aimaient. Ses parents l'aimaient. Ses parents l'aimaient...

Ethel se remaria quand sa fille eut quatorze ans. Elle épousa Dan Berke, barman grincheux plus âgé qu'elle, qui n'était jamais satisfait de rien et critiquait sans cesse Kelly.

« Le dîner est dégueulasse. »

« La couleur de ta robe ne te va pas. »

« Le store de la chambre est toujours cassé. Je t'avais dit de le réparer. »

« T'as pas fini de nettoyer la salle de bains. »

Dan Berke buvait. La cloison qui séparait la chambre de Kelly de celle de sa mère était très fine, et chaque nuit, elle l'entendait crier sous les coups. Au matin, Ethel apparaissait, portant un épais maquillage qui ne dissimulait guère ecchymoses et œil au beurre noir.

Kelly était effondrée. Il fallait qu'elle sauve sa mère, qu'elles partent ensemble.

Un soir, alors qu'elle somnolait, elle entendit des éclats de voix dans la chambre voisine.

— Pourquoi tu t'es pas débarrassée d'elle avant sa naissance?

— J'ai essayé, Dan. Ça n'a pas marché.

La jeune fille se sentit transpercée par un coup de poignard. Sa mère n'avait jamais voulu d'elle. Personne ne voulait d'elle.

Kelly avait trouvé un autre moyen de fuir l'inlassable monotonie du quotidien : les livres. Elle était devenue une lectrice insatiable et passait tout son temps libre à la bibliothèque municipale.

Comme il ne restait jamais un centime pour elle, elle se mit à faire du baby-sitting, enviant les familles heureuses qui l'employaient.

A dix-sept ans, comme sa mère, Kelly était devenue une belle jeune fille. Elle était même d'une beauté à vous couper le souffle. Au lycée, les garçons la sollicitaient, mais ils la dégoûtaient, et elle repoussait systématiquement leurs avances.

Le samedi, une fois les travaux domestiques achevés, quand elle n'avait pas cours, elle se hâtait vers la bibliothèque pour y passer l'après-midi.

Mme Lisa Marie Houston, la bibliothécaire, était une femme intelligente et affable, aux manières aussi chaleureuses que discrètes, sans prétention. A force de voir Kelly à la bibliothèque, sa curiosité s'éveilla.

— C'est bien de voir une jeune personne aimer autant la lecture que vous. Vous passez beaucoup de temps ici, lui dit-elle un jour.

Ce fut le début d'une grande amitié. Au fil des semaines, Kelly se mit à lui raconter ses peurs, ses espoirs, ses rêves.

— Qu'aimerais-tu faire de ta vie, Kelly ?

— Je voudrais enseigner.

— Je pense que tu ferais une merveilleuse enseignante. C'est le plus beau métier du monde.

Kelly se mit à parler, puis s'arrêta. Elle se souvint de cette conversation qu'elle avait eue une semaine plus tôt au petit déjeuner avec sa mère et son beau-père.

— Je voudrais aller à l'université pour devenir enseignante.

— Enseignante ? s'était moqué Berke. Quelle idée à la con. Ça gagne pas un rond, les profs. Tu m'entends ? Pas un rond. Ça te rapportera plus de faire des ménages. De toute façon, ta mère et moi on n'a pas l'argent pour t'envoyer à l'université.

— Mais on m'a proposé une bourse et...

58

— Et alors, tu vas passer quatre ans à perdre ton temps ? Laisse tomber. Tu ferais mieux de vendre ton joli petit cul.

Kelly était sortie.

Elle se confia à Mme Houston :

— Il y a un problème : ils refusent que j'aille à l'université. Alors je vais passer toute ma vie à faire ça, continua-t-elle, des sanglots dans la voix.

— Bien sûr que non ! répondit la bibliothécaire d'un ton ferme. Quel âge as-tu ?

— J'aurai dix-huit ans dans trois mois.

— Tu seras donc bientôt assez grande pour décider par toi-même. Tu es une très belle jeune fille, Kelly, le sais-tu ?

— Je ne m'en rends pas vraiment compte.

Kelly avait le sentiment d'être un monstre.

— J'ai horreur de ma vie, madame Houston. Je ne veux pas devenir comme... Je veux quitter cette ville. Je veux autre chose, mais je ne l'aurai jamais. (Elle avait du mal à contrôler ses émotions.) Jamais je n'aurai la chance de faire quelque chose, de devenir quelqu'un.

— Kelly...

— Je n'aurais pas dû lire tous ces livres, fit-elle, amère.

— Mais pourquoi ?

— Parce qu'ils sont pleins de mensonges. Tous ces gens si beaux, ces endroits magnifiques, la magie... La magie n'existe pas, conclut-elle en secouant la tête.

Mme Houston l'observa quelques instants. Manifestement, Kelly avait une opinion d'elle-même très négative.

— Kelly, la magie existe, mais c'est à toi de l'inventer. Tu dois devenir la magicienne.

— Ah bon ? Vous avez la formule ? répliqua-t-elle avec cynisme.

— D'abord tu dois savoir quels sont tes rêves. Pour toi, c'est d'avoir une vie passionnante, de rencontrer des gens

59

intéressants, de voyager. La prochaine fois que tu viendras, je te montrerai comment réaliser tes rêves.

« Menteuse », pensa la jeune fille.

*

Une semaine après avoir obtenu son diplôme de fin d'études, Kelly revint à la bibliothèque.

— Tu te souviens, je t'ai dit que tu devais créer ta propre magie ? lui dit Mme Houston.

— Oui, répondit-elle, sceptique.

De derrière son bureau, elle sortit une pile de magazines, *Cosmogirl, Seventeen, Glamour, Mademoiselle, Essence, Allure...* qu'elle tendit à Kelly.

— Pour quoi faire ?

— As-tu jamais songé à devenir mannequin ?

— Non.

— Regarde ces magazines et dis-moi si cela te donne des idées.

— Merci, madame Houston.

Kelly savait qu'elle était pleine de bonnes intentions, mais elle ne comprenait pas. « La semaine prochaine, je cherche du boulot. »

La jeune fille rentra chez elle et rangea les magazines dans un coin de sa chambre. Elle se mit ensuite au travail, et n'y pensa plus.

Lorsqu'elle alla se coucher ce soir-là, épuisée, elle se rappela les magazines de Mme Houston. Par curiosité, elle commença de les feuilleter. C'était un autre monde. Les mannequins portaient de splendides tenues. On les voyait à Londres, Paris, et autres lieux exotiques, accompagnées d'hommes élégants. Kelly se prit soudain à les envier. Elle revêtit une robe et alla à la salle de bains.

Dans la glace, elle s'étudia. Peut-être était-elle jolie. Tout le monde le lui disait. Elle pensa à sa vie future à Philadelphie, et se regarda à nouveau dans le miroir. « Il faut bien commencer quelque part. Il faut créer sa propre magie. »

*

Le lendemain matin, Kelly se rendit à la bibliothèque dès l'ouverture.

Mme Houston leva les yeux, surprise de la voir arriver de si bon matin.

— Bonjour, Kelly. Tu as eu le temps de jeter un coup d'œil à ces magazines ?

— Oui, fit-elle en reprenant longuement sa respiration. Je veux bien essayer de devenir mannequin. Le problème, c'est que je ne sais pas du tout par où commencer. Je n'ai aucune expérience.

— Moi, oui, dit Mme Houston en souriant. J'ai regardé dans l'annuaire de New York. Tu as dit que tu voulais quitter cette ville ? poursuivit-elle en lui tendant une feuille pliée. Voici la liste des douze meilleures agences de mannequins de Manhattan, avec l'adresse et le téléphone. Commence par la première, acheva-t-elle en prenant la main de Kelly.

— Je... je ne sais pas comment vous remercier, répondit la jeune fille, stupéfaite.

— Oh, c'est très simple : voir ta photo dans ces magazines me suffira !

Au dîner, ce soir-là, Kelly annonça :

— J'ai décidé de devenir mannequin.

— C'est l'idée la plus bête que tu aies jamais eue, grommela son beau-père. Qu'est-ce qui te prend ? Les mannequins, c'est toutes des putes !

— Kelly, soupira sa mère, ne fais pas la même erreur que

61

moi. J'avais des rêves chimériques, moi aussi. Ils te tueront. Tu es noire et tu es pauvre. Tu n'iras nulle part.

Il n'en fallait pas plus pour conforter la jeune fille dans sa décision.

La nuit suivante, à cinq heures du matin, elle fit sa valise et partit pour la gare routière. Dans son sac à main, elle avait deux cents dollars gagnés grâce au baby-sitting.

Il y avait deux heures de car jusqu'à Manhattan, et Kelly se prit à rêver à un autre avenir. Elle allait devenir mannequin professionnel. Mais Kelly Hackworth, ça ne faisait pas très pro. Elle n'utiliserait que son prénom. Et dans sa tête, elle se le répétait encore et encore. « Et voici notre top model, Kelly ! »

Elle prit une chambre dans un petit hôtel et, à neuf heures, elle était devant la porte de la première agence de la liste de Mme Houston. Elle n'était pas maquillée et sa robe était froissée car elle n'avait pas emporté de fer à repasser.

Il n'y avait personne à la réception. Elle s'approcha d'un homme assis dans un bureau, occupé à rédiger quelque chose.

— Excusez-moi ?

L'homme grommela sans daigner la regarder.

— Je me demandais si vous recrutiez de nouveaux mannequins, fit-elle avec hésitation.

— Non, on n'engage personne.

— Bien, merci, soupira Kelly en faisant demi-tour.

L'homme leva soudain les yeux et son expression changea.

— Attendez ! Attendez une minute. Revenez, dit-il en se levant. Mais d'où sortez-vous ?

— De Philadelphie, répondit la jeune fille, perplexe.

— Je veux dire... peu importe. Vous avez déjà été mannequin ?

— Non.

— Pas grave. Vous allez apprendre ici.

Kelly eut soudain la gorge très sèche.

— Vous voulez dire... que je vais être engagée ?

— Absolument ! affirma-t-il en souriant. Certains de nos clients vont être fous en vous voyant.

Elle ne parvenait pas à y croire. Cette agence était la plus célèbre et...

— Je m'appelle Bill Lerner. Je suis le directeur. Et vous, quel est votre nom ?

C'était l'instant que Kelly attendait. Pour la première fois, elle allait utiliser son nom professionnel.

CHAPITRE 9

E N entendant le vrombissement de l'avion à basse altitude, Loïs Reynolds sourit. « C'est Gary. » Il était en retard. Loïs avait proposé d'aller le chercher à l'aéroport, mais il avait refusé.

— Ne te dérange pas, p'tite sœur, je prendrai un taxi.

— Mais Gary, ça ne me dé...

— Attends-moi plutôt à la maison.

— Comme tu voudras.

Gary avait toujours été la personne qui comptait le plus pour elle. Son enfance à Kelowna avait été un cauchemar. Depuis qu'elle était petite, Loïs avait le sentiment que le monde entier était contre elle : magazines, mannequins, actrices – et tout ça parce qu'elle était un peu enveloppée. Où était-il écrit qu'une fille bien en chair ne pouvait être aussi belle qu'une de ces maigrichonnes valétudinaires ? Loïs ne pouvait s'empêcher de constamment se regarder dans les miroirs. Elle avait de longs cheveux blonds, des yeux bleus, des traits pâles et délicats, et ce qu'elle jugeait être une agréable silhouette aux formes pleines. « Pourquoi les hommes peuvent-ils se balader la bedaine en avant, et personne ne dit rien ? Si jamais une femme prend quelques kilos, elle devient l'objet de railleries. Quel est l'imbécile qui a décidé que les mensurations idéales des filles devaient être 90-60-90 ? »

A l'école, aussi loin que remontaient ses souvenirs, ses camarades s'étaient toujours moqués d'elle dans son dos, l'appelant « la Grosse », « Piggy la cochonne », ou « Petit Pot ». Ces sobriquets la blessaient profondément. Mais Gary avait toujours été là pour la défendre.

Une fois obtenu son diplôme à l'université de Toronto, Loïs décida qu'elle en avait assez entendu. Si le Prince Charmant cherchait une femme, une vraie, Loïs l'attendait.

Et un jour, tout à fait à l'improviste, le Prince Charmant s'était présenté. Il s'appelait Henry Lawson. Ils s'étaient rencontrés lors d'une réunion à l'église, et tout de suite, Loïs s'était sentie séduite. Il était grand, mince, blond, et il était aussi chaleureux que son généreux sourire le laissait supposer. C'était le fils du pasteur. Loïs se mit à passer tout son temps auprès de lui, à l'église. En discutant, elle apprit qu'il possédait une pépinière, que ses affaires marchaient bien et que c'était un amoureux de la nature.

— Si tu es libre demain soir, j'aimerais t'inviter à dîner.

Elle accepta sans hésiter.

Il l'emmena chez Sassafraz, l'un des plus grands restaurants de Toronto. La carte lui mit immédiatement l'eau à la bouche, mais elle choisit un plat léger car elle ne voulait pas qu'il la prenne pour une gloutonne.

Quand il vit qu'elle commandait seulement une salade, il objecta :

— Mais, ce n'est pas suffisant.

— J'essaie de perdre du poids, mentit-elle.

— Je ne veux pas que tu perdes du poids, dit-il en lui prenant la main. Je t'apprécie telle que tu es.

Elle eut un frisson. C'était la première fois qu'elle entendait cela.

— Je vais te commander un steak, des pommes de terre et une grande salade.

C'était si merveilleux de rencontrer un homme qui ne condamnait pas son appétit !

Les semaines qui suivirent furent une succession de délicieux rendez-vous. Au bout de trois semaines, Henry lui avoua :

— Je t'aime, Loïs. Je voudrais t'épouser.

Ces mots qu'elle pensait ne jamais entendre ! Ses bras se refermèrent sur lui :

— Je t'aime aussi, Henry. Et, je veux bien être ta femme.

Le mariage eut lieu cinq jours plus tard, dans l'église du père d'Henry qui dirigea la très belle cérémonie. Gary et quelques amis étaient là. Jamais Loïs n'avait été aussi heureuse.

— Où allez-vous passer votre lune de miel ? demanda le révérend Lawson.

— Au bord du lac Louise, répondit son fils. C'est très romantique.

— C'est en effet parfait pour de jeunes mariés.

Henry passa un bras autour de Loïs.

— Je souhaite que notre vie tout entière soit une lune de miel.

Loïs défaillait presque de bonheur.

Juste après le mariage, ils partirent pour le lac Louise, véritable petit paradis situé au cœur du parc national de Banff, dans les montagnes Rocheuses canadiennes.

Ils arrivèrent en fin d'après-midi, alors que le soleil dardait ses derniers feux sur le lac étincelant.

Henry prit Loïs dans ses bras.

— Tu as faim ?

Elle le regarda dans les yeux en souriant.

— Non.

— Moi non plus. Si nous nous déshabillions ?

— Oh, oui, mon chéri.

Deux minutes plus tard, ils étaient au lit, et Henry faisait l'amour à Loïs. C'était merveilleux. Epuisant. Enivrant.

— Oh, mon chéri, je t'aime tant.

— Je t'aime aussi, répondit Henry en se levant. A présent, nous devons lutter contre le péché de chair.

Elle le regarda, surprise.

— Quoi ?

— A genoux.

— Tu te sens bien, mon chéri ? lança-t-elle en riant.

— A genoux.

— Très bien, fit-elle, le sourire aux lèvres.

Elle s'agenouilla et, perplexe, vit Henry retirer la grosse ceinture de son pantalon. Il revint vers elle, et avant qu'elle ait eu le temps de comprendre, la dure lanière de cuir s'abattait violemment sur ses fesses dénudées.

Loïs hurla et essaya de se lever.

— Mais qu'est-ce que tu fais ?

Il la força à rester dans cette posture.

— Je te l'ai dit, ma chérie, nous devons lutter contre le péché de chair, dit-il en s'apprêtant de nouveau à frapper.

— Arrête ! Mais arrête !

— Ne bouge pas.

La jeune femme avait beau se débattre, son mari la maintenait au sol de son bras puissant, tandis qu'il cinglait ses chairs meurtries.

— Henry ! Mon Dieu ! Arrête !

Enfin, il se redressa, aspira une grande goulée d'air en frissonnant et soupira :

— Ça va, maintenant.

Loïs avait du mal à bouger. Ses plaies suintaient, lui cuisaient. Elle réussit malgré tout à se remettre debout. Elle était muette d'horreur devant son mari, incapable de proférer un mot.

— Le sexe est un péché. Nous devons combattre la tentation. (Incrédule et sans voix, elle secoua la tête, sentant monter en elle d'irrépressibles sanglots.) Tout va bien à présent, dit-il en la prenant dans ses bras. Tout va bien. Je t'aime.

— Moi aussi, je t'aime, hasarda-t-elle, mais...

— N'aie crainte, nous avons triomphé.

Voulait-il dire que c'était la première et la dernière fois que cette chose se produisait ? « C'est peut-être parce qu'il est fils de pasteur. Dieu merci, c'est terminé. »

— Je t'aime tellement, dit-il en la serrant contre lui. Allons dîner.

Au restaurant, Loïs put à peine s'asseoir. La douleur était terrible, mais elle n'osa pas demander un coussin.

— C'est moi qui commande, dit Henry.

Il prit une salade pour lui, et un repas gargantuesque pour Loïs, ajoutant :

— Il faut que tu reprennes des forces, mon trésor.

Pendant tout le dîner, la jeune femme ne put s'empêcher de songer à ce qu'il s'était passé. Henry était l'homme le plus merveilleux qu'elle ait jamais rencontré. Elle avait été stupéfiée par ce... « Comment appeler ça, se demanda-t-elle, ce fétichisme ? » Enfin, c'était terminé. Elle pouvait à nouveau croire en l'avenir, à la vie qu'elle allait passer à prendre soin de l'homme qu'elle aimait, et qui la chérirait de même.

Lorsqu'ils eurent terminé leur plat de résistance, Henry commanda un dessert supplémentaire pour Loïs en disant :

— J'aime que ma femme ait des formes généreuses.

— Je suis contente de te plaire, répondit-elle en souriant.

Le dîner terminé, Henry proposa :

— Et si nous retournions dans notre chambre ?

— Mais oui.

Là, ils se déshabillèrent. Quand Henry prit Loïs dans ses bras, la douleur s'envola. Il lui fit l'amour avec douceur, tendresse, et ce fut encore mieux que la première fois.

— C'était merveilleux, fit-elle en serrant son mari dans ses bras.

— Oui, approuva-t-il. Maintenant, nous devons lutter contre le péché de chair. A genoux.

En pleine nuit, quand Henry se fut assoupi, Loïs rassembla ses affaires en silence et s'enfuit. Elle prit l'avion jusqu'à Vancouver et appela Gary. Au déjeuner, elle lui raconta tout.

— Je vais faire une demande de divorce, mais il faut que je quitte la ville.

Son frère réfléchit quelques instants.

— J'ai un ami qui est propriétaire d'une agence d'assurances, p'tite sœur. C'est à Denver, à presque deux mille cinq cents kilomètres.

— Ce sera parfait.

— Dans ce cas, je vais l'appeler.

Deux semaines plus tard, Loïs était à Denver, cadre dans l'agence d'assurances. Elle s'était acheté une charmante petite maison d'où l'on voyait les montagnes Rocheuses se détacher sur l'horizon. Gary l'appelait tous les jours et venait régulièrement la voir. Ensemble, ils passaient d'excellents week-ends à skier, pêcher ou simplement discuter. « Je suis si fier de toi, p'tite sœur », lui disait-il régulièrement. Quant à Loïs, elle était en admiration devant tout ce que faisait son frère. Il avait obtenu son doctorat ès sciences, travaillait à présent pour une grande firme internationale et avait appris à piloter pour le plaisir.

Loïs songeait justement à Gary quand on frappa à la porte. Elle regarda par la fenêtre et reconnut le grand et rude Tom Huebner. C'était un pilote, ami de Gary.

Elle alla lui ouvrir.

— Salut, Tom.

— Loïs.

— Gary n'est pas encore arrivé. J'ai cru entendre son avion tout à l'heure. Il ne devrait pas tarder. Est-ce que tu veux l'attendre ou...

— Tu n'as pas regardé les infos ?

— Non. Qu'y a-t-il ? J'espère qu'il ne va pas y avoir une autre guerre et...

— Loïs, j'ai de mauvaises nouvelles. Très très mauvaises, fit-il, mal à l'aise. C'est à propos de Gary.

— De Gary ? dit-elle en se raidissant soudain.

— Il a été tué dans un accident d'avion avant d'arriver à Denver. (Il vit une lueur s'éteindre dans ses yeux.) Je suis désolé. Je sais combien vous étiez proches l'un de l'autre.

Loïs essaya de répondre, mais aucun son ne sortit de sa bouche.

— Comment... ? Comment... ?

Tom Huebner la prit par la main et l'emmena s'asseoir sur le canapé. Elle réussit enfin à articuler :

— Comment est-ce arrivé ?

— L'avion de Gary a heurté le flanc d'une montagne à quelques kilomètres de Denver.

Loïs se sentit soudain très faible.

— Tom, j'aimerais rester seule.

Il la regarda, inquiet.

— Tu es sûre ? Je pourrais rester et...

— Merci, mais je préfère que tu t'en ailles.

Il demeura quelques instants sans bouger, irrésolu, puis secoua la tête.

— Tu as mon numéro. Appelle-moi si tu as besoin.

Loïs n'entendit pas la porte se refermer. Elle était en état de choc. C'était comme si l'on venait de lui annoncer sa propre mort. Ses souvenirs d'enfance commencèrent à défiler. Gary l'avait toujours protégée en se battant contre les garçons qui l'embêtaient. En grandissant, il s'était mis à l'emmener aux matchs de base-ball, au cinéma, aux soirées. La dernière fois qu'elle l'avait vu, c'était une semaine plus tôt. Dans sa tête, elle revoyait la scène, tel un film brouillé par ses larmes.

Tous deux étaient assis à table.

— Tu ne manges pas, Gary.

— C'est délicieux, p'tite sœur, mais je n'ai pas très faim.

Elle l'avait observé un moment.

— Y a-t-il quelque chose dont tu as besoin de parler ?

— On ne peut rien te cacher, hein ?

— C'est en rapport avec ton travail ?

— Oui, dit-il en repoussant son assiette. Je crois que je suis en danger.

Loïs l'avait regardé, stupéfaite.

— Quoi ?

— Il y a seulement une demi-douzaine de personnes dans le monde qui sont au courant, p'tite sœur. Je reviendrai dormir ici lundi prochain. Le lendemain matin, je repartirai pour Washington.

— Pourquoi Washington ? avait-elle répondu, surprise.

— Pour tout leur dire au sujet de Prima.

Et Gary lui avait tout raconté.

A présent, il était mort. « Je crois que je suis en danger. » Ce n'était pas un accident. Son frère avait été assassiné.

Loïs regarda sa montre. Il était trop tard pour faire quelque chose, mais à l'aube elle passerait le coup de téléphone qui vengerait la mort de Gary, pour terminer le travail qu'il avait commencé. Elle se sentit soudain très lasse et eut du mal à se

71

lever du canapé. Elle n'avait rien mangé, mais cette seule pensée lui donnait la nausée.

Elle gagna sa chambre et se coucha sur son lit, trop fatiguée pour se déshabiller, et resta ainsi étendue, dans un état second, jusqu'à ce que le sommeil la terrasse.

La nuit, Loïs rêva qu'elle et son frère se trouvaient à bord d'un train à grande vitesse où tous les passagers fumaient. Il faisait de plus en plus chaud, et la fumée la faisait tousser, à tel point qu'elle se réveilla. En ouvrant les yeux, elle eut un choc. Sa chambre remplie de fumée était la proie des flammes et les rideaux ressemblaient à des torches. Elle se leva en titubant. Elle étouffait. Elle essaya de retenir sa respiration et en vacillant se dirigea vers le salon. Envahie par une épaisse fumée, la pièce tout entière était ravagée par l'incendie. Elle fit encore quelques pas en direction de la porte, puis elle s'écroula.

CHAPITRE 10

TOUT se passa très vite. Kelly comprit quelles étaient les clefs de sa nouvelle profession : l'agence lui fit suivre une formation pour apprendre à contrôler son image. Etre mannequin consistait essentiellement à savoir se mettre en valeur. Pour Kelly, cela signifiait jouer la comédie, car elle ne se sentait ni belle ni désirable.

Le terme de « bombe » semblait avoir été inventé pour elle. Elle avait l'air provocante, excitante, tout en demeurant si inaccessible que cela rendait les hommes fous. Au bout de deux ans, elle avait atteint des sommets. Elle faisait de la publicité dans une douzaine de pays et passait la plupart de son temps à Paris, où se trouvaient certains des plus gros clients de l'agence.

Un jour, après un défilé à New York, avant de repartir pour la France, elle décida de rendre visite à sa mère. Elle la trouva vieillie, l'air plus fatigué que jamais, et décida de lui acheter un joli petit appartement et de prendre soin d'elle.

Sa mère semblait contente de la voir.

— Je suis heureuse que tu aies si bien réussi, Kelly. Merci pour l'argent que tu m'envoies tous les mois.

— C'est normal, maman. Il y a quelque chose dont je

voudrais te parler. J'ai déjà tout prévu. Je veux que tu quittes...

— Tiens, tiens, tiens, regardez donc qui nous rend visite : Son Altesse ! fit en entrant son beau-père. Qu'est-ce que tu fous ici ? Tu devrais être en train de te pavaner dans tes vêtements de riches !

Il lui faudrait revenir une autre fois.

Elle avait encore une visite à faire. Elle retourna à la bibliothèque où elle avait coulé des heures si merveilleuses. En entrant, ses magazines à la main, une foule de souvenirs lui revinrent.

Mme Houston n'était pas à son bureau. Kelly continua et la trouva dans une travée, replaçant des livres sur une étagère, radieuse dans sa robe ajustée.

En entendant la porte s'ouvrir, la bibliothécaire s'était écriée :

— Je suis à vous dans une minute !

Soudain elle se retourna :

— Kelly ! Oh, Kelly !

C'était un cri du cœur.

Elles se jetèrent dans les bras l'une de l'autre. Puis Mme Houston recula pour admirer la jeune femme.

— Je n'arrive pas à y croire. Que fais-tu ici ?

— Je suis venue rendre visite à ma mère, mais je voulais vous voir aussi.

— Je suis si fière de toi. Tu n'as pas idée.

— Madame Houston, vous vous souvenez quand je vous ai demandé comment je pouvais vous remercier ? Vous avez dit que voir ma photo dans les magazines vous suffirait. Alors voilà.

Et Kelly lui tendit une pile de publications dont elle faisait la couverture. Il y avait *Elle, Cosmopolitan, Mademoiselle* et *Vogue*.

— C'est magnifique, répondit Mme Houston avec un grand sourire.

Elle retourna à son bureau, et sortit ses propres exemplaires des mêmes magazines. Kelly mit du temps à trouver les mots.

— Comment pourrai-je jamais vous remercier? Vous avez changé ma vie.

— Non, Kelly, c'est toi qui as changé ta vie. Tout ce que j'ai fait, c'est te donner un petit coup de pouce. Et... Kelly?

— Oui?

— Grâce à toi, je suis devenue une gravure de mode!

Comme Kelly préservait jalousement son intimité, sa célébrité était parfois lourde à porter. Les photographes la traquaient en permanence, et elle ne supportait pas d'être approchée par des inconnus. Elle aimait avant tout être seule.

Un jour où elle déjeunait au restaurant Le Cinq, à l'hôtel George V, un petit homme mal habillé vint se planter devant elle, béat. Il avait le teint blafard et maladif de ces gens qui ne sortent jamais, et tenait à la main un exemplaire de *Elle* ouvert, laissant voir des photos de Kelly.

— Excusez-moi.

— Oui, répondit Kelly avec froideur.

— Je viens de voir votre... j'ai lu cet article sur vous, et ils disent que vous êtes née à Philadelphie. Moi aussi, continua-t-il avec enthousiasme, je suis de là-bas, et quand j'ai vu votre photo, j'ai eu le sentiment de vous avoir déjà vue...

— C'est impossible. De plus, je n'aime pas être dérangée par des inconnus.

— Oh, je suis désolé, fit-il, pris de court. Je ne voulais pas... Je ne suis pas un inconnu. Je veux dire, je m'appelle Mark Harris, et je travaille pour Kingsley International. Quand je vous ai vue là... j'ai pensé que vous aimeriez peut-être avoir un peu de compagnie pour déjeuner et je...

Elle lui jeta un regard méprisant.

— Eh bien vous vous êtes trompé. A présent j'apprécierais que vous me laissiez tranquille.

— Je... Je ne voulais pas vous importuner, bégaya-t-il. C'est seulement... (Il avisa son air furieux.) Je m'en vais.

Elle le vit s'éloigner, emportant son magazine avec lui. « Bon débarras. »

Pendant une semaine, Kelly devait poser pour une série de photos destinées à différentes publications. Le lendemain de sa rencontre avec Mark Harris, elle se trouvait dans le salon d'habillage quand on lui fit parvenir trois douzaines de roses. Il y avait une carte. « Pardonnez-moi de vous avoir ennuyée. Mark Harris. »

Elle déchira le mot.

— Faites porter ces fleurs à un hôpital pour enfants.

Le lendemain matin, son habilleuse entra à nouveau avec un paquet pour elle.

— Un homme a déposé ça pour vous, Kelly.

Il s'agissait d'une orchidée. « J'espère que vous m'avez pardonné. Mark Harris. »

A nouveau, Kelly déchira la carte.

— Gardez ça, fit-elle à son habilleuse en désignant la plante.

A partir de ce jour, les cadeaux de Mark Harris devinrent presque quotidiens : un panier de fruits ; une petite bague ; un père Noël. Chaque fois, Kelly les jetait à la poubelle. Le présent suivant était d'une autre nature : c'était un adorable chiot, un caniche portant au cou un ruban rouge : « Voici "Angel". J'espère que vous l'aimerez autant que moi. Mark Harris. »

Kelly appela le service des renseignements et demanda le numéro de téléphone de Kingsley International Group. Quand la standardiste répondit, elle lui demanda :

— Y a-t-il chez vous quelqu'un du nom de Mark Harris ?

— Oui, madame.

— Pourrais-je lui parler ?

— Ne quittez pas.

Une minute plus tard, il répondit :

— Allô ?

— Monsieur Harris ? C'est Kelly. J'ai décidé d'accepter votre invitation à déjeuner.

Il resta muet, cloué par la surprise.

— Vraiment ? C'est... C'est merveilleux !

Kelly sentit à quel point il était ému.

— Chez Laurent, à treize heures ?

— Ce sera parfait. Merci, je...

— Je m'occupe de la réservation. Au revoir.

Mark Harris attendait debout près de la table quand Kelly entra, la petite chienne dans les bras. Son visage s'illumina.

— Vous êtes venue. Je n'étais pas sûr que... et vous avez amené Angel !

— Oui, fit-elle en lui mettant le caniche dans les bras. Comme ça vous ne serez pas seul pour déjeuner, ajouta-t-elle avec froideur en tournant les talons.

— Mais, je ne comprends pas. Je croyais...

— Eh bien je vais vous le redire une dernière fois. Cessez de m'importuner ! Vous comprenez ?

Mark rougit jusqu'aux oreilles.

— Oui. Oui, bien sûr. Je suis absolument navré. Je ne voulais... je ne voulais pas... j'avais juste pensé... je ne sais pas... j'aimerais vous expliquer. Accepteriez-vous de vous asseoir quelques instants ?

Kelly s'apprêtait à dire non, mais finalement elle condescendit à s'asseoir.

— Je vous écoute.

Mark Harris inspira profondément.

— Je suis vraiment désolé. Je ne voulais pas vous ennuyer. Je vous ai envoyé ces petits cadeaux pour m'excuser de vous

77

avoir importunée. Tout ce que je voulais, c'était une chance de... Quand j'ai découvert votre photo, j'ai eu l'impression que je vous connaissais depuis toujours. C'est alors que je vous ai vue, vous étiez assise en face de moi, et vous m'avez semblé encore plus... (Mortifié, il cherchait ses mots.) J'aurais dû savoir que quelqu'un comme vous ne s'intéresserait jamais à un type comme moi. Je me suis comporté comme un jeune imbécile. Je suis extrêmement gêné. C'est parce que... Je ne savais pas comment vous dire que... (Sa voix se perdit. Il avait l'air d'une grande vulnérabilité.) Je ne suis pas très doué pour... exprimer mes sentiments. J'ai toujours été seul. Jamais personne ne m'a... Mes parents ont divorcé quand j'avais six ans, et ils se sont battus pour la garde. Aucun d'eux ne voulait vraiment de moi.

Kelly le toisait en silence. Ses paroles résonnaient en elle, ressuscitant de vieux souvenirs enfouis.

« Pourquoi tu t'es pas débarrassée d'elle avant sa naissance ? — J'ai essayé. Ça n'a pas marché. »

— J'ai été ballotté entre une demi-douzaine de familles d'accueil où personne ne voulait de moi.

« Ce sont tes oncles. Ne les dérange pas. »

— Quoi que je fasse, ce n'était jamais bien.

« Ce dîner est dégueulasse... La couleur de cette robe ne te va pas... Tu n'as pas fini de nettoyer la salle de bains... »

— Ils voulaient que j'arrête l'école pour travailler dans un garage, mais j'ai... je voulais être scientifique. Ils disaient que j'étais trop stupide...

Kelly s'intéressait de plus en plus à ce que Mark Harris lui racontait.

« Je voudrais être mannequin. — Toutes les mannequins sont des putes. »

— Je rêvais d'aller à l'université, mais ils disaient qu'avec le travail qui m'attendait, je n'avais pas besoin d'instruction.

« Et pourquoi donc est-ce que tu irais à l'école ? Tu ferais mieux de vendre ton joli petit cul. »

— Quand j'ai décroché une bourse pour entrer au MIT, mes parents adoptifs ont dit que j'allais certainement échouer et que je ferais mieux d'aller bosser au garage...

« L'université ? Pourquoi tu irais perdre quatre ans de ta vie... ? »

Cet étranger lui racontait sa vie à elle. Aussi resta-t-elle à l'écouter, partageant avec intensité les mêmes émotions.

— Quand je suis sorti du MIT, j'ai trouvé du travail chez Kingsley International, à Paris. Mais j'étais si seul. (Il se tut un moment.) Un jour, il y a très longtemps, j'ai lu qu'une des choses les plus importantes dans la vie, c'était de trouver quelqu'un qu'on aime, et qui vous aime... et je l'ai cru.

Kelly se taisait aussi, et Mark Harris ajouta, maladroit :

— Mais je n'ai jamais trouvé cette personne, et j'allais abandonner. Et puis, l'autre jour, je vous ai vue... (Incapable de continuer, il se leva, Angel dans les bras.) J'ai tellement honte de tout cela. Je vous promets de ne plus jamais vous ennuyer. Au revoir.

Kelly le regarda s'éloigner.

— Hé, où allez-vous avec mon chien ?

— Pardon ? hasarda-t-il en se retournant.

— Angel est à moi, vous me l'avez donné, non ?

— Mais vous avez dit...

— Monsieur Harris, nous allons faire un marché. Je garde Angel, mais vous aurez un droit de visite.

Au bout de quelques instants, un sourire illumina son visage.

— Vous voulez dire que... vous me laisserez...

— Pourquoi n'en discuterions-nous pas ce soir en dînant ?

Kelly ne pouvait deviner qu'elle venait de signer son arrêt de mort.

CHAPITRE 11

Paris

AU commissariat de police de la rue Hénard, dans le XIIᵉ arrondissement, se déroulait un interrogatoire. Le chef de la sécurité de la tour Eiffel répondait aux questions des inspecteurs André Belmont et Pierre Charpentier.

ENQUÊTE SUR LE SUICIDE DE LA TOUR EIFFEL
Lundi 6 mai, 10 h 00
Sujet : Pascal Andrieux

BELMONT : Monsieur Andrieux, nous avons des raisons de croire que Mark Harris, l'homme qui s'est soi-disant jeté du sommet de la tour Eiffel, a en réalité été assassiné.

ANDRIEUX : Assassiné ? Mais... on m'avait dit qu'il s'agissait d'un accident et...

CHARPENTIER : Il est impossible qu'il soit passé par-dessus le parapet par accident, c'est bien trop haut.

BELMONT : Et nous avons établi que la victime n'était pas suicidaire. En fait, il avait même des projets précis pour le week-end, avec sa femme. Il s'agit de Kelly, la top model.

ANDRIEUX : Je suis désolé, messieurs, mais je ne vois pas ce que tout ça... Pourquoi m'avez-vous fait venir ici ?

CHARPENTIER : Pour nous aider à éclaircir quelques petits détails. A quelle heure le restaurant a-t-il fermé ce soir-là ?

ANDRIEUX : A vingt-deux heures. Avec la tempête, le Jules Verne était désert, alors j'ai décidé de...

CHARPENTIER : A quelle heure s'arrêtent les ascenseurs ?

ANDRIEUX : En général, ils fonctionnent jusqu'à minuit, mais cette nuit-là, comme il n'y avait plus personne, j'ai décidé de tout arrêter à vingt-deux heures.

BELMONT : Y compris celui qui monte jusqu'au sommet ?

ANDRIEUX : Oui.

CHARPENTIER : Est-il possible de se rendre tout en haut sans utiliser l'ascenseur ?

ANDRIEUX : Non. Cette nuit-là, tout était arrêté. Je n'y comprends rien. Si...

BELMONT : Je vais vous expliquer de quoi il retourne. M. Harris a été balancé du sommet de la tour Eiffel. Nous savons que c'est bien du sommet car nous avons retrouvé sur ses chaussures des dépôts qui proviennent du parapet, où nous avons ensuite identifié des éraflures. Si tout était fermé et que les ascenseurs ne fonctionnaient pas, comment a-t-il pu monter là-haut à minuit ?

ANDRIEUX : Je n'en sais rien. Sans ascenseur, c'est... c'est impossible.

CHARPENTIER : Pourtant, il a bien fallu qu'il monte au sommet, et puis que son ou ses assassins redescendent !

BELMONT : Est-ce qu'une personne étrangère peut mettre en marche les ascenseurs ?

ANDRIEUX : Non. Les opérateurs ne quittent jamais leur poste quand ils sont en service, et la nuit, les ascenseurs sont bouclés en bas, il faut une clef spéciale.

CHARPENTIER : Combien y en a-t-il, de ces clefs ?

ANDRIEUX : Trois. J'en ai une, et les deux autres restent sur place.

BELMONT : Vous êtes bien certain que le dernier ascenseur est redescendu à vingt-deux heures ?

ANDRIEUX : Absolument.

CHARPENTIER : Qui était l'opérateur de service ce soir-là ?

ANDRIEUX : Toth. Gérard Toth.

CHARPENTIER : Dans ce cas, j'aimerais bien lui parler.

ANDRIEUX : Moi aussi.

CHARPENTIER : Comment ?

ANDRIEUX : Nous ne l'avons pas revu depuis cette nuit-là. J'ai appelé chez lui, pas de réponse. J'ai réussi à contacter son propriétaire : il a déménagé.

CHARPENTIER : Sans laisser d'adresse ?

ANDRIEUX : Exactement. Il s'est volatilisé.

— Volatilisé ? On parle d'un simple mécanicien ou du chef de la mafia ? s'exclama Claude Renaud dans les bureaux d'Interpol.

C'était un petit homme dynamique d'une cinquantaine d'années, qui en deux décennies avait gravi tous les échelons de la police. Il présidait à présent une réunion dans la principale salle de conférences d'Interpol, l'organisation de renseignement internationale qui rassemble les cent vingt-six forces de police de soixante-dix-huit pays. Le bâtiment se trouvait à Saint-Cloud, à une dizaine de kilomètres de Paris environ, et la section était dirigée par d'anciens membres de la Sûreté nationale et de la Préfecture de Paris.

Douze hommes étaient assis là. Depuis environ une heure, ils interrogeaient l'inspecteur Belmont.

— Ainsi donc, vous et l'inspecteur Charpentier n'avez pas réussi à trouver la moindre information expliquant comment cet homme a pu être assassiné à un endroit où il était impossible qu'il se trouve, en premier lieu, et où il était impossible à ses assassins d'accéder, sans parler de s'enfuir ? Est-ce bien là ce que vous êtes en train de me dire ?

— Charpentier et moi, on a parlé à tous ceux qui...

— Très bien. Vous pouvez nous laisser.

— Bien, monsieur.

Claude Renaud se retourna vers l'assemblée.

— Au cours de vos enquêtes, l'un de vous a-t-il jamais entendu le nom de Prima ?

Ils réfléchirent un moment, puis tous secouèrent la tête.

— Qui est-ce, Prima ?

— Hélas, nous ne le savons pas. Ce nom était inscrit sur un bout de papier retrouvé dans la poche d'un cadavre à New York. Nous pensons qu'il y a un lien. Messieurs, soupira-t-il, il s'agit d'une devinette appartenant à une énigme qui est elle-même inscrite au centre d'un mystère. Depuis quinze ans que je travaille dans ce bureau, nous avons enquêté sur des tueurs en série, des gangs internationaux, des mutilations, des parricides et tous les crimes imaginables. (Il fit une pause.) Mais durant toutes ces années, je n'ai jamais rien vu de semblable. J'envoie immédiatement une note au bureau de New York.

Frank Bigley, le chef de la police de Manhattan, lisait le dossier envoyé par le secrétaire général d'Interpol, Claude Renaud, quand les inspecteurs Earl Greenburg et Robert Praegitzer entrèrent dans son bureau.

— Vous vouliez nous voir, chef ?

— Oui. Asseyez-vous.

Bigley leur montra alors le dossier d'Interpol, puis commença à leur lire à voix haute.

— Il y a six ans, un scientifique japonais du nom d'Akira Iso s'est suicidé par pendaison dans une chambre d'hôtel de Tokyo. M. Iso était en parfaite santé, il venait d'avoir une promotion et allait parfaitement bien.

— A Tokyo ? Mais qu'est-ce que ça a à voir avec...

— Laissez-moi poursuivre. Il y a trois ans, Madeleine Smith, une scientifique suisse âgée de trente-deux ans, a ouvert le gaz dans son appartement de Zurich et s'est suicidée. Elle était enceinte et s'apprêtait à épouser le père du bébé. Ses amis disent qu'ils ne l'avaient jamais vue aussi heureuse. Ces trois derniers jours, une Berlinoise du nom de Sonja Verbrugge s'est noyée dans sa baignoire. La même nuit, Mark Harris, un Américain, a fait le saut de l'ange depuis le sommet de la tour Eiffel. Le lendemain, un Canadien du nom de Gary Reynolds s'est écrasé avec son Cessna dans les montagnes, près de Denver.

Greenburg et Praegitzer écoutaient attentivement, de plus en plus perplexes.

— Enfin, hier, vous avez retrouvé le corps de Richard Stevens au bord de l'East River.

— Quel rapport avec nous ?

— Il s'agit de la même affaire, fit calmement Bigley.

— Quoi ? s'écria Greenburg en le dévisageant. Voyons voir si j'ai bien compris. Un Japonais il y a six ans, une Suissesse il y a trois ans, et ces derniers jours, une Allemande, un Canadien et deux Américains. (Il se tut.) Quel rapport ?

Bigley lui tendit la note d'Interpol France. Au fur et à mesure qu'il la lisait, Greenburg écarquillait les yeux. Il releva la tête :

— Interpol pense que le groupe d'experts Kingsley International est derrière ces meurtres ? C'est ridicule !

— Chef, il s'agit du plus important groupe d'étude et de réflexion du monde, s'écria Praegitzer.

— Tous ces gens ont été assassinés et ils étaient tous liés à Kingsley International. La compagnie appartient à Tanner Kingsley qui en est aussi le PDG. Il est également président du Comité scientifique à la présidence, chef de l'Institut national de planification et membre du Conseil de défense au Pentagone. Je pense, messieurs, que vous devriez avoir une petite conversation avec lui.

— Bien sûr, fit Greenburg, sceptique.

— Earl...

— Oui, chef ?

— Allez-y mollo et pas trop de casse.

Cinq minutes plus tard, Earl Greenburg s'entretenait par téléphone avec la secrétaire de Tanner Kingsley. Lorsqu'il eut raccroché, il se tourna vers Praegitzer.

— On a rendez-vous mardi à dix heures. Kingsley s'adresse en ce moment même au Congrès, à Washington.

A la réunion du comité du Sénat à l'environnement, qui se tenait à Washington, six sénateurs et trente-cinq auditeurs libres, dont beaucoup de journalistes, écoutaient attentivement le discours de Tanner Kingsley.

La quarantaine, Kingsley était grand, beau, et son regard bleu acier brillait d'intelligence. Le nez romain, le menton affirmé, son profil aurait pu figurer sur une pièce de monnaie.

La présidente du comité, la sénatrice Pauline Mary van Luven, était une maîtresse femme, dotée d'une assurance presque agressive.

— Vous pouvez commencer, fit-elle sèchement à l'adresse de Kingsley.

— Je vous remercie, madame la sénatrice, acquiesça-t-il.

Puis il se retourna vers les autres membres du comité pour se lancer dans un discours passionné.

— Tandis que les membres du gouvernement débattent encore des conséquences du réchauffement de la planète et de l'effet de serre, le trou de la couche d'ozone ne cesse de s'agrandir. Au pôle Sud, il atteint à présent vingt-cinq millions de kilomètres carrés. (Il fit une pause pour augmenter l'impact de sa déclaration.) Oui, vingt-cinq millions de kilomètres carrés. Pendant ce temps, la moitié du monde souffre de sécheresse, et l'autre se noie sous des trombes d'eau dévastatrices. Dans la mer de Ross, un iceberg de la taille de la Jamaïque vient de se détacher à cause du réchauffement.

« Nous avons enregistré un nombre record de cyclones, de typhons, de tornades et de tempêtes qui ravagent l'Europe. A cause de ces changements climatiques radicaux, des millions de gens à travers le monde sont confrontés à la famine et à la mort. Mais tout cela, ce ne sont que des mots : famine, mort. Eh bien arrêtons de n'y voir que des mots. Donnons-leur du sens : il s'agit d'hommes, de femmes, d'enfants, affamés, sans abris, qui luttent contre la mort.

« L'été dernier, en Europe, la canicule a tué vingt-cinq mille personnes. Et qu'avons-nous fait ? s'écria-t-il en élevant la voix. Notre gouvernement refuse de ratifier le protocole de Kyoto. Le message est clair : nous nous moquons de ce qui arrive au reste du monde. Nous continuons notre chemin et faisons ce qui nous plaît. Sommes-nous tellement absorbés par nos activités que nous ne voyons que...

— Monsieur Kingsley, interrompit la sénatrice van Luven, ce n'est pas un débat. Je vous prie d'adopter un ton plus modéré.

L'orateur inspira profondément, hocha la tête, puis reprit avec une ardeur mesurée.

— Comme vous le savez tous, l'effet de serre est dû à la consommation des énergies fossiles et autres facteurs qui sont totalement sous notre contrôle. Pourtant, ces émissions ont atteint leur seuil le plus élevé depuis un demi-million d'années. Nous sommes en train de polluer l'air que respireront nos enfants et nos petits-enfants. Il est possible de mettre un terme à cette pollution. Alors pourquoi ne le fait-on pas ? Parce que cela coûterait de l'argent aux grosses entreprises. (A nouveau, il éleva la voix.) L'argent ! Combien vaut une bouffée d'air frais ? Un baril de pétrole ? Deux peut-être ? fit-il avec ferveur. Selon nos connaissances actuelles, cette planète est le seul espace habitable pour nous, pourtant, nous empoisonnons air, mer, terre à une vitesse vertigineuse. Si nous ne cessons pas...

— Monsieur Kingsley ! interrompit de nouveau la sénatrice.

— Veuillez m'excuser, madame la sénatrice. Je suis en colère. Je ne peux assister à la destruction de l'univers sans protester.

Après une demi-heure, quand il en eut terminé, la sénatrice van Luven déclara :

— Monsieur Kingsley, j'aimerais vous voir dans mon bureau, s'il vous plaît. L'audience est ajournée.

La sénatrice avait adouci l'austérité initiale de son cabinet – un bureau, une table pour les réunions, six chaises et une rangée de placards à tiroirs – en le décorant de tentures colorées, de tableaux et de photos.

Deux personnes étaient déjà présentes quand Tanner Kingsley y pénétra.

— Je vous présente mes assistantes, fit van Luven, Corinne Murphy et Karolee Trost.

La première était une jeune rousse séduisante, la seconde, une petite blonde de moins de trente ans. Elles vinrent s'asseoir de chaque côté de la sénatrice. Visiblement, elles étaient fascinées par Tanner.

— Prenez place, monsieur Kingsley.

Il s'assit, et la sénatrice l'étudia un moment.

— Franchement, je ne vous comprends pas.

— Vraiment ? Je croyais m'être montré parfaitement clair. Je pense que...

— Je sais ce que vous pensez. Pourtant votre compagnie, Kingsley International, a de nombreux contrats avec l'Etat fédéral, et vous n'hésitez pas à attaquer le gouvernement sur le problème de l'environnement. Cela ne va-t-il pas à l'encontre de vos intérêts ?

— Il ne s'agit pas de mes intérêts, madame la sénatrice, répondit-il avec froideur. Il s'agit de l'humanité. Nous assistons aux prémices d'un déséquilibre global aux conséquences désastreuses. J'essaie de persuader le Sénat de débloquer des fonds pour corriger cela.

— Une partie de ces fonds pourraient aller à votre compagnie, c'est cela ? interrogea van Luven, sceptique.

— Je me fiche pas mal de savoir qui empoche l'argent. Je veux juste qu'on prenne des mesures avant qu'il ne soit trop tard.

— C'est admirable, lança Corinne Murphy avec ferveur. Vous êtes un homme peu banal.

— Mademoiselle, si vous voulez dire que la banalité consiste à croire que l'argent est plus important que la morale, alors j'ai le regret de dire que vous avez probablement raison.

— Ce que vous faites est formidable, renchérit Karolee Trost.

La sénatrice décocha à ses assistantes un regard réprobateur, puis revint à Tanner.

— Je ne peux rien vous promettre ; mais je parlerai à mes collègues pour voir quel est leur point de vue au sujet de l'environnement. Je vous tiens au courant.

— Merci, madame la sénatrice. Merci beaucoup. Peut-être, quand vous viendrez à Manhattan, fit-il avec hésitation, pourrai-je vous faire visiter les locaux de notre société, pour vous montrer notre travail. Je pense que vous pourriez trouver cela intéressant.

— Nous vous contacterons, répondit-elle avec indifférence.

L'entretien était terminé.

CHAPITRE 12

DÈS que la mort de Mark Harris fut connue, Kelly fut inondée de coups de téléphone, de fleurs et de courriels. Le premier à l'appeler fut Sam Meadows, collègue et ami proche de Mark.

— Kelly! Mon Dieu, je n'arrive pas à y croire! Je... je ne sais pas quoi dire. Je suis effondré. A chaque fois que je me retourne, je m'attends à le voir. Kelly... est-ce que je peux faire quelque chose?

— Non, merci, Sam.

— Restons en contact. J'aimerais tellement pouvoir t'aider...

Suivirent une douzaine d'appels d'amis de Mark et de mannequins avec lesquels Kelly travaillait.

Bill Lerner, le directeur de l'agence, lui présenta à son tour ses condoléances, puis ajouta :

— Kelly, je sais bien que ce n'est pas le moment, mais je pense que ça te ferait du bien de continuer à travailler. Le téléphone n'arrête pas de sonner, tout le monde te demande. Quand penses-tu pouvoir reprendre?

— Quand Mark reviendra.

Elle raccrocha.

Le téléphone sonna de nouveau. Finalement, Kelly répondit :

— Allô ?

— Madame Harris ?

Mais l'était-elle encore ? Il n'y avait plus de M. Harris, mais elle serait toujours sa femme, à jamais.

— Oui, fit-elle d'un ton ferme, je suis madame Mark Harris.

— Ici le bureau de Tanner Kingsley.

« L'homme pour qui Mark travaille... travaillait. »

— Que puis-je faire pour vous ?

— M. Kingsley aimerait vous rencontrer. Il souhaiterait que vous veniez le voir à Manhattan dans nos bureaux. Est-ce possible ?

Elle avait demandé à l'agence d'annuler tous ses engagements. Mais elle était surprise. « Pourquoi Tanner Kingsley veut-il me voir ? »

— Oui, je suis disponible.

— Cela vous irait, vendredi ?

— Vendredi ? Oui.

— Très bien. Vous trouverez un billet à votre nom chez United Airlines à l'aéroport Roissy-Charles-de-Gaulle. (La secrétaire lui communiqua ensuite le numéro du vol.) Une voiture vous attendra à New York.

Mark lui avait parlé de Tanner Kingsley. Il l'avait rencontré et le considérait comme un génie. C'était merveilleux de travailler avec lui, disait-il. La perspective d'échanger quelques souvenirs à propos de Mark lui remonta le moral.

Angel bondit alors sur les genoux de Kelly qui la serra contre elle.

— Et toi, que vais-je faire de toi ? Je t'emmènerais bien, mais je ne serai absente que quelques jours.

Elle savait à qui confier sa chienne.

90

*

Kelly descendit à la loge. Des ouvriers installaient un nouvel ascenseur et elle frissonnait chaque fois qu'elle passait près d'eux.

Le gardien de l'immeuble, Philippe Cendre, était un homme chaleureux, grand et séduisant. Avec sa femme et sa fille, ils faisaient tout leur possible pour rendre service aux habitants de l'immeuble. Ils avaient été stupéfaits d'apprendre la mort de Mark. Son enterrement avait eu lieu au Père-Lachaise, et Kelly les y avait conviés.

Elle frappa à la porte de la loge. Philippe lui ouvrit.

— Bonjour, j'ai un service à vous demander.

— Tout ce que vous voudrez, mais entrez donc, madame Harris.

— Je dois aller à New York trois ou quatre jours. Je me demandais si vous pourriez vous occuper d'Angel en mon absence.

— Nous occuper d'Angel, mais nous en serons ravis.

— Merci. Vous me rendez un grand service.

— Je vous promets de la gâter le plus possible.

— Pas trop quand même, répondit Kelly en riant.

— Quand partez-vous ?

— Vendredi.

— Très bien. Je m'occupe de tout. Est-ce que je vous ai dit que ma fille s'était inscrite à la Sorbonne ?

— Non. C'est merveilleux. Comme vous devez être fiers !

— Oh que oui ! Les cours commencent en octobre. Nous sommes tous très impatients. C'est un rêve qui se réalise.

*

Le vendredi matin, Kelly descendit Angel à la loge.

— Voilà, il y a sa nourriture préférée, et des jouets...

Le gardien fit alors un pas en arrière, et Kelly aperçut une pile d'accessoires pour chien.

— Je vois qu'Angel est entre de bonnes mains, conclut-elle en riant. Au revoir, Angel, dit-elle en la serrant une dernière fois contre elle. Merci pour tout, Philippe.

Le matin de son départ, Kelly croisa Nicole Paradis, dont la boutique était située au rez-de-chaussée. Cette femme énergique aux cheveux grisonnants était si petite qu'assise derrière son comptoir, on voyait à peine dépasser sa tête.

Elle sourit à Kelly.

— Vous allez nous manquer. Revenez-nous vite.

Kelly prit sa main dans la sienne.

— Merci Nicole. Je serai bientôt de retour.

Quelques minutes plus tard, elle était sur le chemin de l'aéroport.

Comme toujours, Roissy était bondé. C'était un labyrinthe surréaliste de comptoirs de compagnies, de boutiques, de restaurants, d'escaliers, d'escalators géants s'enchevêtrant tels des monstres préhistoriques.

A son arrivée, Kelly fut escortée par le chef de l'aéroport en personne jusqu'à un salon privé. Quarante-cinq minutes plus tard, son vol fut annoncé. Tandis qu'elle se dirigeait vers la porte d'embarquement, tout près de là, une femme l'épiait. Dès que la célèbre top model fut à bord, l'inconnue prit son téléphone portable.

— C'est bon.

Kelly s'assit à sa place. Elle ne cessait de penser à Mark, et ne prêtait pas la moindre attention aux passagers dont le regard était braqué sur elle. « Que faisait-il au sommet de la tour Eiffel à minuit ? Avec qui avait-il rendez-vous ? Et pour-

quoi ? » Et cette question, pire que les autres, qui la taraudait :
« Et pourquoi aurait-il mis fin à ses jours ? Nous étions si
heureux ensemble. Nous nous aimions tant. Je refuse de croire
au suicide. Pas Mark... pas Mark... pas Mark... » Elle ferma
les yeux, et les souvenirs se mirent à défiler...

C'était leur premier rendez-vous. Ce soir-là, elle portait une
jupe noire très classique et un chemisier blanc à col montant,
pour ne pas lui laisser croire qu'elle cherchait à le séduire.
C'était une soirée informelle, sympathique. Kelly se sentait
pourtant nerveuse. A cause de cette chose ignoble qui lui était
arrivée, enfant, elle n'avait jamais eu aucune relation avec des
hommes en dehors du travail ou des œuvres de charité incon-
tournables.

« Je ne sors pas avec Mark, ne cessait-elle de se répéter. Lui
et moi sommes juste à l'aube d'une amitié. Il pourra
m'accompagner à des soirées, sans qu'il y ait de complica-
tions sentimentales. » Elle était plongée dans ses pensées
quand la sonnette tinta.

Kelly inspira un grand coup avant d'ouvrir la porte. Mark
était là, sourire aux lèvres, un paquet dans chaque main. Il
portait un costume gris mal coupé, une chemise verte, une
cravate rutilante et des chaussures marron. Kelly faillit éclater
de rire. Son absence totale de goût vestimentaire était pour
elle attendrissant. Elle avait rencontré trop d'hommes uniquement préoccupés de leur apparence.

— Entrez.

— J'espère que je ne suis pas trop en retard.

— Non, non, pas du tout.

Il avait même vingt-cinq minutes d'avance.

— Tenez, c'est pour vous.

C'étaient des chocolats, au moins deux kilos. Au cours des
années, on avait offert à Kelly des diamants, des fourrures,
des appartements-terrasses, mais jamais encore de chocolats.

« Exactement ce qu'il faut pour une top model », songea-t-elle, amusée.

— Merci, dit-elle en souriant.

— Et ça, ce sont des friandises pour Angel.

Comme par magie, la petite chienne surgit alors et se précipita vers Mark en remuant la queue. Il la prit dans ses bras pour la caresser.

— Elle ne m'a pas oublié.

— Je voulais vous remercier pour Angel. C'est une compagnie merveilleuse. Je n'ai jamais eu d'animal auparavant.

Mark lui lança un regard plein d'éloquence.

La soirée se passa étonnamment bien. Mark était charmant, et Kelly était touchée de voir à quel point il était subjugué par sa présence. C'était un homme intelligent, à la conversation facile, et le temps passa plus vite qu'elle ne l'avait escompté.

A la fin de la soirée, il lui dit :

— J'espère que nous pourrons recommencer.

— Oui, avec plaisir.

— Quel est votre hobby préféré, Kelly ?

— J'adore le foot. Et vous ?

Il blêmit.

— Le foot ?... Euh... Oui. Moi aussi.

« Il ne sait pas mentir. » Une idée malicieuse lui passa alors par la tête.

— Il y a la finale du championnat, samedi. Si nous y allions ?

Il marqua un temps de réflexion et répondit sans conviction :

— Bien sûr. C'est une excellente idée.

Mark raccompagna Kelly chez elle. En arrivant au pied de l'immeuble, elle sentit une légère anxiété naître en elle. Elle redoutait les phrases lourdes du genre : « Un petit baiser avant de se quitter ? », « Vous m'offrez un dernier verre ? », « Je suis sûr que vous n'avez pas envie de rester toute seule cette nuit. »

Ils étaient à présent devant la porte. Mark la regarda et lui dit :

— Vous savez ce que j'ai remarqué la première fois que je vous ai vue ?

Kelly inspira profondément. « Et voilà : "Vous avez un très joli cul", "J'adore vos nichons", "J'aimerais sentir ces longues jambes s'enrouler autour de mon cou"... »

— Non, fit-elle d'un ton glacé, qu'avez-vous remarqué ?

— Il y a une telle tristesse dans vos yeux.

Avant même qu'elle ait eu le temps de répondre, il la salua, et s'éloigna dans la nuit.

CHAPITRE 13

LE samedi soir, Mark arriva avec une nouvelle boîte de chocolats et des biscuits pour Angel.

— Angel et moi, nous vous remercions, fit Kelly en lui prenant ses paquets.

Tandis que Mark caressait la chienne, la jeune femme lui demanda innocemment :

— Vous avez hâte d'être au stade ?

— Oh oui !

— Moi aussi, poursuivit-elle en souriant.

Elle savait très bien que Mark n'avait jamais assisté à un match de football.

Le Grand Stade de France était plein à craquer de supporters. Ils étaient quatre-vingt mille à attendre avec impatience que commence la rencontre entre l'OL et l'OM.

Mark et Kelly furent directement menés à la tribune officielle.

— Je suis impressionnée. Il est très difficile d'avoir de telles places.

Mark sourit et répondit :

— Quand on aime le foot autant que moi, rien n'est impossible.

Kelly se mordit la lèvre pour ne pas rire. Elle ne se tenait plus d'impatience.

A vingt heures, les deux équipes entrèrent dans le stade et prirent place sur la pelouse. *La Marseillaise* retentit alors, saluée par les footballeurs à présent alignés face aux tribunes. Un joueur de Lyon arborant le blanc et le bleu de son équipe fit ensuite un pas en avant.

Kelly décida alors de mettre Mark à l'aise en lui expliquant ce qu'il se passait.

— C'est le goal. Il...

— Je sais. Grégory Coupet. C'est le meilleur goal de la ligue. Il a gagné le championnat contre Bordeaux l'année dernière, la coupe des Confédérations et la coupe de la Ligue en 2001. Il a trente et un ans, et il mesure un mètre quatre-vingt-un pour quatre-vingts kilos.

Elle le regarda avec étonnement.

L'annonceur continua.

— Et maintenant, Sidney Govou...

— Numéro 14, commenta Mark, enthousiaste. Il est incroyable. La semaine dernière, contre Auxerre, il a marqué un but à la dernière minute.

Stupéfaite, Kelly écouta Mark donner son avis sur les autres joueurs. Puis l'arbitre siffla, et la foule se déchaîna.

— Regardez, il a fait une roue de bicyclette, s'écria-t-il.

Le match était passionnant, et les goals des deux équipes se battaient comme des lions pour empêcher l'adversaire de marquer. Pourtant, Kelly avait du mal à se concentrer. Elle ne cessait d'observer Mark, abasourdie par ses connaissances. « Comment ai-je pu me tromper à ce point ? »

Au milieu du match, Mark s'exclama :

— Govou va faire un dribble ! Ouais ! Il a réussi !

Quelques minutes plus tard il dit à Kelly :

— Regardez ! Carrière a fait une main. Il va y avoir penalty.

Il ne s'était pas trompé. Le penalty fut tiré, mais Coupet réussit miraculeusement à l'arrêter. Quand la victoire de l'OL fut certaine, Mark ne se tint plus de joie.

— Quelle équipe !

Alors qu'ils quittaient le stade, Kelly lui demanda :

— Mark, depuis combien de temps vous intéressez-vous au foot ?

Il la regarda d'un air piteux.

— Environ trois jours. J'ai fait des recherches sur Internet. Vous aviez l'air passionnée, alors j'ai pensé qu'il fallait que je m'y mette aussi.

Elle se sentit touchée. C'était incroyable que Mark ait fait autant d'efforts simplement parce qu'elle aimait le football.

Ils avaient prévu de se retrouver le lendemain, après la séance photos de Kelly.

— Je peux passer vous chercher sur place et...

— Non !

Elle ne voulait pas qu'il voie les autres mannequins.

Ce refus catégorique le laissa perplexe.

— Je veux dire... il y a une règle... les hommes ne sont pas admis.

— Oh, je vois.

« Je ne veux pas que tu tombes amoureux d'une autre... »

— Mesdames et messieurs, nous vous prions d'attacher vos ceintures, de redresser vos sièges et de relever vos plateaux. Nous approchons de Kennedy Airport et nous allons atterrir dans quelques minutes.

Kelly fut brusquement ramenée à la réalité. Elle se rendait à New York pour rencontrer Tanner Kingsley, l'homme pour qui travaillait Mark.

*

98

Les médias avaient été prévenus. Quand l'avion se posa, ils étaient déjà tous à l'affût, guettant Kelly. Dès qu'elle apparut, elle fut cernée par les journalistes armés de caméras et de micros.

— Kelly, regardez par ici !

— Savez-vous ce qui est arrivé à votre mari ?

— Va-t-il y avoir une enquête ?

— Aviez-vous l'intention de divorcer ?

— Allez-vous rentrer aux États-Unis ?

— Qu'avez-vous ressenti quand on vous a appris la nouvelle ?

Elle aperçut soudain en retrait de la mêlée un homme alerte au visage souriant qui lui fit signe de s'approcher.

Ben Roberts était l'un des animateurs de talk-show les plus célèbres et les plus respectés de la télévision. Il avait déjà réalisé des interviews de Kelly, et ils étaient devenus amis. Elle le vit se frayer un chemin à travers la foule des reporters. Tous le connaissaient.

— Hé, Ben, Kelly va-t-elle passer dans votre émission ?

— Pensez-vous qu'elle fera des commentaires sur ce qui s'est passé ?

— Est-ce qu'on peut faire une photo de Kelly avec vous ?

Il réussit enfin à arriver jusqu'à elle, et repoussa l'assaut :

— Soyez sympas, s'il vous plaît, laissez-la respirer. Vous lui parlerez plus tard.

Avec réticence, les journalistes se retirèrent.

Ben prit la main de Kelly.

— Tu ne peux pas savoir à quel point je suis triste. J'appréciais vraiment Mark.

— C'était réciproque, Ben.

Ils se dirigèrent vers l'endroit où l'on récupérait les bagages.

— Dis-moi, entre nous, que fais-tu à New York ?

99

— Je suis venue pour voir Tanner Kingsley.

— C'est un homme puissant, répliqua le journaliste en hochant la tête. Je suis sûr que tout va bien se passer. Kelly, si jamais je peux faire quelque chose pour toi, n'hésite pas à me joindre à mon bureau. Tu as un moyen de transport, sinon...

A cet instant, un chauffeur en uniforme apparut.

— Madame Harris ? Je suis Colin. La voiture vous attend à l'extérieur. M. Kingsley vous a fait réserver une suite au Metropolitan Hotel. Si vous voulez bien me donner votre ticket, j'irai récupérer vos bagages.

Kelly se retourna vers Ben pour le saluer.

— Tu m'appelleras ?

— Bien sûr.

Dix minutes plus tard, la jeune femme était en route pour son hôtel. Tout en conduisant, Colin lui dit :

— La secrétaire de M. Kingsley vous appellera pour que vous conveniez d'un rendez-vous. Je reste à votre disposition tant que vous aurez besoin de moi.

— Merci.

« Que suis-je venue faire ici ? », se demanda-t-elle soudain.

Elle n'allait pas tarder à le découvrir.

CHAPITRE 14

TANNER Kingsley parcourait la Une du journal de l'après-midi : « Déluge de grêle en Iran. » La suite de l'article parlait d'un « événement extraordinaire ». Certes, pareille chute de grêle en plein été, sous un climat chaud, était étrange. Tanner appela sa secrétaire. Quand elle entra, il lui dit :

— Kathy, découpez cet article et envoyez-le à la sénatrice van Luven avec cette note : « Voici le dernier événement en date attestant du réchauffement de la planète. Cordialement... »

— Tout de suite, monsieur Kingsley.

Il jeta ensuite un coup d'œil à sa montre. Les deux inspecteurs allaient arriver dans une demi-heure. Il parcourut des yeux son extraordinaire bureau. C'est lui qui avait créé tout cela. Kingsley International. Il pensa à la puissance contenue dans ces deux mots, combien les gens seraient surpris s'ils connaissaient l'incroyable histoire de ce groupe et ses humbles débuts, sept petites années plus tôt... Les souvenirs affluèrent soudain dans son esprit...

Il se remémora le jour où il avait dessiné le nouveau logo de la société. « C'est assez fantaisiste pour une compagnie inconnue », avait déclaré quelqu'un. Et Tanner avait transformé cette compagnie inconnue en puissance mondiale. Quand il pensait à ses débuts, il avait l'impression d'avoir accompli un miracle.

Tanner Kingsley était né cinq ans après son frère, Andrew, ce qui avait définitivement façonné son existence. Leurs parents avaient très vite divorcé, puis leur mère s'était remariée et elle était partie au loin. Leur père était un scientifique, et les deux garçons avaient repris le flambeau pour devenir de vrais prodiges. Leur père était mort à quarante ans d'une crise cardiaque.

Avoir cinq ans de moins que son frère avait été pour Tanner une source de frustration perpétuelle. Quand il obtenait la meilleure note en sciences, on lui disait : « Andrew était le premier aussi il y a cinq ans. Ça doit être de famille. »

Quand il remportait une joute oratoire : « Félicitations, Tanner. Tu es le second Kingsley à triompher. »

Lorsqu'il avait été accepté dans l'équipe de tennis à l'université : « J'espère que tu es aussi fort que ton frère Andrew. »

Le jour de la remise de son diplôme de fin d'études : « Votre discours était très inspiré. Il m'a beaucoup rappelé celui d'Andrew. »

Ainsi avait-il grandi dans l'ombre de son frère, et il trouvait rageant d'être constamment considéré comme second, uniquement parce qu'il était né cinq ans plus tard.

Les deux frères se ressemblaient : ils étaient beaux, intelligents, très doués, mais plus ils grandissaient, plus leur différence de caractère s'affichait. Andrew était altruiste, peu expansif, alors que Tanner était extraverti, sociable et ambitieux. L'aîné était timide avec les femmes, tandis que le cadet, usant de son charme et de sa séduction, les attirait comme un aimant.

Toutefois, c'étaient leurs ambitions qui les séparaient le plus. Andrew avait pour seul but dans la vie de rendre le monde meilleur, tandis que Tanner était avide de richesse et de puissance.

Après de brillantes études, Andrew avait été recruté par un cabinet de recherches. Il comprit très vite combien ce genre d'instituts privés pouvaient être influents, et cinq ans plus tard, il mettait sur pied son propre *think tank*, à une échelle plus modeste.

Lorsqu'il parla de son projet à Tanner, celui-ci fut enthousiaste.

— Tu es génial ! Tu vas passer avec les gouvernements des contrats qui rapportent des millions ! Sans oublier les compagnies qui...

— Ce n'est pas ça, l'idée, l'interrompit Andrew. Je veux m'en servir pour aider les autres.

— Aider les autres ? fit Tanner, dubitatif.

— Absolument. Il existe des douzaines de pays en voie de développement qui n'ont pas accès aux méthodes et techniques modernes en matière d'agriculture et de production. Il y a un dicton qui dit : si tu donnes un poisson à un homme, ça lui fait un repas. Si tu lui apprends à pêcher, il aura toujours à manger.

« Tu enfonces une porte ouverte », pensa Tanner.

— Mais Andrew, des pays comme ça ne pourront pas nous payer...

— Peu importe. Nous y enverrons des experts qui leur enseigneront les nouvelles techniques qui transformeront leur vie. Tu es mon partenaire. Notre société s'appellera Kingsley Group. Qu'en dis-tu ?

Tanner hésita un moment, puis il hocha la tête.

— En fait, ce n'est pas une mauvaise idée. On peut commencer avec ce type de projets, et ensuite aller chercher l'argent là où il se trouve : les contrats d'Etat...

— Tanner, contentons-nous d'essayer de rendre le monde meilleur.

Il sourit. Il fallait bien faire un compromis. Ils débuteraient selon les vœux d'Andrew, puis, peu à peu, développeraient tous les potentiels de la compagnie.

— Eh bien ?

— A notre avenir, partenaire, répondit Tanner en lui tendant la main.

Six mois plus tard, les deux frères se retrouvèrent debout sous la pluie, devant un petit bâtiment en brique où une modeste enseigne affichait : KINGSLEY GROUP.

— De quoi ça a l'air ? demanda Andrew avec fierté.

— C'est magnifique, répondit Tanner en prenant soin de dissimuler son ironie.

— Ce logo va faire le bonheur de tant de gens à travers le monde, Tanner. J'ai déjà engagé des experts qui sont prêts à partir en mission.

Le cadet s'apprêtait à émettre une objection, mais renonça. Il ne fallait pas brusquer Andrew. C'était un entêté. Son heure viendrait. Tanner regarda de nouveau la petite enseigne, et songea : « Un jour, ce sera KIG, Kingsley International Group. »

John Higholt, ancien camarade d'Andrew à l'université, avait investi cent mille dollars dans le *think tank*, et Andrew avait rassemblé seul le reste de l'argent.

Une demi-douzaine de personnes furent engagées et envoyées à Mombasa, en Somalie, et au Soudan pour enseigner de nouvelles technologies à ceux qui en avaient besoin. Mais l'argent ne rentrait pas.

Pour Tanner, tout cela n'avait aucun sens.

— Andrew, on pourrait décrocher des contrats avec des multinationales et...

— Ce n'est pas pour nous, Tanner.

— Chrysler cherche...

— Nous devons nous concentrer sur les vrais problèmes, reprit son frère en souriant.

Tanner eut du mal à se contenir.

Au sein du groupe, chacun des deux Kingsley possédait son propre laboratoire où il menait ses recherches. Souvent, Andrew travaillait tard le soir.

Un matin, quand Tanner arriva à son bureau, Andrew était encore là. Il n'avait pas fermé l'œil de la nuit. Dès qu'il vit son frère, il bondit à sa rencontre.

— Cette nouvelle nanotechnologie est absolument formidable. Je suis en train de mettre au point une méthode pour...

Mais Tanner pensait à quelque chose de beaucoup plus important : la petite rouquine sexy qu'il avait rencontrée la veille. Elle l'avait dragué dans un bar. Ils avaient bu un verre ensemble, et elle l'avait ramené chez elle. Il avait passé une nuit merveilleuse, surtout quand elle lui avait...

— ... et je crois que ça va vraiment faire la différence. Qu'en penses-tu ?

— Oui, oui, c'est génial, Andrew, répondit-il, pris de court.

— Je savais que tu comprendrais tout de suite, poursuivit son frère en souriant.

Mais Tanner s'intéressait bien davantage à ses propres expériences secrètes. « Si ça marche, le monde est à moi. »

Un soir, peu après la fin de ses études, Tanner assistait à un cocktail, lorsqu'une voix féminine murmura derrière lui :

— J'ai beaucoup entendu parler de vous, Tanner Kingsley.

Il se retourna avec empressement, mais ce fut la déception. La jeune femme n'avait rien d'exceptionnel. Elle eût même été fade sans ces grands yeux noisette au regard intense et ce large sourire un brin cynique. Pour qu'une femme trouve grâce à ses yeux, elle devait être belle. Celle-là était loin du compte.

— J'espère qu'on ne vous a rien dit de mal, répondit-il en cherchant déjà une excuse pour prendre congé.

— Je suis Pauline Cooper. Mes amis m'appellent Paula. Vous êtes sorti avec ma sœur Ginny, à l'université. Elle était folle de vous.

Ginny, Ginny... Comment était-elle ? Petite ? Grande ? Blonde ? Brune ? Tanner lui sourit, tentant désespérément de se souvenir. Il y en avait eu tellement !

— Elle espérait vous épouser.

Cela ne l'aidait guère : elle n'avait pas été la seule non plus !

— Votre sœur était adorable. Mais nous n'avons pas...

Elle eut un petit rire sarcastique.

— Laissez tomber. Vous ne vous souvenez même pas d'elle.

— Eh bien..., fit-il, de plus en plus gêné.

— Aucune importance. J'étais à son mariage la semaine dernière.

Soupir de soulagement.

— Vraiment ? Ginny est donc à présent mariée ?

— Tout à fait. (Elle se tut, puis ajouta :) Pas moi. Etes-vous libre pour dîner demain soir ?

Tanner la regarda plus attentivement. Bien sûr, elle était loin d'être à la hauteur de sa moyenne habituelle, mais elle avait l'air plutôt bien faite, et semblait assez sympathique. Et puis elle était sûrement du genre à coucher dès le premier soir. Tanner laissait une seule chance à ses conquêtes : si elles ne le satisfaisaient pas d'emblée, c'était terminé.

— C'est moi qui vous invite.

— Non, non, fit-il en riant, c'est pour moi. A moins que vous n'ayez une idée précise en tête.

— Tentez votre chance !

Il la regarda droit dans les yeux en lui murmurant :

— Et pourquoi pas ?

Le lendemain soir, ils dînèrent dans un restaurant à la mode. Paula portait un chemisier de soie blanc, une jupe noire et des escarpins à talons hauts. Quand Tanner la vit entrer, il la trouva beaucoup plus séduisante que la veille. Elle avait un port de reine sortant tout droit d'un pays étranger.

— Bonsoir, dit-il en se levant.

— Bonsoir, répondit-elle en lui serrant la main.

Elle montrait une assurance régalienne.

Dès qu'ils furent assis, elle attaqua.

— Reprenons du début. Je n'ai pas de sœur.

Tanner la dévisagea, pris de court.

— Pourtant, vous m'avez dit...

— Je voulais juste voir votre réaction, Tanner, dit-elle en souriant. Je vous l'ai dit, j'ai beaucoup entendu parler de vous par mes amis, et cela a éveillé ma curiosité.

Pensait-elle au sexe ? Il se demandait qui avait bien pu lui parler... Cela pouvait être n'importe qui.

— Pas de conclusions hâtives. Je ne songe pas à vos prouesses sportives. Je fais référence à votre esprit.

On aurait dit qu'elle lisait dans ses pensées.

— Ainsi donc vous... vous intéressez à l'esprit des hommes ?

— Entre autres, répondit-elle de manière suggestive.

Tanner, se sentant près du but, lui prit la main.

— Vous n'êtes pas n'importe qui, ajouta-t-il en lui caressant le poignet. Vous êtes vraiment différente. Je crois que nous allons passer une excellente soirée.

— Tu as envie de baiser, chéri ?

Sa brusquerie le désarçonna. Elle savait ce qu'elle voulait. Il hocha la tête.

— Toujours, Princesse.

— Très bien. Dans ce cas, passe-moi ton carnet d'adresses, on en trouvera bien une de libre pour la nuit.

Tanner se figea. Il avait l'habitude de jouer avec les femmes, mais jamais aucune d'elles ne s'était encore moquée de lui. Il lui lança un regard furieux.

— Qu'est-ce que vous dites ?

— Qu'il va falloir qu'on renouvelle un peu tes répliques, chéri. Si tu savais à quel point elles sont éculées !

Tanner se sentit rougir.

— De quelles répliques parlez-vous ?

— Tout ce que tu me dis, je l'ai déjà entendu mille fois, répliqua-t-elle en le regardant droit dans les yeux. Quand tu t'adresses à moi, je veux que tu me dises des choses que tu n'as jamais dites à aucune femme.

Tanner tentait désespérément de masquer sa fureur.

« A qui croit-elle avoir affaire ? A un gamin ? »

Elle était vraiment trop insolente à son goût.

« La partie est terminée. Cette garce est hors-jeu. »

CHAPITRE 15

LE siège de Kingsley International Group se situait dans la partie sud de Manhattan, à deux rues de l'East River. Il se composait de quatre immenses bâtiments répartis sur plus de deux hectares, ainsi que de deux petites unités réservées au personnel, protégées par des barrières et placées sous surveillance électronique.

A dix heures, ce matin-là, les inspecteurs Earl Greenburg et Robert Praegitzer entrèrent dans le hall du bâtiment principal. Spacieux, moderne, l'endroit était meublé de divans, de tables basses et d'une demi-douzaine de chaises.

Greenburg jeta un coup d'œil aux magazines proposés aux visiteurs : *Virtual Reality, Nuclear and Radiological Terrorism, Robotics World...* Il attrapa un exemplaire de *Genetic Engineering News* qu'il montra à Praegitzer.

— T'en n'as pas marre à force de lire tout ça chez ton dentiste ?

— Ouais, sourit son coéquipier.

Les deux policiers se présentèrent au bureau d'accueil.

— Nous avons rendez-vous avec M. Tanner Kingsley.

— Il vous attend. Quelqu'un va vous conduire à son bureau, dit l'hôtesse en leur remettant un badge. N'oubliez pas de les rendre en partant.

— Pas de problème.

La réceptionniste appuya sur un bouton et, un moment plus tard, une jeune femme séduisante apparut.

— Ces messieurs ont rendez-vous avec M. Tanner Kingsley.

— Bonjour, je suis Retra Tyler, l'une des assistantes de M. Kingsley. Veuillez me suivre, messieurs.

Les deux inspecteurs lui emboîtèrent le pas et traversèrent un long couloir aux portes closes au bout duquel se trouvait le bureau de Tanner.

Ils entrèrent dans la salle d'attente. Derrière un bureau se trouvait Kathy Ordonez, la jeune et brillante secrétaire de Tanner Kinsgley.

— Bonjour messieurs, vous pouvez entrer.

Elle se leva pour leur ouvrir. Les policiers pénétrèrent dans le bureau privé du grand patron et s'arrêtèrent, bouche bée.

L'immense pièce contenait les tout derniers équipements électroniques, et les murs insonorisés étaient tapissés d'écrans de télévision plats, diffusant des images du monde entier. Sur certains on voyait des salles de conférences, des bureaux, des laboratoires ; sur d'autres, des réunions qui se tenaient dans la luxueuse suite d'un grand hôtel. Chaque poste avait son propre système audio, et le son avait beau être à peine audible, on distinguait d'étranges fragments de phrases prononcées simultanément dans toutes les langues.

Au bas de chaque écran une légende indiquait le lieu : Milan, Johannesburg, Zurich, Madrid, Athènes... Sur le mur le plus éloigné, était disposée une bibliothèque contenant des volumes reliés cuir.

Tanner Kingsley était assis à son bureau, superbe meuble d'acajou muni d'un tableau avec une douzaine de boutons de différentes couleurs. Il était élégamment vêtu d'un costume gris sur mesure, d'une chemise bleu pâle et d'une cravate bleue à carreaux.

Il se leva pour accueillir les deux inspecteurs.

— Bonjour, messieurs.

— Bonjour, nous sommes...

— Je sais qui vous êtes. Inspecteurs Earl Greenburg et Robert Praegitzer. Asseyez-vous, ajouta-t-il en leur serrant la main.

Praegitzer ne pouvait s'empêcher de regarder les images du monde qui défilaient sur les écrans. Il hocha la tête avec admiration.

— Quand on parle de la pointe de la technique...

— Mais nous ne sommes pas là pour parler de ça, l'interrompit Tanner. Cette technologie ne sera pas sur le marché avant deux ou trois ans. Grâce à elle, on peut suivre simultanément des téléconférences dans une douzaine de pays. Les informations qui nous arrivent de nos différents bureaux à travers le monde sont automatiquement classées et enregistrées par ces ordinateurs.

— Monsieur Kinsgley, pardonnez la stupidité de ma question, on dit de votre groupe que c'est le plus important *think tank* du monde, mais que fait exactement un *think tank* ?

— En résumé, nous résolvons des problèmes. Nous trouvons des solutions aux difficultés à venir. Certains *think tanks* se spécialisent dans un domaine : militaire, économique, politique. Nous nous préoccupons pour notre part de la sûreté nationale, de communication, de microbiologie, et de problèmes liés à l'environnement. KIG travaille pour plusieurs gouvernements. Il émet des analyses à long terme sur différents problèmes internationaux.

— C'est intéressant.

— 85 % de nos chercheurs sont ingénieurs, et plus de 65 % ont un doctorat.

— Impressionnant.

— C'est mon frère, Andrew, qui a créé Kingsley International Group, pour venir en aide aux pays en voie de développement, aussi sommes-nous très engagés là-bas.

Il y eut soudain comme un coup de tonnerre, et un éclair apparut sur l'un des écrans. Les hommes se retournèrent.

— N'ai-je pas lu quelque part que vous faisiez des expériences sur le climat ?

— Oui, grimaça Tanner, on s'y réfère ici comme à la folie des Kingsley. C'est l'un des plus gros échecs de KIG. Celui que j'espérais le plus voir aboutir. Au lieu de cela, nous sommes en train de tout abandonner.

— Est-il possible de contrôler le climat ?

— Seulement de manière très limitée, fit Tanner en secouant la tête. Beaucoup de gens ont essayé. Dès 1900, Nikola Tesla a fait des tentatives. Il a découvert que la ionisation de l'atmosphère pouvait être altérée par les ondes radio. En 1958, notre ministère de la Défense a tenté d'envoyer des aiguilles de cuivre dans la ionosphère. Dix ans plus tard, il y a eu le projet Popeye : le gouvernement voulait prolonger la mousson au Laos, afin de rendre impraticable la piste Hô Chi Minh. Ils ont utilisé un agent au noyau d'iodure d'argent : des générateurs ont donc tiré de l'iodure d'argent dans les nuages pour créer des gouttes de pluie.

— Ça a marché ?

— Oui, mais de façon très localisée. Il y a plusieurs raisons qui nous empêcheront toujours de contrôler le climat. L'un de ces problèmes est qu'El Niño provoque des températures élevées dans le Pacifique, ce qui déséquilibre le système global, tandis que La Niña provoque des températures basses : les deux se combinent, ce qui rend impossible toute tentative réaliste de contrôle du climat. L'hémisphère Sud est à 80 % recouvert par les océans, tandis que l'hémisphère Nord l'est à 60 %, ce qui crée un autre déséquilibre. De plus, les courants déterminent le chemin suivi par les tempêtes, et ça, il n'existe aucun moyen de le contrôler.

Greenburg acquiesça, puis, en hésitant :

— Savez-vous pourquoi nous sommes ici, monsieur Kingsley ?

Tanner le dévisagea un moment avant de répondre.

— Je gage qu'il s'agit d'une question de pure forme. Autrement, vous m'offenseriez. Quatre de mes employés sont morts ou ont mystérieusement disparu en vingt-quatre heures. Nous avons déjà lancé notre propre enquête. Nous sommes présents dans les plus grandes villes du monde. Nous employons mille huit cents personnes, et il m'est donc difficile de rester en contact avec chacune d'entre elles. Toutefois, j'ai appris que deux des personnes disparues étaient apparemment mêlées à des activités illégales. Cela semble leur avoir coûté la vie. Mais je puis vous assurer que cela ne va pas coûter sa réputation à mon groupe. J'espère que mes gens résoudront très vite ces mystères.

— Autre chose, monsieur Kinsgley, ajouta Greenburg. Nous savons qu'il y a six ans, un scientifique japonais du nom d'Akira Iso s'est suicidé à Tokyo. Trois ans plus tard, une scientifique suisse, Madeleine Smith, s'est elle aussi...

— Zurich, l'interrompit Tanner. Aucun d'eux ne s'est suicidé. Ils ont été assassinés.

Les deux policiers sursautèrent.

— Comment le savez-vous ?

— Ils ont été tués à cause de moi, leur asséna durement Tanner.

— Quand vous dites...

— Akira Iso était un scientifique brillant. Il travaillait pour un conglomérat d'électronique japonais appelé Tokyo First Industrial. Je l'ai rencontré à une convention internationale sur l'industrie à Tokyo. Nous nous sommes bien entendus. J'ai pensé que KIG pouvait lui offrir de meilleures conditions de travail que sa compagnie. Je lui ai proposé de travailler pour nous, et il a accepté. En fait, il était même enthousiaste.

113

(Tanner faisait son possible pour se contenir.) Nous étions d'accord pour que nos tractations restent secrètes jusqu'à ce qu'il puisse quitter sa société en toute légalité. Mais il en a manifestement parlé à quelqu'un, car cela a été mentionné dans la presse et... (Il se tut un long moment.) Le lendemain de la parution de cet article, Iso était retrouvé mort dans une chambre d'hôtel.

— Monsieur Kingsley, n'y a-t-il pas d'autres raisons qui puissent expliquer sa mort ?

— Non. Je ne pouvais pas croire qu'il se soit suicidé. J'ai envoyé des détectives et des membres de mon équipe au Japon pour enquêter. Ils n'ont découvert aucune preuve, alors j'ai pensé que je m'étais peut-être trompé et qu'un événement dramatique s'était produit dans la vie d'Iso à mon insu.

— Dans ce cas, comment pouvez-vous être aussi certain qu'il ne s'est pas suicidé ? reprit Greenburg qui était déterminé à savoir.

— Comme vous l'avez dit, une scientifique appelée Madeleine Smith s'est soi-disant suicidée à Zurich il y a trois ans. Ce que vous ne savez pas, c'est qu'elle aussi voulait quitter sa compagnie pour nous rejoindre.

— Pourquoi pensez-vous que ces deux affaires sont liées ? fit Greenburg en fronçant les sourcils.

Tanner resta de marbre.

— Parce que la compagnie en question était une filiale du même Tokyo First Industrial Group.

Le silence se fit.

— Il y a une chose que je ne comprends pas, finit par dire Praegitzer. Pourquoi iraient-ils jusqu'à tuer une employée parce qu'elle veut les quitter ? Si...

— Madeleine Smith n'était pas une simple employée. Comme Iso. Tous deux étaient de brillants physiciens en passe de résoudre des problèmes qui auraient rapporté à leur compagnie des fortunes colossales. Voilà pourquoi ils ne voulaient pas les voir passer chez nous.

— La police helvétique a-t-elle enquêté sur sa mort ?

— Oui. Nous aussi. Mais là encore, nous n'avons rien trouvé. En réalité, nous travaillons toujours sur ces décès, et j'espère que nous résoudrons ces mystères. KIG a des relations haut placées dans le monde entier. Si je puis me procurer des informations utiles, je serai heureux de vous en faire profiter. J'attends la réciproque de votre part.

— Ça me paraît juste.

Sur le bureau de Tanner, le téléphone plaqué or se mit à sonner.

— Veuillez m'excuser, dit-il en allant répondre. Allô... oui... L'enquête a l'air de bien démarrer. En fait, deux inspecteurs de police se trouvent en ce moment même dans mon bureau, et ils sont d'accord pour coopérer avec nous. (Il lança un regard à Greenburg et Praegitzer.) Oui... Je te transmettrai toute nouvelle information.

Il raccrocha.

— Monsieur Kingsley, travaillez-vous sur des projets sensibles ici ?

— Vous voulez dire assez sensibles pour qu'on assassine une demi-douzaine de personnes ? Inspecteur Greenburg, il existe plus d'une centaine de *think tanks* à travers le monde, et certains ont exactement les mêmes domaines de recherche que nous. Nous ne construisons pas la bombe atomique. La réponse est non.

La porte s'ouvrit et Andrew Kingsley entra, d'un pas hésitant, une liasse de papiers à la main. Il ne ressemblait guère à son frère. Ses traits semblaient comme effacés. Il avait des cheveux gris et clairsemés, le visage ridé, et il était légèrement voûté. Alors que Tanner Kingsley semblait déborder d'intelligence et de vitalité, Andrew avait l'air apathique et stupide. Il parlait de manière hésitante et avait du mal à faire des phrases.

115

— Voilà les... tu sais... ces notes... que tu as demandées, Tanner. Je suis désolé de ne pas... avoir fini plus tôt.

— Ça ira très bien, Andrew. Voici mon frère Andrew, reprit Tanner en faisant les présentations. Ce sont les inspecteurs Greenburg et Praegitzer.

Andrew leur jeta un regard vague et cligna les yeux.

— Andrew, veux-tu leur parler de ton prix Nobel?

Il tourna la tête et répéta sans conviction :

— Oui, le prix Nobel... le prix Nobel...

Ils le virent alors s'en retourner en traînant les pieds. Tanner soupira.

— Comme je l'ai déjà dit, cette compagnie a été fondée par Andrew, un homme extrêmement brillant. On lui a remis le prix Nobel pour l'une de ses découvertes il y a sept ans. Hélas, il a participé à une expérience qui a mal tourné et... cela l'a transformé, acheva-t-il, amer.

— Ce devait être un homme remarquable.

— Vous n'avez pas idée.

Earl Greenburg se leva alors et lui tendit la main.

— Très bien, nous n'allons pas vous retenir plus longtemps, monsieur Kinsgley. Restons en contact.

— Messieurs, répondit Tanner d'un ton qui ne souffrait pas de réplique, il faut résoudre ces crimes. Et sans perdre une minute.

CHAPITRE 16

TANNER ne pouvait s'empêcher de penser à celle qu'il avait appelée Princesse. Et plus il se rappelait son insolence, sa façon de le tourner en dérision, plus sa fureur grandissait. « Il va falloir qu'on renouvelle un peu tes répliques, chéri. Si tu savais à quel point elles sont éculées !... Tu as envie de baiser, chéri ?... Passe-moi ton carnet d'adresses, on en trouvera bien une de libre pour la nuit... » C'était comme s'il avait besoin de l'exorciser. Il décida de la revoir, pour lui donner la leçon qu'elle méritait. Ensuite, il l'oublierait.

Tanner laissa passer trois jours avant de lui téléphoner.
— Allô, Princesse ?
— Qui est à l'appareil ?
Il faillit raccrocher. « Mais bordel, y en a combien qui l'ont appelée Princesse ! » Il réussit quand même à garder son calme.
— C'est Tanner Kinsgley.
— Ah, oui, comment allez-vous ? poursuivit-elle avec indifférence.
« J'ai commis une erreur. Je n'aurais jamais dû l'appeler. »

117

— Je pensais qu'on aurait pu dîner un de ces soirs, mais vous êtes probablement trop occupée, alors ce n'est pas grave...

— Pourquoi pas ce soir ?

Une fois de plus, elle l'avait pris de court. Il mourait d'envie de se venger de l'affront qu'elle lui avait infligé.

Quatre heures plus tard, Tanner était assis face à Paula Cooper dans un petit restaurant français de Lexington Avenue. Il fut surpris du plaisir qu'il éprouva à la revoir. Il avait oublié cette énergie, cette vitalité qu'elle dégageait.

— Tu m'as manqué, Princesse.

— Oh, fit-elle en souriant, tu m'as manqué aussi. Tu n'es pas n'importe qui. Tu es vraiment différent.

C'étaient ses propres mots qu'elle lui renvoyait, pour se moquer de lui. « Quelle garce ! »

Cette nouvelle soirée s'annonçait comme une réplique de la précédente. Lors de ses rendez-vous galants habituels, c'était toujours Tanner qui menait la conversation. Avec Princesse, il avait l'impression déconcertante d'avoir toujours une réplique de retard. Elle avait de la repartie, de l'esprit, une grande vivacité, et ne s'en laissait pas conter.

Les femmes qu'il fréquentait d'habitude étaient belles et gentilles, et pour la première fois de sa vie, Tanner sentit que ce n'était peut-être pas suffisant. C'était toujours si facile. Elles étaient agréables. Trop agréables. Il n'y avait aucune difficulté. Paula, en revanche...

— Parle-moi de toi, fit Tanner.

Elle haussa les épaules.

— Mon père était riche et puissant, et j'ai été une enfant trop gâtée, avec des nurses, des majordomes, des bonnes qui nous servaient à boire au bord de la piscine, et puis j'ai fait Radcliffe, et tout ce qui s'ensuit, bref la totale. Ensuite, mon père a tout perdu et il est mort. Alors je suis devenue assistante parlementaire.

— Et ça te plaît ?

— Non. Je travaille pour un homme ennuyeux. (Leurs regards se rencontrèrent.) Je suis à la recherche de quelqu'un de plus excitant.

Le lendemain, Tanner la rappela.

— Princesse ?

— J'espérais que tu me téléphonerais, Tanner, fit-elle d'une voix chaleureuse.

Tanner eut un frisson de plaisir.

— C'est vrai ?

— Bien sûr. Où m'emmènes-tu dîner, ce soir ?

— Où tu voudras, s'exclama-t-il en riant.

— Maxim's, à Paris, me tenterait bien, mais n'importe quel restaurant me conviendra si tu es avec moi.

Une fois encore, elle l'avait pris de court, mais cette fois, cela lui fut agréable.

Ils dînèrent à La Côte Basque, sur la 55ᵉ Rue. Durant tout le repas, Tanner ne cessa de l'observer en se demandant pourquoi il se sentait tellement attiré par elle. Ce n'était pas physique. Non, il était ébloui par son esprit, sa personnalité. Elle irradiait l'intelligence, la confiance en elle. C'était la femme la plus indépendante qu'il ait jamais rencontrée.

Ils abordèrent quantité de sujets, et Tanner s'aperçut qu'elle était extrêmement cultivée.

— Qu'est-ce que tu voudrais faire de ta vie, Princesse ?

Elle l'étudia un moment avant de répondre.

— Je veux le pouvoir... le pouvoir de faire arriver les choses.

— Je crois que nous nous ressemblons beaucoup, alors.

— A combien de femmes as-tu déjà dit ça, Tanner ?

Il sentit la colère monter en lui.

— Tu ne vas pas recommencer ? Quand je te dis que tu es différente de toutes les femmes que j'ai...

119

— Que tu as quoi ?

— Tu es frustrante, lança-t-il, exaspéré.

— Pauvre chéri, tu te sens frustré ? Mais ça peut s'arranger.

Elle passait les bornes. Il en avait assez. Il se leva.

— Très bien. Inutile de...

— Viens donc chez moi ! termina-t-elle.

Tanner ne comprenait plus.

— Comment ça chez toi ?

— Oui, j'ai un petit pied-à-terre sur Park Avenue. Tu me raccompagnes ?

Ils n'attendirent pas le dessert.

Le petit pied-à-terre en question était en réalité un somptueux appartement meublé avec goût. Tanner regarda autour de lui, ébloui par l'élégance et le luxe des lieux. L'endroit lui ressemblait : collection de toiles variées, grande table, lustre imposant, divan italien, ainsi qu'un ensemble de six fauteuils Chippendale et un canapé. C'est tout ce que Tanner eut le temps de voir avant que Paula lui dise :

— Ma chambre est par ici.

C'était une pièce entièrement blanche, avec des meubles assortis et un grand miroir au plafond.

— Je suis impressionné, dit Tanner en regardant autour de lui. C'est la plus...

— Chut, fit Paula en commençant à le déshabiller. Nous parlerons plus tard.

Après lui avoir retiré ses vêtements, elle se mit à ôter les siens, lentement. Son corps était parfait. Ses bras s'enroulèrent autour de Tanner, et elle l'étreignit, tout en lui murmurant à l'oreille :

— Trêve de préliminaires.

Ils se glissèrent entre les draps. Elle était prête pour lui. Quand il fut en elle, elle se mit à le serrer, par mouvements successifs, pour augmenter son désir. Son corps ondulait souplement, rendant chaque sensation différente. Elle lui donnait un plaisir voluptueux qu'il n'avait jamais imaginé, le portant au seuil de l'extase.

Lorsqu'ils furent enfin rassasiés, la conversation reprit, et ils veillèrent tard dans la nuit.

Après ce jour, ils passèrent ensemble toutes leurs soirées. Tanner ne cessait d'être surpris par son charme et son sens de l'humour. Peu à peu, Princesse devint belle à ses yeux.

Un matin, Andrew dit à son frère :

— Je ne t'ai jamais vu autant sourire. C'est à cause d'une femme ?

— Oui, avoua Tanner.

— C'est sérieux ? Tu vas l'épouser ?

— J'y pense.

Andrew contempla Tanner.

— Peut-être devrais-tu le lui dire.

— En effet, répondit-il en lui serrant le bras.

Le lendemain soir, Tanner et Princesse se retrouvèrent seuls chez elle.

— Princesse, tu m'as demandé un jour de te dire quelque chose que je n'avais jamais dit à aucune femme auparavant.

— Oui, chéri ?

— Eh bien voilà. Veux-tu m'épouser ?

Elle eut un instant d'hésitation, puis un grand sourire fleurit sur ses lèvres, et elle se jeta dans ses bras.

— Oh, Tanner !

— Cela signifie-t-il oui ? demanda-t-il en la regardant dans les yeux.

— Oui, je voudrais t'épouser, chéri, mais... j'ai peur qu'il y ait un problème.

— Quoi ?

— Je te l'ai déjà dit. Je veux accomplir quelque chose d'important. Je veux avoir le pouvoir de faire arriver les choses... de changer les choses. Et la source de ce pouvoir, c'est l'argent. Comment pourrions-nous avoir un avenir ensemble si toi tu n'as pas d'avenir ?

— Pas de problème, répondit Tanner en lui prenant la main. Je possède la moitié d'une affaire importante, Princesse. Un jour, j'aurai assez d'argent pour t'offrir tout ce que tu désires.

— Non, tu es à la botte de ton frère Andrew. Je sais comment vous fonctionnez. Il ne laissera jamais cette compagnie grandir, et j'ai besoin de plus que tu ne peux me donner aujourd'hui.

— Tu te trompes. (Il réfléchit un moment.) Je vais te présenter Andrew.

Dès le lendemain, ils se retrouvèrent tous les trois pour déjeuner. Paula se montra charmante, et elle plut tout de suite à Andrew. Il n'appréciait pas toujours les femmes avec lesquelles sortait son frère, mais celle-là était différente. Elle avait de la personnalité, de l'esprit, et elle était intelligente. Il regarda Tanner en opinant du chef, ce qui signifiait : « Tu as fait le bon choix. »

— Aider les gens à travers le monde comme le fait KIG, c'est merveilleux, Andrew, fit Paula. Tanner m'a tout expliqué.

— Oui, je suis heureux que nous puissions le faire. Et nous ferons davantage encore.

— Vous voulez dire que les activités de la compagnie vont se diversifier ?

— Pas exactement. Je veux dire que nous allons dépêcher davantage d'experts dans les pays où ils peuvent être utiles.

— Ensuite, ajouta Tanner avec hâte, nous obtiendrons des contrats pour...

— Tanner est tellement impatient, reprit Andrew en souriant. Rien ne presse. Concentrons-nous d'abord sur notre tâche première, Tanner, aider les autres.

Tanner regarda Princesse. Son expression était parfaitement neutre.

Le lendemain, il lui téléphona.

— Salut, Princesse. A quelle heure dois-je passer te prendre ?

Silence.

— Chéri, je suis désolée. Aujourd'hui, je ne peux pas.

Il resta cloué par la surprise.

— Il y a un problème ?

— Non. Mais un de mes amis vient d'arriver en ville, et il faut que je le voie.

Tanner ressentit une pointe de jalousie.

— Je comprends. Dans ce cas, demain...

— Non, pas demain. Pourquoi pas lundi ?

Elle allait donc passer le week-end avec cet homme. Tanner raccrocha, inquiet et frustré.

Le lundi soir, Princesse lui fit des excuses.

— Je suis désolé pour ce week-end, chéri. Mais cet ami est venu exprès pour me voir.

Soudain, l'image du magnifique appartement de Princesse lui revint en mémoire. Son salaire ne lui permettait pas de vivre dans un tel luxe.

— Qui est-ce ?

— Je regrette, mais je ne peux pas te le dire. Il est très connu et n'apprécie guère la publicité.

— Tu es amoureuse de lui ?

— Tanner, répondit-elle doucement, je suis amoureuse de toi. Et de toi seul.

— Et lui, est-il amoureux de toi ?

Elle hésita.

— Oui.

Tanner sut qu'il devait trouver le moyen de lui donner tout ce qu'elle désirait, ou il la perdrait.

Le lendemain matin, à quatre heures cinquante-huit, Andrew Kingsley fut réveillé par le téléphone.

— J'ai un appel pour vous de Suède. Ne quittez pas.

Quelques instants plus tard, une voix empreinte d'un léger accent suédois se fit entendre :

— Félicitations, monsieur Kingsley, le Comité du prix Nobel vous a décerné le prix de Physique cette année pour vos travaux en matière de nanotechnologie...

Le prix Nobel ! Dès qu'il eut raccroché, Andrew s'habilla en hâte et se rendit à son bureau. Quand Tanner arriva, il se rua sur lui pour lui annoncer la nouvelle.

— Le Nobel ! s'exclama Tanner en le prenant dans ses bras. C'est magnifique, Andrew ! C'est magnifique !

Tanner était sincère : dès lors, ses problèmes étaient résolus.

Cinq minutes plus tard, Tanner avertissait Princesse de cet incroyable événement.

— Tu comprends ce que cela signifie, ma chérie ? A présent nous allons avoir des quantités d'offres. Je parle de gros contrats avec le gouvernement, et avec des multinationales. Je mettrai le monde à tes pieds.

— C'est fabuleux, chéri.

— Veux-tu m'épouser ?

— Oh, Tanner, je le souhaite plus que tout au monde.

Il raccrocha, euphorique, puis se précipita dans le bureau de son frère.

— Andrew, je me marie.

Son frère leva la tête et lui fit chaleureusement :

— Quelle bonne nouvelle. Quand la cérémonie aura-t-elle lieu ?

— Bientôt, mais nous n'avons pas encore fixé la date. Tout le personnel sera invité.

Quand Tanner arriva à son bureau, le lendemain matin, Andrew l'attendait. Il arborait un œillet à la boutonnière.

— Pourquoi portes-tu cela ?

— Je me prépare pour ton mariage, fit-il en souriant. Je suis tellement heureux pour toi.

— Merci, Andrew.

La nouvelle se répandit comme une traînée de poudre. Comme les noces n'avaient pas été annoncées officiellement, personne n'en parlait à Tanner, mais on ne cessait de lui adresser des regards et des sourires entendus.

Tanner se trouvait à présent dans le bureau de son frère.

— Andrew, grâce à ton Nobel, tout le monde va nous solliciter. Et avec l'argent du prix...

— Cet argent va nous permettre d'envoyer davantage de personnes en Érythrée et en Ouganda.

— Mais tu vas bien t'en servir pour étendre les activités de la boîte ? demanda-t-il lentement.

Il secoua la tête.

— Nous continuerons exactement comme avant, Tanner.

Ce dernier regarda son frère longuement.

— C'est ton entreprise, Andrew.

Dès que sa décision fut prise, il appela Princesse.

— Il faut que j'aille à Washington pour affaires. Je ne pourrai peut-être pas te donner de nouvelles avant un jour ou deux.

— C'est une blonde, une brune ou une rousse ? fit-elle pour le taquiner.

— Non, il n'y a qu'une seule femme au monde qui m'intéresse. Je t'aime.

— Je t'aime aussi.

Le lendemain matin, Tanner se rendit au Pentagone, où il rencontra le général en chef, Alan Barton.

— Votre proposition est très intéressante. Nous nous demandions justement à qui nous allions faire appel pour effectuer les premiers tests.

— L'expérience est basée sur la nanotechnologie, et mon frère vient justement de décrocher le prix Nobel pour ses recherches en la matière.

— Nous sommes parfaitement au courant.

— Votre projet l'intéresse tellement qu'il est prêt à vous offrir ses services gracieusement.

— Nous sommes très flattés, monsieur Kingsley. Rares sont les lauréats du prix Nobel qui nous proposent leurs services. (Il s'assura que la porte était bien fermée.) C'est une opération top-secret. Si cela marche, ce sera l'un de nos principaux atouts dans le futur. La nanotechnologie moléculaire nous ouvre les portes du monde physique au niveau de l'atome. Jusqu'ici, tous nos efforts pour réduire la taille des puces se sont heurtés à l'interférence électronique et les électrons deviennent incontrôlables. Si cette expérience réussit, cela nous permettra de mettre au point de nouvelles armes de défense et d'attaque particulièrement puissantes.

— Cette expérience ne présente aucun danger? Je ne veux pas que mon frère coure le moindre risque.

— Ne vous inquiétez pas. Nous mettrons à votre disposition tout l'équipement nécessaire, y compris des tenues sécurisées, et deux scientifiques de chez nous assisteront votre frère.

— Nous avons donc carte blanche?

— Absolument.

Il ne restait plus qu'à convaincre Andrew.

CHAPITRE 17

Dans son bureau, Andrew contemplait une brochure colorée envoyée par le Comité du prix Nobel, avec cette note : « Nous vous attendons avec impatience. » On y voyait une immense salle de concert, dont le public applaudissait un lauréat traversant la scène pour aller recevoir son prix des mains du roi Charles XVI Gustave de Suède.

La porte s'ouvrit, et Tanner entra.

— Il faut que je te parle.

Andrew rangea sa brochure.

— Oui, Tanner ?

Celui-ci inspira profondément.

— Je me suis engagé à ce que KIG assiste l'armée lors d'une expérience.

— Quoi ! s'écria Andrew.

— Il s'agit de cryogénie. Ils ont besoin de ton aide.

— Non. Je ne me mêlerai pas de ça. Ça ne fait pas partie de nos tâches.

— Il ne s'agit pas d'argent, Andrew. Il s'agit de la défense des États-Unis. C'est très important pour l'armée. Tu le ferais par patriotisme. Gracieusement. Ils ont besoin de toi.

Pendant une heure, Tanner ne cessa d'argumenter. Enfin, Andrew finit par accepter.

— D'accord. Mais c'est la première et dernière fois que nous nous écartons de notre champ d'action habituel, Tanner. Compris ?

Il acquiesça en souriant.

— Tu ne peux pas savoir à quel point je suis fier de toi.

Tanner laissa ensuite un message à Princesse. « Je suis rentré, chérie. Nous allons participer à une expérience très importante. Je t'appellerai quand tout sera terminé. Je t'aime. »

Deux techniciens de l'armée vinrent expliquer à Andrew de quoi il s'agissait. Réticent au début, plus il découvrait leur expérience plus il se passionnait. S'ils parvenaient à résoudre ce problème, ce serait une avancée majeure.

Une heure plus tard, Andrew vit un camion de l'armée entrer dans les locaux de Kingsley International, escorté par deux voitures militaires transportant des soldats armés.

Il alla à la rencontre du colonel qui dirigeait les opérations.

— Tout est là, monsieur Kingsley. Que devons-nous en faire ?

— A partir de cet instant, je prends tout en main. Déchargez les camions, ça suffira.

— Bien, monsieur. (Le colonel se tourna vers deux soldats debout à l'arrière du camion.) Vous avez entendu, il faut décharger. Et faites attention. C'est extrêmement fragile.

Quelques minutes plus tard, deux de ses hommes emportaient une petite valise en métal jusqu'à un laboratoire, sous la surveillance d'Andrew.

— Posez-la sur cette table, très doucement. Voilà, c'est très bien.

— Un seul aurait pu la transporter. C'est très léger.

— Vous ne me croiriez pas si je vous disais à quel point c'est lourd.

— Comment ? répliquèrent les deux hommes, déconcertés.

— Ce n'est pas grave, fit Andrew en secouant la tête.

Deux éminents chimistes, Perry Stanford et Harvey Walker, avaient été choisis pour assister Andrew.

Ils avaient déjà enfilé les lourdes combinaisons de protection nécessaires à l'expérience.

— Je vais m'habiller, leur dit Andrew. J'en ai pour une minute.

Il alla jusqu'à un vestiaire où étaient enfermées toutes sortes de combinaisons ressemblant à des tenues de cosmonautes, ainsi que des masques à gaz, des lunettes de protection, des chaussures spéciales et d'épais gants.

Andrew entra pour s'habiller. Tanner vint lui souhaiter bonne chance.

Enfin, Andrew revint au laboratoire où l'attendaient Stanford et Walker. Les trois hommes refermèrent méticuleusement la porte afin que la pièce soit bien hermétique, puis ils la verrouillèrent. Leur enthousiasme était visible.

— Tout est prêt ?

— Prêt, répondirent en chœur Stanford et Walker.

— Masques.

Ils mirent en place leur masque.

— Commençons, fit Andrew.

Il souleva prudemment le couvercle de la boîte métallique. A l'intérieur, se trouvaient six petites fioles fermement maintenues dans une mousse protectrice.

— Attention. Ces petits génies sont à moins 120°, dit Andrew d'une voix assourdie par le masque.

Les deux chimistes le virent soulever doucement la première fiole pour l'ouvrir. Il y eut un sifflement, et de la vapeur s'éleva, remplissant bientôt l'espace d'un nuage glacé.

— Très bien, fit Andrew. A présent nous devons... nous devons...

Ses yeux s'écarquillèrent. Il étouffait. Son visage blêmit soudain. Il essaya de parler, mais aucun son ne sortit.

Stanford et Walker le virent avec horreur s'écrouler à terre. Walker reboucha immédiatement la fiole et referma la boîte. Stanford se rua sur un bouton servant à activer un ventilateur géant qui permit d'évacuer les vapeurs glaciales du laboratoire.

Quand l'air fut à nouveau respirable, les deux scientifiques ouvrirent la porte et sortirent en hâte Andrew de là. Tanner se précipita, épouvanté.

Il se rua vers les deux hommes et regarda son frère.

— Mon Dieu, qu'est-il arrivé ?

— C'est un accident, s'écria Stanford, et...

— Quel genre d'accident ? hurla Tanner comme un fou. Qu'avez-vous fait à mon frère ? (Autour d'eux, les gens commençaient à se rassembler.) Appeler le SAMU ! Non. Pas le temps. Nous allons le transporter nous-mêmes à l'hôpital !

Vingt minutes plus tard, Andrew gisait sur un brancard aux urgences de l'hôpital Saint-Vincent de Manhattan. Il avait maintenant un masque à oxygène sur la figure, et une perfusion dans le bras. Deux médecins étaient penchés sur lui.

Tanner faisait les cent pas.

— Vous devez le soigner, cria-t-il, tout de suite !

— Monsieur Kingsley, nous allons vous demander de quitter la pièce, fit l'un des urgentistes.

— Non, répondit-il violemment. Je reste avec lui.

Il s'approcha du brancard où se trouvait Andrew, inconscient, lui prit la main et la serra dans la sienne.

— Allez, frangin, réveille-toi. On a besoin de toi.

Il n'y eut pas de réponse. Les yeux de Tanner se remplirent de larmes.

— Tu verras, tout va bien se passer. Ne t'inquiète pas. On va aller te chercher les meilleurs médecins du monde. Ça va aller. (Il se retourna vers les médecins.) Je veux qu'il ait une chambre privée, et des infirmières à son chevet vingt-quatre heures sur vingt-quatre, et je veux avoir un lit de camp dans sa chambre. Je reste avec lui.

— Monsieur Kingsley, nous aimerions terminer les examens.

— J'attendrai dans le couloir, fit-il avec défiance.

Andrew fut emmené au sous-sol pour différentes IRM, tomographies assistées par ordinateur, et toutes sortes de tests sanguins. Un PET-Scan très sophistiqué fut programmé. Ensuite, il fut emmené dans une chambre privée, accompagné de trois médecins.

Tanner attendait toujours dans le couloir, assis sur une chaise. Quand l'un des praticiens sortit enfin de la chambre, il lui bondit dessus.

— Il va se remettre, n'est-ce pas ?

Le médecin hésita.

— Nous allons le transférer immédiatement à l'hôpital militaire Walter Reed, à Washington, pour des examens complémentaires, mais franchement, monsieur Kingsley, nous n'avons guère d'espoir.

— Mais qu'est-ce que vous racontez ! hurla Tanner. Bien sûr qu'il va se remettre. Il n'est resté dans ce labo que quelques secondes.

Le médecin allait le rabrouer, mais il leva les yeux et vit qu'il était au bord des larmes.

Tanner accompagna Andrew, inconscient, dans l'avion médical affrété pour le transporter à Washington. Durant tout le vol, il ne cessa de le rassurer.

— Les médecins disent que ça va aller... Ils vont te donner des médicaments pour que tu ailles mieux... Tout ce dont tu as besoin, c'est d'un peu de repos, disait-il en passant le bras autour de son frère. Il faut que tu sois rétabli pour pouvoir aller chercher ton prix Nobel en Suède.

Durant les trois jours qui suivirent, Tanner dormit sur un lit de camp installé dans la chambre d'Andrew. Il ne quittait son frère que lorsque les médecins l'exigeaient. Il se trouvait justement dans une salle d'attente quand l'un d'eux vint le voir.

— Comment va-t-il ? Il est... Que se passe-t-il ? demanda-t-il en avisant l'expression sur le visage du médecin.

— Je crains que ce soit très grave. Votre frère a de la chance d'être encore en vie. Quel que soit ce gaz expérimental, il est extrêmement toxique.

— On peut faire venir d'autres médecins de...

— Cela ne sera pas nécessaire. Les toxines ont déjà infecté les cellules cérébrales de votre frère.

— Mais n'y a-t-il pas de traitement pour... ce qu'il a ?

— Monsieur Kingsley, l'armée n'a même pas encore donné de nom à cette substance, et vous voudriez savoir s'il existe un traitement ? Non. Désolé. Je crains qu'il ne soit plus jamais lui-même.

Les poings serrés, le visage blanc de rage, Tanner ne broncha pas.

— Il est à présent sorti du coma. Vous pouvez aller le voir, mais pas plus de quelques minutes.

Quand Tanner pénétra dans la chambre, Andrew avait les yeux ouverts. Il le dévisagea sans manifester la moindre émotion.

Le téléphone sonna, et Tanner prit l'appel. C'était le général Barton.

— Je suis absolument désolé pour ce qui s'est passé.

— Espèce de salopard ! Vous m'aviez dit que mon frère ne courait aucun risque !

— Je ne sais pas ce qui s'est passé, mais je vous assure que...

Tanner lui raccrocha au nez. Soudain, il entendit la voix de son frère et se retourna.

— Où suis-je ? murmura-t-il.

— Tu es à l'hôpital Walter Reed, à Washington.

— Pourquoi ? Qui est malade ?

— Toi, Andrew.

— Que s'est-il passé ?

— L'expérience a mal tourné.

— Je ne me souviens pas...

— Tout va bien. Ne t'inquiète pas. On va bien prendre soin de toi. J'y veillerai.

Tanner vit ses yeux se refermer. Il quitta la pièce.

Princesse fit envoyer des fleurs à Andrew. Tanner avait prévu de l'appeler, mais sa secrétaire lui dit :

— Oh, elle a déjà téléphoné. Elle a dû quitter la ville. Elle vous appellera à son retour.

Une semaine plus tard, Tanner et Andrew étaient à nouveau à New York. L'histoire de l'accident s'était répandue parmi le personnel. Sans lui à sa tête, le groupe continuerait-il d'exister ? Quand la nouvelle fut rendue publique, tout le monde craignit pour l'avenir de Kingsley International.

« Ça n'a aucune importance, songea Tanner. Je vais faire de cette entreprise le plus puissant groupe d'experts au monde. A présent, je peux donner à Princesse plus qu'elle n'a jamais rêvé. Dans quelques années... »

Sa secrétaire l'appela.

— Il y a ici un chauffeur de limousine pour vous, monsieur Kingsley.

— Faites-le entrer, répondit Tanner, perplexe.

Il vit arriver un homme en uniforme qui lui tendit une enveloppe.

— Vous êtes bien monsieur Tanner Kingsley ?

— Oui.

— On m'a chargé de vous remettre ça en personne.

Tanner sourit. Il avait reconnu l'écriture de Princesse. Elle avait sûrement prévu une surprise pour lui. Il ouvrit l'enveloppe en hâte.

« Mon chéri, ça ne peut pas marcher entre nous. Aujourd'hui, j'ai besoin de plus que tu ne peux me donner, alors je vais épouser quelqu'un qui en a le pouvoir. Je t'aime, je t'aimerai toujours. Je sais que tu trouveras cela difficile à croire, mais je fais ça pour notre bien à tous les deux. »

Tanner pâlit. Il regarda longuement la lettre, puis la laissa mollement choir dans la corbeille à papiers.

Son triomphe s'était produit un jour trop tard.

CHAPITRE 18

LE lendemain, Tanner était assis à son bureau quand sa secrétaire l'appela.

— Une délégation du personnel aimerait vous voir, monsieur Kingsley.

— Une délégation ? Faites-les venir.

Plusieurs directeurs de département entrèrent.

— Monsieur Kingsley, nous voudrions vous parler.

— Asseyez-vous. Quel est le problème ?

— Eh bien, commença l'un d'eux, nous sommes un peu inquiets. Après ce qui est arrivé à votre frère... Les activités vont-elles se poursuivre ?

— Je ne sais pas, répondit Tanner en secouant la tête. Je suis encore sous le choc. Je n'arrive pas à croire que cela ait pu se produire. (Il réfléchit un moment.) Je vais vous expliquer ce que nous allons faire. Je ne peux pas vous dire quelles sont nos chances, mais je ferai tout pour que nous puissions continuer. Je vous le promets. Je vous tiendrai informés.

Il y eut des murmures de remerciement, et les directeurs de département quittèrent son bureau.

Le jour où Andrew sortit de l'hôpital, Tanner l'installa dans une petite maison réservée au personnel, au sein des locaux de l'entreprise, où l'on pouvait facilement s'occuper de lui. Il lui octroya ensuite un bureau, adjacent au sien. Le personnel était sidéré de voir combien Andrew avait changé. De scientifique brillant et alerte, il s'était transformé en zombie. Pendant une bonne partie de la journée, il restait assis dans un fauteuil, à regarder par la fenêtre, somnolent. Pourtant, il semblait heureux d'être revenu dans les locaux de la société, bien qu'il ne se rendît plus guère compte de ce qu'il s'y passait. Les employés étaient touchés par la façon dont Tanner s'occupait de lui. Il semblait si prévenant.

La nouvelle de l'annulation du mariage avec Princesse s'était elle aussi répandue dans les bureaux. Les employés qui s'étaient préparés aux noces se demandaient comment leur patron encaisserait ce nouveau coup dur, et spéculaient sur ses réactions.

Deux jours après la rupture, les journaux annoncèrent le mariage de Princesse avec Edmond Barclay, un milliardaire à la tête d'un empire médiatique. Tanner Kingsley se mit à avoir de plus en plus de sautes d'humeur, à travailler avec encore plus d'acharnement qu'auparavant. Tous les matins, il passait deux heures seul, sur un projet totalement secret.

Un jour, il fut invité à prononcer un discours devant l'association MENSA, qui regroupait des personnes au quotient intellectuel particulièrement élevé. Comme beaucoup d'employés de KIG en faisaient partie, il accepta.

Quand il revint à son bureau, le lendemain matin, il était accompagné de l'une des plus belles femmes qu'on eût jamais vues dans les locaux de l'entreprise. Elle avait le type latin, des yeux sombres, une peau mate, et une silhouette à vous couper le souffle.

Tanner la présenta à ses employés.

— Voici Sebastiana Cortez. Elle a pris la parole hier soir à la réunion MENSA et s'est montrée brillante.

L'attitude de Tanner semblait soudain empreinte d'une légèreté nouvelle. Il mena la jeune femme dans son bureau, dont ils ne ressortirent qu'au bout d'une heure.

Ils déjeunèrent ensuite dans la salle à manger privée.

L'un des employés alla prendre des renseignements sur elle sur Internet. C'était une ancienne miss Argentine. Elle habitait à Cincinnati et était mariée à un homme d'affaires important.

Après le repas, Sebastiana et Tanner retournèrent dans le bureau. Soudain, leurs voix résonnèrent aux oreilles de sa secrétaire : l'interphone était resté allumé.

— Ne t'inquiète pas, ma chérie, nous trouverons bien un moyen.

Plusieurs employés se rassemblèrent pour écouter la conversation.

— Il faudra nous montrer très prudents, mon mari est très jaloux.

— Aucun problème. Je m'occupe de tout.

Il n'y avait pas besoin d'être inscrit à la MENSA pour comprendre ce qu'il se passait. Les employés firent tout leur possible pour ne pas éclater de rire.

— Je suis désolé que tu doives rentrer chez toi si vite.

— Moi aussi. J'aimerais rester davantage, mais... c'est impossible.

Quand Tanner et Sebastiana sortirent du bureau, ils paraissaient tout à fait irréprochables. Tous les membres du personnel se réjouissaient d'avoir découvert le pot aux roses à l'insu de leur patron.

Le lendemain, Tanner fit installer dans son bureau une nouvelle ligne où il brancha un téléphone plaqué or à écran digital. Ses secrétaires et ses assistants avaient pour ordre de ne jamais décrocher.

A partir de ce jour, Tanner utilisa son nouveau téléphone presque quotidiennement. A la fin de chaque mois, il s'offrait un week-end prolongé dont il revenait détendu et rasséréné. Il ne dit jamais à personne où il allait, mais tout le monde le savait.

La vie amoureuse de Tanner avait repris, et le changement était remarquable. Tout le monde s'en félicita.

CHAPITRE 19

LES mots se répétaient inlassablement dans la tête de Diane Stevens. « Ici Ron Jones. Je voulais juste vous dire que nous avons bien reçu vos instructions et que nous avons procédé à tous les changements selon vos souhaits... La crémation du corps de votre mari s'est terminée il y a une heure. »

Comment les pompes funèbres avaient-elles pu commettre une telle erreur? Eperdue de chagrin, les avait-elle appelées dans un moment d'égarement pour demander que Richard fût incinéré? Jamais. Et elle n'avait pas de secrétaire. Tout cela n'avait aucun sens. Un employé de chez Dalton s'était trompé, et avait confondu Richard avec quelqu'un d'autre.

Diane contemplait à présent l'urne contenant les cendres. Richard s'y trouvait-il réellement?... Son rire y était-il enfermé?... ses bras qui la serraient si fort... ses lèvres chaudes qui caressaient les siennes... cet esprit si brillant, si drôle... cette voix qui lui disait « je t'aime »... cette urne avait-elle recueilli tous ses rêves, ses passions, et les mille autres petites choses qui le faisaient être lui-même?

Sa rêverie fut interrompue par la sonnerie du téléphone.

— Madame Stevens?

— Oui...

— Ici le bureau de Tanner Kingsley. M. Kingsley aimerait vous voir.

Tout cela s'était passé deux jours plus tôt, et à présent Diane était devant l'hôtesse d'accueil.

— Je m'appelle Diane Stevens. J'ai rendez-vous avec Tanner Kingsley.

— Oh, madame Stevens ! Nous sommes tous désolés pour ce qui est arrivé à votre mari. C'est terrible. Oui, vraiment terrible.

— En effet, acquiesça Diane, la gorge serrée.

Tanner était en grande conversation avec Retra Tyler.

— J'ai deux rendez-vous à suivre. Je veux que tout soit enregistré.

— Bien, monsieur.

Il regarda son assistante qui s'éloignait.

L'interphone s'alluma.

— Mme Stevens est arrivée, monsieur Kingsley.

Tanner appuya sur l'un des boutons de son bureau et Diane Stevens apparut sur l'un des écrans de télévision. Ses cheveux blonds étaient attachés, elle portait une jupe rayée blanc et bleu marine, et un chemisier blanc. Elle était très pâle.

— Faites-la entrer.

Lorsqu'elle fut dans la pièce, il se leva pour l'accueillir.

— Merci d'être venue, madame Stevens.

— Bonjour.

— Je vous en prie, asseyez-vous.

Elle prit place en face de lui.

— Inutile de vous dire combien nous avons tous été choqués en apprenant le meurtre brutal de votre mari. Vous pouvez être certaine que quel que soit le responsable, il sera traduit en justice le plus vite possible. Si vous n'y voyez pas d'inconvénient, j'aimerais vous poser quelques questions.

140

— Oui ?

— Votre mari parlait-il souvent de son travail avec vous ?

— Pas vraiment. C'était une chose séparée de notre vie car c'était trop technique.

Dans la salle de surveillance, Retra Tyler avait enclenché la machine servant à identifier et analyser les voix, et elle enregistrait la scène qui se déroulait dans le bureau de son patron.

— Je sais combien cette discussion vous est pénible, poursuivit Tanner, mais que savez-vous des rapports qu'entretenait votre mari avec la drogue ?

Diane le dévisagea, abasourdie. Enfin, elle retrouva l'usage de la parole.

— Quoi ?... Que dites-vous ? Richard n'avait rien à voir avec cela.

— Madame Stevens, la police a trouvé dans ses poches une note menaçante émanant de la mafia et...

L'idée que Richard puisse être impliqué dans un trafic de drogue était impensable. Il n'aurait jamais pu mener une double vie sans qu'elle le sache.

Le cœur de Diane se mit à battre la chamade, et elle sentit le rouge lui monter aux joues.

— Monsieur Kingsley, Richard n'a pas...

Le ton de Tanner était empreint de compassion tout en restant déterminé.

— Je suis absolument désolé de vous infliger cela, mais j'ai l'intention d'aller jusqu'au bout pour découvrir ce qui est arrivé à votre mari.

« C'est à cause de moi, songea misérablement Diane. C'est pour me punir qu'ils l'ont tué. Je suis celle que vous cherchez. Richard est mort parce que j'ai témoigné contre Altieri. » Elle commençait à étouffer.

Tanner Kingsley l'observait.

— Je ne vous garde pas davantage, madame Stevens. Je vois combien vous êtes encore sous le choc. Nous en reparle-

141

rons plus tard. Peut-être vous souviendrez-vous de quelque chose. Dans ce cas, appelez-moi, ça pourrait être utile, je vous en saurais vraiment gré. (Il ouvrit un tiroir dont il sortit une carte de visite gaufrée.) Voici mon numéro de portable personnel. Vous pouvez m'appeler à toute heure du jour et de la nuit.

Diane prit la carte. Il y avait seulement le nom et le numéro de Tanner. Elle se leva, les jambes tremblantes.

— Je suis désolé de vous avoir ainsi brusquée. Si jamais je puis faire quelque chose pour vous... n'importe quoi. Je suis à votre service.

Diane pouvait a peine parler.

— Merci, je... Merci.

Elle sortit de son bureau, comme une somnambule.

En arrivant dans le hall d'accueil, elle entendit l'hôtesse s'adresser à quelqu'un :

— Si j'étais superstitieuse, je dirais qu'on nous a jeté un sort. C'est votre tour à présent, madame Harris. Nous avons tous été très choqués d'apprendre ce qui est arrivé à Marc. C'est horrible de mourir dans ces conditions.

Ces paroles étaient hélas familières aux oreilles de Diane. Qu'était-il arrivé au mari de cette femme ? Elle se retourna pour voir de qui il s'agissait. C'était une Afro-Américaine d'une beauté étourdissante, vêtue d'un pantalon noir souple et d'un col roulé de soie. A un doigt, elle portait une grosse émeraude et une alliance en diamants. Diane eut soudain le sentiment qu'elle devait lui parler.

Elle s'approcha, mais la secrétaire de Tanner Kingsley arriva.

— M. Kingsley va vous recevoir.

Diane vit ainsi Kelly Harris s'engouffrer dans le couloir dont elle venait de sortir.

*

Tanner se leva pour accueillir Kelly.

— Merci d'être venue, madame Harris. Vous avez fait bon voyage ?

— Oui, je vous remercie.

— Voulez-vous boire quelque chose ? Café... ?

Elle secoua la tête.

— Je sais que vous traversez une période difficile, madame Harris, mais j'ai besoin de vous poser quelques questions.

Dans la salle de surveillance, Retra Tyler observait Kelly sur l'écran, tout en enregistrant la scène.

— Vous et votre mari étiez proches ?

— Très proches.

— Diriez-vous qu'il était honnête avec vous ?

Kelly le regarda, perplexe.

— Nous n'avions pas de secret l'un pour l'autre. Mark était l'être le plus honnête et le plus ouvert que j'aie jamais rencontré. Il...

Elle avait du mal à poursuivre.

— Vous parlait-il souvent de son travail ?

— Non. Ce que Mark faisait était... très compliqué. Nous n'en parlions guère.

— Aviez-vous des amis russes ?

Kelly eut un signe de surprise.

— Monsieur Kingsley, je ne vois pas ce que vous...

— Votre mari vous avait-il parlé d'une grosse affaire à venir, qu'il allait gagner beaucoup d'argent ?

Kelly commençait à en avoir assez de toutes ces questions.

— Non. Si c'était le cas, il me l'aurait dit.

— Vous a-t-il jamais parlé d'Olga ?

Elle eut un soudain pressentiment.

— Monsieur Kingsley, que signifie exactement tout ceci ?

— La police française a trouvé un message dans la poche

143

de votre mari. On y parle d'une récompense en échange d'informations, et c'est signé : « Je t'embrasse, Olga. »

Kelly était sous le choc.

— Je... Je ne sais pas quoi...

— Mais vous avez pourtant dit que vous parliez de tout ensemble ?

— Bien sûr...

— D'après ce que nous savons, votre mari avait une liaison avec cette femme et...

— Non ! s'écria Kelly en se levant d'un bond. Ce n'est pas de mon mari que nous sommes en train de parler. Je vous l'ai dit, nous n'avions pas de secret l'un pour l'autre.

— A part celui qui a causé sa mort.

Elle se sentit soudain défaillir.

— Je... vous prie de m'excuser, monsieur Kingsley. Je ne me sens pas très bien.

— Je comprends, fit-il en s'excusant. Je souhaiterais vous aider du mieux que je le peux. Vous pouvez me joindre à toute heure du jour et de la nuit, ajouta-t-il en lui tendant une carte gaufrée.

Elle acquiesça, incapable de proférer une parole, et sortit de son bureau telle une automate.

Kelly quitta l'immeuble, le cerveau en ébullition. « Qui est cette Olga ? Et que faisait Mark avec des Russes ? Pourquoi aurait-il... ? »

— Excusez-moi. Madame Harris ?

— Oui ? fit-elle en se retournant.

Une séduisante jeune femme blonde se tenait devant la sortie.

— Je m'appelle Diane Stevens. J'aimerais vous parler. Il y a un café en face, nous...

— Désolée. Je... je ne peux pas parler pour l'instant, fit-elle en s'éloignant.

— C'est à propos de votre mari.

Kelly s'arrêta brutalement et se retourna.

— Mark ?

— Peut-on parler dans un endroit moins exposé ?

La voix de sa secrétaire retentit dans le bureau de Tanner.

— M. Higholt est ici.

— Faites-le entrer.

Quelques instants plus tard, Tanner l'accueillit.

— Salut, John, ça va ?

— Si ça va ? Tu parles d'une journée, Tanner. On dirait que tous les membres de la compagnie disparaissent les uns après les autres. Mais qu'est-ce qui se passe ?

— C'est ce que nous essayons de découvrir. Je ne crois pas que la mort soudaine de trois ou quatre employés puisse être une coïncidence. Quelqu'un cherche à nous faire du tort. Mais nous allons le trouver et l'arrêter. La police est d'accord pour coopérer avec nous, et j'ai mis des gens sur la trace des victimes. Je voudrais que tu écoutes deux entretiens que je viens d'avoir avec les veuves de Richard Stevens et Mark Harris. Tu es prêt ?

— Vas-y.

— Voilà Diane Stevens.

Tanner appuya sur un bouton et Diane apparut à l'écran. En bas, à droite, se trouvait un graphique, qui montait et descendait en fonction des intonations de la jeune femme.

« ... Que savez-vous des rapports qu'entretenait votre mari avec la drogue ?

— Quoi ?... Que dites-vous ? Richard n'avait rien à voir avec cela. »

Tanner appuya sur avance rapide.

— Voici maintenant la femme de Mark Harris. Il est tombé du sommet de la tour Eiffel, à moins qu'on l'ait poussé.

Kelly apparut à l'écran.

145

« Vous a-t-il jamais parlé d'Olga ?

— Monsieur Kingsley, que signifie exactement tout ceci ?

— La police française a trouvé un message dans la poche de votre mari. On y parle d'une récompense en échange d'informations, et c'est signé : "Je t'embrasse, Olga."

— Je... Je ne sais pas quoi...

— Mais vous avez pourtant dit que vous parliez de tout ensemble ?

— Bien sûr...

— D'après ce que nous savons, votre mari avait une liaison avec cette femme et...

— Non ! Ce n'est pas de mon mari que nous sommes en train de parler. Je vous l'ai dit, nous n'avions pas de secret l'un pour l'autre. »

La ligne du graphique se stabilisa et l'image de Kelly disparut.

— C'est quoi, ce graphique en bas de l'écran ?

— C'est un CVSA. Ça sert à analyser les voix. La machine enregistre les micro-variations de la voix humaine. Si le sujet ment, les modulations de fréquences audio augmentent. C'est de la technologie de pointe. Pas besoin de câbles, comme un polygraphe. Je suis convaincu que ces deux femmes disent la vérité. Il faut les protéger.

— Comment ça ? reprit Higholt en fronçant les sourcils. Les protéger de quoi ?

— Je pense qu'elles sont en danger, qu'elles en savent plus qu'elles ne le croient. Toutes deux étaient très proches de leur mari. Je suis certain qu'à un moment donné, ils ont dit quelque chose d'important auquel elles n'ont pas prêté attention sur le moment, mais qui est stocké dans leur mémoire inconsciente. Il y a fort à parier que quand elles vont commencer à y réfléchir, quelque chose va se débloquer. Dès qu'elles sauront de quoi il s'agit, leur vie sera en danger, car ceux qui ont tué leur mari pourraient très bien

146

avoir aussi l'intention de les tuer, elles. Je veux m'assurer qu'il ne leur arrive rien.

— Tu vas les faire suivre ?

— C'est dépassé, John. Aujourd'hui, nous disposons d'un équipement électronique. J'ai fait mettre l'appartement des Stevens sous surveillance – caméras, téléphone, micros – la totale. Nous utilisons toute la technologie possible pour les protéger. Dès qu'on essaiera de s'en prendre à elles, nous le saurons.

John Higholt réfléchit un moment.

— Et Kelly Harris ?

— Elle est logée à l'hôtel. Malheureusement, nous n'avons pas réussi à entrer dans sa suite pour la préparer. Mais j'ai des hommes postés dans le hall, et s'il se passe quelque chose, ils seront là pour s'en occuper. (Tanner hésita un instant.) Nous offrons une récompense de cinq millions de dollars pour tout renseignement conduisant à l'arrestation de...

— Une minute, Tanner. Ce n'est pas nécessaire. Nous allons trouver...

— Très bien. Si Kingsley International ne le fait pas, j'offrirai la récompense de cinq millions personnellement. Mon nom est associé à la compagnie. Je veux la peau de celui qui est derrière tout ça, fit-il avec dureté.

CHAPITRE 20

DIANE Stevens et Kelly Harris s'assirent dans un coin du café situé en face du siège de KIG. Kelly attendait que Diane prenne la parole. Mais celle-ci ne savait par où commencer. « Qu'est-il arrivé de si terrible à votre mari ? A-t-il été assassiné, comme Richard ? »

La top model s'impatienta.

— Eh bien ? Vous avez dit que vous vouliez me parler de mon mari ? Vous connaissiez Mark ?

— Non, je ne le connaissais pas, mais...

— Vous avez pourtant dit que..., coupa Kelly furieuse en se levant.

— Attendez, je crois que nous avons toutes les deux le même problème, et peut-être pourrions-nous nous aider mutuellement.

Kelly s'arrêta.

— De quoi parlez-vous ?

— Je vous en prie, asseyez-vous.

Avec réticence, Kelly reprit sa place.

— Allez-y.

— Je voulais vous demander si...

Le serveur leur présenta la carte.

— Ces dames désirent ?

— Deux cafés, commanda Diane.

— Faites-moi plutôt un thé, corrigea Kelly en toisant sa compagne avec défiance.

— Bien m'dame, répondit le serveur en s'éloignant.

— Je crois que vous et moi..., commença Diane.

Une petite fille s'approcha alors de leur table et demanda à la top model :

— Je peux avoir un autographe ?

— Tu sais qui je suis ?

— Non, mais ma mère dit que vous êtes connue.

— Elle se trompe.

Et l'enfant repartit bredouille. Diane dévisagea alors Kelly, perplexe.

— Je devrais savoir qui vous êtes ?

— Non, lâcha-t-elle sèchement. Et je n'aime pas qu'on se mêle de ma vie privée. Qu'est-ce que vous voulez, à la fin, madame Stevens ?

— Appelez-moi Diane. J'ai entendu que quelque chose de terrible était arrivé à votre mari et...

— Il a été tué.

— Mon mari aussi a été tué. Tous deux travaillaient pour KIG.

— Et c'est tout ? fit Kelly agacée. Des milliers d'autres gens travaillent pour Kingsley International. Si deux d'entre eux attrapent un rhume, vous allez dire que c'est une épidémie ?

— Ecoutez, c'est important. Tout d'abord...

— Désolée, mais je ne suis pas d'humeur à en parler, l'interrompit-elle en attrapant son sac.

— Je ne suis pas d'humeur à en parler non plus, rétorqua durement Diane, mais cela pourrait s'avérer très...

Ses paroles résonnèrent soudain dans tout le café.

« Il y avait quatre hommes dans la pièce. »

Les deux femmes sursautèrent et se retournèrent. La voix de Diane sortait de la télévision encastrée au-dessus du comptoir. La jeune femme se trouvait au tribunal, à la barre des témoins.

« L'un d'eux était attaché sur une chaise. M. Altieri semblait l'interroger, et les deux autres attendaient, derrière lui, déclarait-elle d'une voix tremblante. M. Altieri a sorti un revolver, il a hurlé quelque chose, et... et il a tiré sur l'homme, derrière la tête. »

Le présentateur apparut à l'écran.

« C'était Diane Stevens, témoignant lors du procès pour meurtre du parrain de la mafia, Anthony Altieri. Le jury a rendu son verdict : non coupable.

— Non coupable ! souffla Diane, stupéfaite.

« Ce meurtre a eu lieu il y a deux ans, et Anthony Altieri en a été accusé car la victime travaillait pour lui. Malgré le témoignage de Diane Stevens, le jury a préféré croire les témoins de la défense. »

Les yeux écarquillés, Kelly contemplait l'écran. Un nouveau témoin apparut à la barre. Jake Rubinstein, l'avocat d'Altieri, l'interrogea :

« Docteur Russell, êtes-vous installé à New York ?

— Non, à Boston.

— Le jour du décès de la victime, avez-vous examiné M. Altieri pour un problème cardiaque ?

— Oui, à environ neuf heures. Je l'ai gardé en observation toute la journée.

— Il ne pouvait donc pas se trouver à New York en ce 14 octobre ?

— Non. »

Un nouveau témoin se présenta.

« Pouvez-vous nous dire quelles fonctions vous occupez, monsieur ?

— Je suis le directeur de l'hôtel Boston Park.

150

— Travailliez-vous le 14 octobre dernier ?

— Oui.

— S'est-il produit quelque chose d'inhabituel ce jour-là ?

— C'est exact. J'ai reçu un appel urgent de la suite-terrasse, me demandant d'appeler immédiatement un médecin.

— Que s'est-il passé ensuite ?

— J'ai téléphoné au Dr Russel, qui est venu tout de suite. Nous sommes allés ensemble voir la personne qui se trouvait dans la suite-terrasse, M. Anthony Altieri.

— Qu'avez-vous découvert en entrant ?

— M. Altieri était étendu sur le sol. J'ai cru qu'il allait mourir sur place. »

Diane devint livide.

— Ils mentent, fit-elle d'une voix rauque. Tous les deux.

Suivit une interview d'Anthony Altieri. Il avait l'air faible et mal en point.

« Avez-vous des projets dans l'immédiat, monsieur Altieri ?

— A présent que justice a été rendue, je vais tout simplement prendre un peu de repos, dit-il en esquissant un fin sourire. J'ai quelques affaires à régler. »

Kelly était ébahie.

— C'est contre lui que vous avez témoigné ?

— Oui. Je l'ai vu tuer...

Kelly se mit à trembler. Elle renversa le sucrier et quelques gouttes de thé.

— Je m'en vais.

— Pourquoi êtes-vous si nerveuse ?

— Pourquoi ? Vous avez essayé d'envoyer en prison un parrain de la mafia, le voilà à présent libre, qui déclare qu'il a quelques affaires à régler, et vous me demandez pourquoi je suis nerveuse ? Mais c'est vous qui devriez l'être ! poursuivit-elle en se levant. Je vous offre le café, ajouta-t-elle en posant un billet sur la table. Gardez votre argent pour payer vos frais de voyage, madame Stevens.

— Attendez ! Nous n'avons pas parlé de nos maris ni...

— Oubliez-moi.

Kelly se dirigea vers la porte, et Diane lui emboîta le pas sans conviction.

— Je crois que vous vous inquiétez pour rien.

— Vraiment ?

En arrivant à la porte, Kelly déclara :

— Je ne comprends pas que vous ayez pu être assez naïve pour...

Un vieil homme avec des béquilles qui entrait dans le café glissa et perdit l'équilibre.

Soudain, Kelly était à Paris, et c'était Mark qui tombait, et elle se précipita pour le retenir, en même temps que Diane. A cet instant, venant de l'autre côté de la rue, des coups de feu retentirent, et deux balles vinrent se loger dans le mur, là où se trouvaient les deux femmes. Instantanément, Kelly retrouva ses esprits. Elle était à Manhattan, et venait de prendre un thé avec cette folle.

— Mon Dieu ! s'exclama Diane, nous...

— Pas le temps. Il faut qu'on sorte de là !

Kelly empoigna sa compagne, et la tira sur le trottoir où l'attendait Colin près de la limousine. Il ouvrit la portière arrière et les deux femmes s'engouffrèrent dans le véhicule.

— Quel était ce bruit ? demanda-t-il.

Recroquevillées sur leur siège, elles n'eurent pas la force de répondre. Enfin, Kelly prit la parole :

— C'était probablement un pétard. (Elle se tourna vers Diane qui tentait désespérément de recouvrer son calme.) J'espère que je ne m'inquiète pas pour rien, commenta-t-elle, sarcastique. Je vous dépose où ?

Diane reprit son souffle, puis donna son adresse à Colin. S'ensuivit un silence de plomb, où résonnait encore l'écho des coups de feu.

Quand le véhicule s'immobilisa devant l'immeuble, Diane se tourna vers Kelly :

— Voudriez-vous venir avec moi ? Je me sens un peu nerveuse. J'ai le pressentiment qu'il pourrait se passer encore quelque chose.

— J'ai le même pressentiment, fit Kelly avec brutalité. Mais cela ne me concerne pas. Au revoir, madame Stevens.

Diane la regarda longuement, s'apprêtant à ajouter quelque chose, mais elle secoua la tête, et sortit de la voiture.

Kelly la vit pénétrer dans le hall, puis pousser sa porte, au rez-de-chaussée. Elle eut un soupir de soulagement.

— Où dois-je vous conduire, maintenant, madame Harris ?

— Nous retournons à l'hôtel, Colin, et...

Tout d'un coup, un hurlement retentit. Kelly hésita, puis se rua à l'intérieur de l'immeuble. La porte de Diane était grande ouverte. Elle se tenait debout au milieu de la pièce, tremblante.

— Que s'est-il passé ?

— Quelqu'un... on est entré chez moi. L'attaché-case de Richard, il était sur la table. Il n'y est plus. Il y avait tous ses papiers dedans. Ils ont laissé son alliance à la place.

Nerveuse, Kelly regarda autour d'elle.

— Vous devriez appeler la police.

— Oui.

Diane songea immédiatement à l'inspecteur Greenburg qui lui avait laissé sa carte. Elle alla la chercher. Une minute plus tard, elle était au téléphone.

— Bonjour, je voudrais parler à l'inspecteur Earl Greenburg.

On la mit en attente.

— Ici Greenburg.

— Inspecteur Greenburg, c'est Diane Stevens. Il s'est passé quelque chose. Je me demandais si vous pourriez venir... Merci.

Elle reprit sa respiration et se tourna vers Kelly.

— Il arrive. Si cela ne vous dérange pas d'attendre, je...

— Si, ça me dérange, tout ça, c'est votre problème. Je ne veux pas m'en mêler. Et n'oubliez pas de lui dire qu'on vient d'essayer de vous tuer. Je repars pour Paris. Adieu, madame Stevens.

Diane la vit s'en retourner vers la limousine.

— Où allons-nous ? demanda Colin.

— A l'hôtel, je vous prie.

Là où elle serait en sécurité.

CHAPITRE 21

QUAND Kelly entra dans sa chambre, elle était encore sous le choc. Elle était terrifiée à l'idée d'avoir ainsi frôlé la mort. « La dernière chose dont j'ai besoin en ce moment, c'est qu'une blonde sans cervelle essaie de me faire tuer. »

Elle s'affala sur le canapé pour se calmer et ferma les yeux. Elle essaya d'entrer en méditation, de se concentrer sur un mantra, mais en vain. Elle était trop bouleversée. Au fond d'elle-même, elle éprouvait un sentiment de vide, de solitude. « Mark, tu me manques tellement. Les gens m'ont dit qu'avec le temps, ça irait mieux. Ce n'est pas vrai, mon amour. Chaque jour, le mal empire. »

Le bruit d'un chariot passant dans le couloir lui fit soudain réaliser qu'elle n'avait rien mangé de la journée. Elle n'avait pas faim, mais savait qu'elle devait reprendre des forces. Elle appela le service d'étage.

— J'aimerais une salade de crevettes et un thé à la bergamote, s'il vous plaît.

— Très bien. Votre commande sera là dans vingt-cinq à trente minutes, madame Harris.

— Parfait, dit-elle en raccrochant.

Elle resta assise là, rejouant dans sa tête sa rencontre avec Tanner Kingsley. Elle avait la sensation d'avoir été plongée dans un cauchemar glacial. Que se passait-il donc ?

« Pourquoi Mark n'a-t-il jamais parlé d'Olga ? Etait-ce une relation d'affaires ? Une liaison ? Mark, mon amour, je veux que tu saches que même si tu as eu une aventure, je te pardonne car je t'aime. Je t'aimerai toujours. C'est toi qui m'as appris à aimer. J'étais froide, tu m'as enseigné la gentillesse. Tu m'as rendu ma fierté, tu m'as donné le sentiment d'être une femme. »

Elle se rappela Diane. « Cette fouineuse a mis ma vie en danger. Mieux vaut se tenir loin d'elle. Ce ne sera pas difficile. Demain, je serai à Paris, avec Angel. »

Elle fut interrompue dans ses pensées par des petits coups frappés à la porte.

— Service d'étage.

— J'arrive.

Kelly se leva pour aller ouvrir, mais brusquement s'arrêta, perplexe. Elle venait à peine de passer sa commande. C'était impossible.

— Une minute, s'il vous plaît, cria-t-elle.

— Bien madame.

Kelly décrocha le téléphone et rappela le service d'étage.

— Ma commande n'est pas encore arrivée.

— Nous sommes en train de la préparer, madame Harris. Elle sera là dans quinze à vingt minutes.

Elle raccrocha, le cœur battant. Puis rappela le standard.

— Quelqu'un... un homme essaie d'entrer dans ma chambre.

— Je vous envoie un membre de la sécurité immédiatement, madame Harris.

Trente secondes plus tard, on frappa à nouveau à la porte. Kelly s'approcha prudemment.

— Qui est là ?

— C'est la sécurité.

Impossible.

— Une minute.

Elle se rua de nouveau sur le téléphone et rappela le standard.

— J'ai appelé la sécurité...

— Il est en route, madame Harris. Il sera là dans une ou deux minutes.

— Comment s'appelle-t-il? fit-elle, gagnée par la peur.

— Thomas.

Kelly entendait à présent un murmure assourdi dans le couloir. Elle colla son oreille à la porte jusqu'à ce que le bruit disparaisse. Elle resta immobile, tétanisée.

Une minute plus tard, on frappa encore une fois.

— Qui est là?

— La sécurité.

— C'est vous, Bill? demanda-t-elle en retenant son souffle.

— Non, madame Harris, c'est Thomas.

Elle ouvrit rapidement et le laissa entrer.

Il la regarda un instant puis demanda.

— Que s'est-il passé?

— Des hommes ont essayé de s'introduire dans ma chambre.

— Vous les avez vus?

— Non. Je les ai entendus. Pourriez-vous m'accompagner jusqu'à un taxi?

— Bien sûr, madame Harris.

Kelly faisait tout son possible pour rester calme. Il s'était passé trop de choses en trop peu de temps.

Thomas ne la quitta pas d'une semelle jusqu'à l'ascenseur.

En arrivant dans le hall, Kelly regarda autour d'elle, mais ne vit rien de suspect. Le garde l'accompagna dehors, et en arrivant à la borne où attendaient les taxis, elle le remercia.

— J'apprécie beaucoup ce que vous avez fait.

— Je vais m'assurer que tout aille bien quand vous rentrerez. Ceux qui ont essayé de pénétrer dans votre chambre sont loin à présent.

Kelly monta dans le taxi. En regardant par la vitre arrière, elle vit deux hommes se précipiter dans une limousine.

— Je vous emmène où ?

La limousine était à présent juste derrière le taxi. Au carrefour, un agent dirigeait la circulation.

— Allez tout droit.

Comme ils approchaient du feu vert, Kelly ajouta précipitamment :

— Je voudrais que vous ralentissiez et attendiez que le feu passe à l'orange pour tourner juste à ce moment-là.

Dans son rétroviseur, le chauffeur lui jeta un coup d'œil.

— Quoi ?!

— Ne tournez pas avant que le feu passe à l'orange.

Avisant l'expression du conducteur, elle continua en souriant.

— J'ai fait un pari avec des amis...

— Ah...

« Ils sont fous ces clients. »

Le feu changea, et Kelly s'écria :

— Allez-y !

Le taxi tourna prestement au moment où l'orange virait au rouge. Derrière lui, l'agent arrêta la circulation. Dans la limousine, les deux hommes se regardèrent, mécontents.

Une rue plus loin, la jeune femme s'exclama soudain :

— Oh, j'ai oublié quelque chose. Il faut que je descende ici.

Le chauffeur s'arrêta au bord du trottoir, et elle sortit en lui tendant un billet.

— Voilà.

Le taxi la vit entrer dans un immeuble abritant des cabinets médicaux.

« J'espère qu'elle va voir un psy ! »

Au carrefour précédent, le feu repassa au vert : la limousine tourna à gauche. Le taxi avait une légère avance, et les deux hommes se précipitèrent à ses trousses.

Cinq minutes plus tard, Kelly hélait un autre taxi.

Dans l'appartement de Diane Stevens, l'inspecteur Greenburg était arrivé.

— Madame Stevens, avez-vous vu la personne qui vous a tiré dessus?

— Non. Tout s'est passé si vite...

— En tout cas, c'était du sérieux. La balistique a récupéré les balles dans le mur. C'est un calibre .45, capable de transpercer un gilet pare-balles. Vous avez eu de la chance. Nous pensons, fit-il avec hésitation, que le tueur a été envoyé par Tony Altieri.

Diane frémit. « Je vais tout simplement prendre un peu de repos. J'ai quelques affaires à régler. »

— Nous sommes en train de vérifier.

Diane hocha la tête. Greenburg la regarda un moment.

— Pour l'attaché-case, vous savez ce qu'il contenait?

— Pas vraiment. Richard l'emportait au labo tous les matins et le rapportait tous les soirs. J'ai aperçu des papiers qu'il contenait, un jour, c'était très technique.

Greenburg prit l'alliance posée sur la table.

— Et vous disiez que votre mari n'enlevait jamais son alliance?

— C'est... c'est exact.

— Dans les jours précédant sa mort, votre mari s'est-il comporté d'une manière différente par rapport à d'habitude, comme s'il était soumis à des pressions, ou qu'il s'inquiétait à propos de quelque chose? Vous souvenez-vous qu'il ait dit ou fait quelque chose d'insolite le dernier soir où vous l'avez vu?

C'était tôt le matin. Ils étaient au lit, nus. La main de Richard s'attarda sur sa cuisse :

159

— Je vais travailler tard ce soir, mais réserve-moi une heure ou deux à mon retour, mon trésor.

— Prétentieux, répondit-elle en le caressant là où il aimait.

— Madame Stevens...

Diane fut ramenée à la réalité.

— Non, rien de spécial.

— Je vais veiller à ce que vous bénéficiiez d'une protection. Et si...

La sonnette retentit.

— Vous attendez quelqu'un ?

— Non.

— Je m'en occupe, fit Greenburg.

Il alla ouvrir la porte. Kelly Harris entra en trombe et le bouscula.

— Il faut qu'on parle, fit-elle à Diane.

— Je croyais que vous deviez rentrer à Paris ? répondit-elle avec surprise.

— J'ai changé d'avis.

Greenburg l'avait rejointe.

— Voici l'inspecteur Greenburg. Kelly Harris

Elle se retourna vers lui.

— Quelqu'un a essayé de pénétrer dans ma chambre d'hôtel, inspecteur.

— Vous l'avez signalé à la sécurité ?

— Oui. Le garde est arrivé trop tard. Il m'a ensuite accompagnée jusqu'à un taxi.

— Avez-vous une idée de qui il s'agissait ?

— Non.

— Quand vous dites qu'on a essayé de s'introduire dans votre chambre, vous voulez dire qu'ils ont forcé la porte ?

— Non. Ils étaient dans le couloir. Ils ont prétendu être le service d'étage.

— Aviez-vous commandé quelque chose ?

160

— Oui.

— Alors c'est probablement votre imagination, déclara Diane, à cause de ce qui s'est passé ce matin...

— Ecoutez, répondit sèchement Kelly, je vous l'ai dit, je ne veux pas être mêlée à ça. Je vais faire mes valises et rentrer à Paris cet après-midi. Dites à vos amis de la mafia de me laisser tranquille.

Kelly tourna les talons et repartit.

— Je n'y comprends rien, fit Greenburg.

— Son mari a été tué. Il travaillait pour la même compagnie que Richard, Kingsley International Group.

A son retour à l'hôtel, Kelly alla tout droit à la réception.

— Je m'en vais. Pourriez-vous me réserver une place sur le prochain vol à destination de Paris, s'il vous plaît ?

— Naturellement, madame Harris. Avez-vous une préférence pour une compagnie particulière ?

— Trouvez-moi une place, c'est tout.

Elle traversa le hall, entra dans un ascenseur et appuya sur le bouton du quatrième. Au moment où les portes se refermaient, deux hommes s'y frayèrent un passage. Kelly les dévisagea et ressortit. Elle attendit que l'ascenseur se mette en marche, puis emprunta l'escalier.

Au moment où elle atteignait le quatrième, un énorme type lui barra le passage.

— Excusez-moi, dit-elle en essayant de passer.

— Chut !

Il pointait sur elle une arme munie d'un silencieux. Elle blêmit.

— Mais qu'est-ce...

— La ferme. Je crois que tu as déjà le nombre de trous qu'il faut, ma petite. Alors si t'en veux pas un de plus, pas un mot. T'as compris ? Je veux pas t'entendre. Toi et moi on va descendre.

L'homme souriait, mais en y regardant de plus près, elle s'aperçut qu'il s'agissait d'une balafre partant de la commissure de ses lèvres, figées dans un sourire permanent. Il avait le regard le plus froid qu'elle ait jamais vu.

— On y va.

— Attendez, vous vous trompez de...

Le canon lui rentra si violemment dans les côtes qu'elle faillit hurler.

— Je t'ai dit de la fermer ! Allez, on descend.

D'une poigne de fer, il lui tordait douloureusement le bras, dissimulant son arme dans sa main, derrière elle.

Kelly faisait tout son possible pour rester calme.

— Je vous en prie, murmura-t-elle, je ne suis pas...

Elle ressentit une douleur fulgurante quand il lui enfonça le canon dans le dos. Il tenait son bras si serré qu'on aurait dit un garrot.

Ils commencèrent à descendre. En bas, le hall était plein de monde. Elle songeait à appeler à l'aide, quand son tortionnaire lui dit :

— N'y pense même pas.

Dehors, un 4 × 4 était garé sur le trottoir. Deux voitures plus loin, un agent dressait une contravention.

— Monte, ordonna l'homme à Kelly en ouvrant la porte arrière du 4 × 4.

Elle jeta un coup d'œil au policier.

— D'accord, fit-elle d'une voix forte et nerveuse, je monte, mais je vais te dire un truc. Pour ce que tu veux, ça te coûtera cent dollars de plus. Je trouve ça dégoûtant.

L'agent s'était retourné pour les observer. L'agresseur dévisagea Kelly.

— Mais qu'est-ce que tu...

— Si tu paies pas, alors c'est hors de question, espèce de pauvre type.

Elle se dégagea et alla à la rencontre du policier. L'autre lui emboîta le pas. Malgré son sourire figé, il avait un regard meurtrier.

— Ce pervers me harcèle, déclara Kelly en le désignant à l'agent.

Elle eut juste le temps de voir le policier se diriger vers lui avant de sauter dans un taxi.

L'énorme type s'apprêtait à monter dans son 4 × 4, quand l'agent l'interpella.

— Une minute, monsieur. Vous savez qu'il est interdit par la loi de solliciter les prostituées?

— Mais je...

— Vos papiers. Vous vous appelez?

— Harry Flint.

Il suivit des yeux sa proie qui s'enfuyait en taxi sous son nez. « Sale pute! Je t'aurai. »

CHAPITRE 22

KELLY demanda au chauffeur de la déposer devant l'immeuble de Diane. Elle courut jusqu'à son appartement et se mit à tambouriner à la porte.

L'inspecteur Greenburg lui ouvrit de nouveau.

— Puis-je...

Kelly aperçut Diane dans le salon et se précipita vers elle.

— Que se passe-t-il ? Vous aviez dit...

— C'est à vous de me dire ce qui se passe ! Je vous ai demandé de dire à vos amis de la mafia de me laisser tranquille. Ils ont encore essayé de me tuer. Pourquoi est-ce qu'ils en ont après moi ?

— Je n'en ai aucune idée. Ils... Peut-être nous ont-ils vues ensemble et cru que nous étions amies ?

— Eh bien nous ne le sommes pas, madame Stevens. Sortez-moi de là.

— Comment ça ?

— De la même façon que vous m'y avez mise. Je veux que vous disiez à votre copain Altieri que nous venons seulement de nous rencontrer et que vous ne me connaissez pas. Je refuse d'être la victime de votre comportement irresponsable.

— Mais je ne peux pas...

— Oh si, vous pouvez. Vous allez lui parler, et tout de suite. Je ne partirai pas d'ici avant que vous l'ayez fait.

— Ce que vous me demandez est impossible. Je suis désolée si je vous ai mêlée à cette affaire, mais... (Elle réfléchit longuement puis s'adressa à Greenburg :) Vous croyez que si je parlais à Altieri, il nous laisserait tranquilles, toutes les deux ?

— La question est intéressante, répondit l'inspecteur. Ça peut marcher... surtout s'il sait que nous le surveillons. Voulez-vous lui parler personnellement ?

— Non, je...

— Elle est d'accord, coupa Kelly.

La demeure d'Anthony Altieri était une maison en pierre classique, de style colonial, située à Hunterdon County, dans le New Jersey. L'énorme bâtiment était construit au bout d'une impasse, au milieu d'un parc de sept hectares, ceint d'une impressionnante grille de métal. La propriété abritait de grands arbres, quelques étangs, et un jardin très fleuri.

Près du portail, un garde était assis dans une guérite. Quand la voiture de Greenburg se présenta, il vint à sa rencontre.

— Bonjour inspecteur, fit-il en reconnaissant le policier.

— Salut, César. On voudrait voir M. Altieri.

— Vous avez un mandat ?

— Non, il s'agit d'une visite de courtoisie.

Le garde jeta un coup d'œil aux deux femmes.

— Attendez ici.

Il revint à sa guérite, et quelques minutes plus tard leur ouvrit le portail.

— Vous pouvez y aller.

— Merci, fit Greenburg en prenant la direction de la maison.

Lorsqu'ils descendirent de voiture, un deuxième garde vint vers eux.

— Suivez-moi.

Il les fit entrer. La vaste demeure mêlait de manière éclectique le moderne et l'ancien, avec un grand choix de meubles français. La journée était tiède, pourtant, un grand feu crépitait dans l'immense cheminée de pierre. Le garde leur fit traverser le salon puis les mena jusqu'à une chambre obscure. Anthony Altieri gisait sur un lit, relié à un respirateur artificiel. Il avait les traits pâles, émaciés, et avait beaucoup vieilli en peu de temps. Un prêtre et une nonne étaient à son chevet.

Le parrain regarda tour à tour Diane, Kelly, Greenburg, puis revint à Diane.

— Que diable voulez-vous ? fit-il d'une voix caverneuse.

— Monsieur Altieri, je veux que vous nous laissiez tranquilles, moi et Mme Harris. Rappelez vos hommes. Vous avez déjà tué mon mari et...

— De quoi parlez-vous ? coupa Altieri. Je n'ai jamais entendu parler de votre mari. J'ai lu cette histoire ridicule de note retrouvée sur lui, ricana-t-il. « Tu finiras avec les poissons. » Quelqu'un a trop regardé *Les Sopranos*. Je vais vous dire une bonne chose, ma petite dame. Jamais un Italien n'écrirait ça. Et je n'ai pas lancé mes hommes après vous. Je me moque complètement que vous puissiez vivre ou mourir. Je me moque bien de tout le monde. Je... (Il eut une grimace de douleur.) J'essaie de faire la paix avec Dieu. Je...

Il eut un râle. Il s'étranglait. Le prêtre se tourna vers Diane.

— Je crois que vous devriez le laisser à présent.

— Qu'est-ce qu'il a ? fit Greenburg.

— Un cancer.

Diane regarda cet homme étendu sur son lit d'agonie. « Et je n'ai pas lancé mes hommes après vous... Je me moque complètement que vous puissiez vivre ou mourir... J'essaie de faire la paix avec Dieu. » Il disait la vérité.

Et soudain, une panique absolue l'envahit.

Au retour, l'inspecteur Greenburg avait l'air soucieux.

— Il faut que je vous dise : je crois qu'Altieri a dit la vérité.

— Je le crois aussi, acquiesça Kelly à regret. Cet homme est mourant.

— A votre avis, pour quelle raison veut-on vous tuer toutes les deux ?

— Je n'en sais rien. Si ce n'est pas Altieri... Je n'en ai aucune idée, poursuivit Diane en secouant la tête.

— Moi non plus, ajouta Kelly d'une voix sourde.

L'inspecteur Greenburg raccompagna les deux femmes chez Diane.

— Je vais m'occuper de votre protection. Vous serez en sécurité ici. Dans quinze minutes, une voiture de police stationnera devant chez vous, et elle n'en bougera plus pendant les vingt-quatre prochaines heures. Nous verrons bien ce qu'on peut trouver d'ici là. Si vous avez besoin de moi, appelez-moi.

Après son départ, un lourd silence tomba. Diane et Kelly se regardaient en chiens de faïence. Diane finit par proposer :

— Voulez-vous une tasse de thé ?

— Plutôt du café, répondit perfidement Kelly.

Diane la contempla avec une certaine irritation, et soupira.

— Très bien.

Elle se rendit à la cuisine et Kelly se mit à déambuler dans le salon, observant les toiles accrochées aux murs.

Quand Diane revint, elle était en train d'en examiner une de plus près.

— Stevens. C'est de vous ?

— Oui.

— Pas mal, fit Kelly avec hauteur.

— Oh ! Vous vous y connaissez en art ? rétorqua Diane d'un ton pincé.

167

— Pas vraiment, madame Stevens.

— Et qu'est-ce que vous aimez ? Grandma Moses, je suppose ?

— Ce n'est pas inintéressant.

— Et quels autres primitifs vous touchent ?

Kelly se retourna face à Diane.

— Pour être honnête, je préfère les formes abstraites curvilignes. Il y a des exceptions, bien sûr. Par exemple la *Vénus d'Urbino* du Titien a des courbes remarquables et...

Dans la cuisine, la cafetière leur fit savoir que sa mission était accomplie.

— Le café est prêt, coupa sèchement Diane.

Elles s'assirent dans la salle, face à face, muettes, laissant leur boisson refroidir.

— Selon vous, pour quelle raison voudrait-on nous tuer ? fit Diane rompant le silence.

— Aucune. (Kelly se tut à nouveau.) Notre seul point commun, c'est que nos maris étaient tous les deux employés chez KIG. Peut-être travaillaient-ils sur un projet top secret. Et ceux qui les ont tués doivent croire qu'ils nous ont dit quelque chose.

— Oui, acquiesça Diane en pâlissant.

Elles échangèrent un regard consterné.

Dans son bureau, flanqué de son chef de la sécurité, Tanner observait sur l'un de ses écrans la scène qui se déroulait chez Diane

« Aucune. Notre seul point commun, c'est que nos maris étaient tous les deux employés chez KIG. Peut-être travaillaient-ils sur un projet top secret. Et ceux qui les ont tués doivent croire qu'ils nous ont dit quelque chose.

— Oui... »

L'appartement des Stevens était truffé de micros et de caméras de très haute technologie. Comme Tanner l'avait dit à son associé, chaque pièce était sous contrôle : il s'y trouvait un système vidéo constitué d'une web-cam de la taille d'un bouton, dissimulée parmi des livres, par exemple, et de câbles en fibre optique accrochés sous les portes. Dans le grenier, était caché un serveur de la taille d'un ordinateur portable commandant six caméras. Il était relié à un modem sans fil qui permettait à tout l'équipement de fonctionner grâce à la technologie cellulaire.

Tanner se pencha sur l'écran avec intérêt au moment où Diane affirmait :
« Il faut découvrir sur quoi travaillaient nos maris.
— Exact. Mais nous aurons besoin d'aide. Comment faire ?
— Appelons Tanner Kingsley. C'est le seul qui puisse nous aider, et lui aussi essaie de découvrir qui se cache derrière tout ça.
— Bonne idée. »

— Vous pouvez rester dormir ici. Nous sommes en sécurité. Il y a une voiture de police garée devant.
Elle alla à la fenêtre, tira le rideau. Pas de voiture. Elle regarda longuement dehors, et eut un frisson d'effroi.
— C'est étrange. Ils devraient être là. Je vais appeler.
Diane sortit de son sac à main la carte de l'inspecteur Greenburg.
— Bonjour, je voudrais parler à l'inspecteur Greenburg. (Silence.) Vous êtes sûr ? Je vois. Dans ce cas, pourrais-je parler à l'inspecteur Praegitzer ?...
Diane raccrocha.
— Qu'y a-t-il ? fit Kelly.
— Les inspecteurs Greenburg et Praegitzer ont été transférés dans un autre service.

169

— C'est une drôle de coïncidence, fit Kelly, interloquée.

— Et je viens juste de me souvenir de quelque chose.

— Quoi ?

— Greenburg m'a demandé si Richard avait dit ou fait quelque chose d'inhabituel, ces derniers temps. J'avais oublié un détail. Richard devait se rendre à Washington pour y voir quelqu'un. Parfois, je l'accompagnais dans ses déplacements, mais cette fois, il a insisté pour y aller seul.

Kelly la dévisagea avec surprise.

— C'est étrange. Mark, lui aussi, m'a dit qu'il devait se rendre à Washington... seul.

— Nous devons découvrir le but de ce voyage.

A son tour, Kelly s'approcha de la fenêtre et tira le rideau.

— Toujours pas de voiture. Allons-nous-en.

— Oui. Je connais un petit hôtel discret à Chinatown, le Mandarin. Personne ne songera à nous chercher là-bas. Nous appellerons M. Kingsley quand nous y serons.

« Je connais une petit hôtel discret à Chinatown, le Mandarin. Personne ne songera à nous chercher là-bas. Nous appellerons M. Kingsley quand nous y serons. »

Tanner se tourna vers son chef de la sécurité, Harry Flint, qui souriait toujours.

— Tuez-les.

CHAPITRE 23

« **H**ARRY Flint saura prendre soin de ces dames », pensait Tanner avec satisfaction. Flint ne l'avait jamais déçu.

Il se remémora en souriant leur rencontre. Quelques années plus tôt, son frère Andrew, infatigable défenseur des causes perdues, avait mis sur pied une maison d'accueil pour les détenus récemment libérés qui cherchaient à se réinsérer dans la société. Son but était de les aider à retrouver un emploi.

Mais Tanner avait d'autres projets pour eux car, selon lui, un voyou repenti, ça n'existait pas. Grâce à des sources secrètes, il se renseignait sur ces ex-taulards, et s'ils possédaient les qualités nécessaires, il les embauchait directement, pour mener à bien ce qu'il appelait « des projets personnels délicats ».

Ainsi avait-il engagé un ancien criminel du nom de Vince Carballo. C'était un type énorme, à la barbe broussailleuse et au regard bleu, tranchant comme un poignard. Jugé pour meurtre, il avait passé de longues années en prison. Les preuves contre lui étaient accablantes, pourtant, un juré s'était obstiné à demander l'acquittement, menant les délibérations dans l'impasse. Rares étaient les personnes sachant que la petite fille de ce juré avait disparu, et qu'on lui avait laissé ce message : « Si tu te tais, le destin de ta fille sera déterminé par le verdict du tribunal. » C'était le genre d'hommes que Tanner Kingsley admirait.

Tanner avait également entendu parler d'un ancien détenu appelé Harry Flint. Il avait soigneusement étudié son passé, et s'était aperçu qu'il correspondait parfaitement à ce qu'il cherchait.

Harry Flint était né à Detroit, dans une famille de la classe moyenne. Son père était un commercial raté, plein de rancœur, qui passait son temps à se plaindre, cloîtré chez lui. Tyran domestique, à la moindre incartade, il prenait plaisir à frapper son fils avec une règle, une ceinture, ou tout objet qui lui tombait sous la main, comme s'il avait voulu lui inculquer par la force la réussite qu'il n'avait pas connue.

La mère du petit garçon était manucure chez un coiffeur. Autant le père de Harry était sadique, autant sa mère était tendre et dévouée. En grandissant, l'enfant fut donc émotionnellement pris entre deux feux.

Les médecins avaient dit à la mère de Harry qu'elle était trop âgée pour avoir des enfants, aussi considérait-elle sa grossesse comme un miracle. Après la naissance du bébé, elle se mit à lui témoigner un amour exagéré, passant son temps à lui faire des câlins, à l'embrasser, au point que le petit garçon se sentit étouffer. En grandissant, il se mit à détester qu'on le touche.

A quatorze ans, il prit au piège un rat dans la cave et l'écrasa sous son pied. Voir ainsi l'animal lentement trépasser dans la souffrance fut pour lui une révélation. Il comprit soudain qu'il détenait le formidable pouvoir d'ôter la vie, de tuer. Il se sentit soudain l'égal de Dieu. Il était tout-puissant. Poussé par le besoin d'éprouver à nouveau ce sentiment, il se mit à traquer de petits animaux dans le voisinage, et se transforma en chasseur. Il n'y avait rien de mal à ça : il mettait seulement en pratique le don que la nature lui avait donné.

Des voisins dont les animaux domestiques avaient été martyrisés avant d'être achevés allèrent se plaindre à la police, et une embuscade fut tendue. Un scotch-terrier fut attaché devant une maison. Une nuit, alors que la police faisait le guet, Harry Flint s'approcha de l'animal. Il lui ouvrit la gueule pour y enfoncer un pétard allumé. Les agents fondirent sur lui. Au moment de son arrestation, Harry Flint avait sur lui une pierre maculée de sang et un couteau de boucher.

Il fut envoyé pour un an dans une maison de redressement.

Une semaine après son arrivée là-bas, Flint s'en prit à un garçon qu'il blessa grièvement. Les psychiatres diagnostiquèrent une schizophrénie paranoïde.

— C'est un psychotique, déclara le médecin qui l'avait pris en charge. Faites attention. Tenez-le à l'écart des autres.

Harry Flint avait quinze ans quand il ressortit libre. Il retourna à l'école. Certains de ses camarades le considéraient comme un héros. Ensemble, ils se mirent à commettre de petits délits comme dérober des sacs à main, des portefeuilles, voler à l'étalage, et très vite, Flint devint leur chef.

Une nuit, au cours d'une bagarre, il reçut un coup de couteau au coin de la bouche, marquant à jamais ses traits d'un sourire perpétuel.

Avec le temps la bande passa à des activités plus sérieuses, comme le vol de voitures et le cambriolage. Lors d'un hold-up, un commerçant fut tué. Harry Flint fut accusé de vol à main armée et de meurtre, et condamné à dix ans de prison. C'était le taulard le plus pervers que les gardiens aient jamais vu.

Harry avait dans les yeux quelque chose qui décourageait les autres détenus de l'approcher. Il les maintenait dans une terreur constante, mais aucun n'osait se plaindre.

173

Un soir, au moment de sa ronde, un gardien jeta un coup d'œil dans la cellule de Flint. L'autre détenu incarcéré avec lui gisait dans une mare de sang, battu à mort. Le gardien contempla Flint avec un sourire de satisfaction.

— Ton compte est bon, mon salaud. Tu t'en sortiras pas, cette fois. On va pouvoir brancher la chaise pour toi.

Flint le toisa et leva lentement le bras gauche : un couteau de boucher y était profondément enfoncé.

— C'était de la légitime défense, fit-il froidement.

Jamais le prisonnier de la cellule d'en face n'avoua qu'il avait vu Flint frapper sauvagement la victime, puis extirper le couteau de sous son matelas et se l'enfoncer sans fléchir dans le gras du bras.

Ce que Tanner admirait le plus chez Flint, c'était la passion qu'il vouait à son travail.

Il se souvenait de la première fois où il lui avait montré combien il pouvait lui être utile. C'était lors d'un voyage en urgence à Tokyo...

— Dites au pilote de préparer le Challenger. Nous partons pour Tokyo. Seulement vous et moi.

La nouvelle était tombée au mauvais moment, mais il fallait s'en occuper sans plus tarder, et l'affaire était trop sensible pour être confiée à quiconque. Tanner s'était débrouillé pour rencontrer Akira Iso à Tokyo, et lui réserver une chambre à l'hôtel Okura.

Tout en survolant le Pacifique, Tanner mettait au point sa stratégie. Au moment où l'appareil atterrit, il tenait une solution doublement gagnante.

Il y avait une heure de voiture depuis l'aéroport de Narita, et Tanner fut étonné de voir combien Tokyo changeait peu. En période de faste ou de récession, la ville arborait toujours le même visage impassible.

Akira Iso l'attendait au restaurant Fumiki Mashimo. La cinquantaine, maigre, grisonnant, le scientifique nippon aux yeux bruns et vifs se leva pour accueillir Tanner.

— C'est un honneur de vous rencontrer, Mr. Kingsley. Franchement, j'ai été surpris que vous me contactiez. Je n'arrive pas à croire que vous ayez fait tout ce chemin à cause de moi.

— J'ai de bonnes nouvelles pour vous, répondit-il en souriant, et j'ai pensé que tout cela était trop important pour en discuter au téléphone. Je crois que je vais faire de vous un homme heureux, et très riche.

— Vraiment? fit Iso avec curiosité.

Un serveur en veste blanche s'approcha de leur table.

— Pourquoi ne pas commander avant de parler affaires?

— A votre guise, Mr. Kingsley. Connaissez-vous la cuisine japonaise, ou préférez-vous que je commande à votre place?

— Je vous remercie, ça ira. Vous aimez les sushis?

— Oui.

— Je prendrai du hamachi-temaki, du kaibashira et de l'ama-ebi, dit Tanner au serveur.

— Cela me paraît très bien. La même chose pour moi.

Tanner passa ensuite aux choses sérieuses.

— Vous travaillez pour Tokyo First Industrial Group, une firme très intéressante.

— Merci.

— Depuis combien de temps êtes-vous chez eux?

— Dix ans.

— C'est long. (Puis, en regardant Akira Iso dans les yeux :) Peut-être serait-ce le moment de changer.

— Et pourquoi le voudrais-je, Mr. Kingsley?

— Parce que je vais vous faire une offre que vous ne pourrez pas refuser. Je ne sais pas combien vous gagnez, mais je suis prêt à payer le double pour que vous veniez travailler pour nous.

— Mr. Kingsley, ce n'est pas possible.

— Et pourquoi? Si c'est une question de contrat, ça peut s'arranger...

Akira Iso posa ses baguettes.

— Mr. Kingsley, au Japon, quand nous travaillons pour une entreprise, cela devient comme une famille. Quand nous ne pouvons plus travailler, elle prend soin de nous.

— Malgré la somme que je vous offre?

— Oui. *Aisha seishin.*

— Comment?

— Cela signifie : la loyauté avant tout. Pourquoi m'avoir choisi, moi? demanda avec curiosité Akira Iso.

— Parce que j'ai entendu des commentaires très flatteurs à votre sujet.

— Je crains que vous n'ayez fait ce long voyage pour rien, Mr. Kingsley. Jamais je ne quitterai Tokyo First Industrial Group.

— Cela valait la peine d'essayer.

— Sans rancune?

Tanner se redressa en riant.

— Bien sûr que non. J'aimerais que tous mes employés soient aussi loyaux. D'ailleurs je vous ai apporté un petit cadeau. Un de mes assistants vous le livrera tout à l'heure. Il sera à votre hôtel dans une heure. Il s'appelle Harry Flint.

La femme de chambre découvrit Iso pendu à un crochet dans son placard. Officiellement, il s'agissait d'un suicide.

CHAPITRE 24

L'HÔTEL Mandarin était situé dans un petit immeuble délabré de deux étages, au cœur de Chinatown, non loin de Mott Street.

Au moment où les deux femmes sortaient du taxi, Diane avisa une affiche de l'autre côté de la rue, où l'on voyait Kelly vêtue d'une somptueuse robe du soir, une bouteille de parfum à la main. Elle la contempla, surprise.

— C'est vous !

— Non. C'est mon travail, madame Stevens. Ce n'est pas moi.

Elle entra dans le hall de l'hôtel, suivie par Diane, exaspérée.

Derrière son bureau, le réceptionniste chinois lisait un exemplaire du *China Post*.

— Nous voudrions une chambre pour la nuit, fit Diane.

Examinant des pieds à la tête ces deux femmes élégantes, l'employé faillit s'écrier : « Ici ? »

— Mais bien sûr. (Nouveau coup d'œil à leurs vêtements haute couture.) Ça vous fera cent dollars.

— Cent dollars ! répéta Kelly, interloquée.

— Ce sera très bien, coupa Diane.

— Payables d'avance.

Diane ouvrit son portefeuille, sortit des billets et les tendit au réceptionniste qui lui remit en échange une clef.

— Chambre 10, au fond du couloir à gauche. Vous avez des bagages ?

— Ils arriveront plus tard.

— Si vous avez besoin de quelque chose, demandez Ling.

— Ling ? reprit Kelly.

— C'est la femme de chambre.

— Ah, fit-elle, sceptique.

Les deux femmes s'engagèrent dans le couloir sombre et sinistre.

— Vous lui avez donné trop, lança Kelly.

— Combien vaut un toit sûr, selon vous ?

— Eh bien je ne suis pas certaine que ce soit une bonne idée d'être venues ici.

— Cela suffit pour l'instant. Ne vous inquiétez pas, M. Kingsley va s'occuper de nous.

Elles arrivèrent devant la chambre dix et Diane ouvrit la porte. A l'odeur, l'endroit n'avait pas dû être occupé depuis bien longtemps. Il y avait là deux lits jumeaux recouverts de dessus-de-lit froissés, ainsi qu'un bureau bancal flanqué de deux chaises usées.

Kelly regarda autour d'elle.

— Non seulement c'est petit, mais en plus c'est immonde. Je parie qu'on n'a jamais fait le ménage ici. (Elle tapota un coussin, et vit s'élever un nuage de poussière.) Je me demande depuis combien de temps Ling est morte.

— Ce n'est que pour une nuit, la rassura Diane. J'appelle tout de suite M. Kingsley.

Kelly la regarda composer le numéro noté sur la carte de visite de Tanner. La réponse fut immédiate.

— Allô ?

— Monsieur Kingsley, c'est Diane Stevens, fit-elle, soulagée. Je suis désolée de vous déranger, mais Mme Harris et moi-même avons besoin de votre aide. Quelqu'un essaie de nous tuer, et nous n'avons aucune idée de ce qui se passe. Nous avons dû fuir.

— Je suis très content que vous m'ayez appelé, madame Stevens. Détendez-vous. Nous avons découvert qui se cachait derrière tout ça. Vous n'aurez plus de problèmes. Je puis vous assurer que dorénavant vous et Mme Harris êtes en parfaite sécurité.

Diane ferma les yeux un instant. « Dieu merci. »

— Pouvez-vous me dire qui...

— Je vous raconterai tout quand nous nous verrons. Restez où vous êtes. J'envoie quelqu'un vous chercher dans la demi-heure.

— C'est...

La communication fut interrompue. Diane raccrocha, puis se retourna vers Kelly en souriant.

— Bonnes nouvelles ! Nos problèmes sont enfin résolus.

— Qu'a-t-il dit ?

— Il sait qui est derrière tout ça, et m'a affirmé qu'à présent, tout irait bien.

Kelly poussa un soupir de soulagement.

— Enfin. Alors je peux rentrer à Paris pour y reprendre une vie normale.

— Quelqu'un va venir nous chercher dans une demi-heure.

Le regard de Kelly erra à travers la pièce pouilleuse.

— Ce sera un vrai plaisir de quitter cet endroit.

— Ça va être bizarre, continua Diane avec nostalgie.

— Quoi ?

— De reprendre une vie normale sans Richard. Je me demande si je serai capable de...

— Alors ne vous posez pas la question, coupa sèchement Kelly qui n'osait penser à ce que serait sa vie sans Mark.

Diane jeta un coup d'œil au visage impassible de sa compagne. « Elle est comme une œuvre d'art inanimée : d'une beauté froide. »

*

Assise sur l'un des lits jumeaux, Kelly tournait le dos à Diane. Elle ferma les yeux pour repousser la douleur, lentement, très lentement...

Rive gauche, elle se promenait avec Mark, parlant de tout et de rien. Jamais elle ne s'était sentie aussi à l'aise avec quelqu'un.

— Demain soir, il y a un vernissage, si ça te dit.

— Oh, je suis désolé, Kelly. Demain soir, je suis pris.

Elle sentit en elle un sursaut inattendu de jalousie.

— Tu as un autre rendez-vous ? fit-elle d'un ton léger pour ne rien laisser paraître.

— Non. Non. J'y vais seul. C'est un banquet. (Il avisa l'expression de la jeune femme.) Je veux dire, c'est un dîner entre scientifiques. Tu t'ennuierais.

— Vraiment ?

— Oui, je le crains. Il y aura beaucoup de mots que tu n'as sûrement jamais entendus et...

— Je crois les avoir pourtant déjà tous entendus, répliqua-t-elle, piquée au vif. Questionne-moi, pour voir ?

— Eh bien, je ne pense vraiment pas que...

— Je suis une grande fille. Vas-y.

— Très bien, dit-il en soupirant. Fermion, anatripsologie, malacostracologie...

— Ah, fit-elle, décontenancée, c'est ce genre de mots-là.

— Tu vois, je savais que ça ne t'intéresserait pas.

— Tu te trompes, ça m'intéresse.

*

180

Le banquet avait lieu à l'hôtel Prince de Galles : il s'agissait d'un événement d'importance. Trois cents personnes étaient invitées, dont certains des plus hauts dignitaires de France. A la table d'honneur, où se trouvaient Mark et Kelly, était également assis un homme séduisant, à l'air sympathique.

— Je suis Sam Meadows. J'ai beaucoup entendu parler de vous, dit-il à Kelly.

— Moi aussi, j'ai beaucoup entendu parler de vous. Mark dit que vous êtes son maître à penser et son meilleur ami.

— Oui, j'ai l'honneur d'être son ami, répondit Sam Meadows en souriant. Mark est quelqu'un de très particulier. Nous travaillons ensemble depuis longtemps. C'est l'homme le plus dévoué...

— Voulez-vous du vin ? interrompit ce dernier, gêné.

Le maître de cérémonie apparut alors sur la scène, et les discours débutèrent. Mark ne s'était pas trompé : tout cela était très ennuyeux pour Kelly. Des prix techniques et scientifiques étaient décernés et, pour elle, tout cela ressemblait à du chinois. Mais l'enthousiasme de son ami lui suffisait, et elle était contente d'être là.

Le dîner terminé, le président de l'Académie des Sciences monta sur scène à son tour. Il commença par faire l'éloge des progrès scientifiques accomplis par la France au cours de l'année écoulée. Ce fut seulement à la fin de son discours, quand, brandissant une statuette dorée, il prononça le nom de Mark Harris, que Kelly comprit enfin que son ami était l'invité d'honneur de la soirée. Il était trop modeste pour le lui avoir dit et avait tout fait pour la dissuader de l'accompagner. Elle le vit monter sur scène sous les applaudissements des convives.

— Il ne m'avait rien dit, confia-t-elle à Sam Meadows.

— Ça, c'est tout Mark, répondit-il en souriant. (Un instant il étudia Kelly.) Vous savez qu'il est fou amoureux de vous. Il aimerait vous épouser. (Il marqua un temps d'arrêt avant d'ajouter de façon très explicite :) J'espère qu'il ne sera pas trop déçu.

Kelly ressentit soudain une vague de culpabilité. « Je ne peux pas me marier. Mark est un véritable ami, mais je ne suis pas amoureuse de lui. Qu'est-ce que j'ai fait ? Je ne veux pas le tourmenter. Mieux vaut cesser de le voir. Jamais je ne pourrai donner à un homme ce qu'il attend d'une femme. Comment lui dire... ? »

— Vous m'écoutez à la fin ?

Le ton irrité de Diane tira Kelly de sa rêverie. La magnifique salle de banquet disparut, et elle se retrouva à nouveau dans cet hôtel miteux, avec cette pimbêche qu'elle aurait préféré ne jamais rencontrer.

— Pardon ?

— Tanner Kingsley a dit que quelqu'un viendrait nous chercher dans une demi-heure, répéta-t-elle rapidement.

— Vous me l'avez déjà dit, et alors ?

— Il ne m'a pas demandé où nous étions.

— Il devait certainement croire que nous étions encore chez vous.

— Non, je lui ai dit que nous avions pris la fuite.

Silence. Sur les lèvres de Kelly se dessina un long « Oh ! » muet. Elles se tournèrent vers le réveil posé sur la table de chevet.

Le réceptionniste chinois leva la tête quand Flint entra dans le hall de l'hôtel Mandarin.

— Bonjour, je peux vous aider ?

Avisant le sourire de l'inconnu, il sourit à son tour.

— Ma femme et son amie ont pris une chambre ici. Ma femme est blonde, et sa copine est une grande Black sexy. Elles sont dans quelle chambre ?

182

— La dix, mais je suis désolé, je ne peux pas vous laisser entrer. Il va falloir que vous les préveniez par téléph...

Flint sortit tranquillement son Ruger calibre .45 équipé d'un silencieux et logea une balle dans le front de l'employé. Puis il dissimula le corps derrière le comptoir et, son arme à la main, prit la direction du couloir. Arrivé au numéro dix, il fit un pas en arrière, puis enfonça la porte.

La chambre était vide, mais à travers la porte close de la salle de bains, il entendit le bruit de la douche. Il s'approcha et ouvrit. Le jet était ouvert à la puissance maximum, et le rideau oscillait doucement. Flint tira quatre balles, attendit, puis repoussa le rideau.

Personne.

Dans le petit restaurant situé en face de l'hôtel, Diane et Kelly avaient vu Flint arriver dans son 4 × 4 et pénétrer dans le hall.

— Mon Dieu, s'écria Kelly, c'est l'homme qui a essayé de me kidnapper.

Elles attendirent. Quand il ressortit quelques minutes plus tard, malgré son demi-sourire, il avait l'air furieux.

— Bon, Godzilla repart, fit Kelly. Qu'est-ce qu'on fait maintenant ?

— Il faut qu'on quitte cet endroit.

— Pour aller où ? Ils vont surveiller les aéroports, les gares de trains, de bus...

Diane réfléchit un moment.

— Je connais un endroit où ils ne pourront pas venir nous dénicher.

— Laissez-moi deviner : le vaisseau spatial qui vous a amenée sur Terre.

CHAPITRE 25

LES journaux du matin ne parlaient que de ça. En Allemagne, la sécheresse avait déjà causé une centaine de décès et détruit des millions de dollars de récoltes.

Tanner appuya sur le bouton pour appeler sa secrétaire :

— Kathy, veuillez envoyer cet article à la sénatrice van Luven avec cette note : « Encore un méfait du réchauffement climatique. Cordialement... »

L'hôtel Wilton pour Dames se trouvait à une demi-heure du Mandarin mais un monde les séparait. Le Wilton était coquet et moderne. Un élégant dais vert foncé en signalait l'entrée.

A l'accueil, Kelly et Diane s'inscrivirent sous un faux nom. La réceptionniste remit une clef à Kelly.

— Suite 424. Vous avez des bagages ?

— Non, nous...

— Ils ont été égarés, coupa Diane. Ils seront livrés demain matin. Au fait, nos maris doivent passer nous chercher dans peu de temps. Pourriez-vous les faire monter directement ?

— Je suis désolée, fit l'employée en secouant la tête. Les hommes ne sont pas admis dans les étages.

— Ah bon ?

Diane lança à Kelly un sourire complice.

— Si vous voulez les attendre en bas...

— Aucune importance, ils patienteront un peu.

*

La suite 424 était élégamment meublée. Elle comportait un salon avec un canapé, des chaises, des tables et une armoire, ainsi qu'une chambre meublée de deux grands lits confortables.

— C'est bien, fit Diane en examinant les lieux.

— A quoi joue-t-on, répliqua Kelly, acerbe, à battre un record en changeant d'hôtel toutes les demi-heures ?

— Vous avez peut-être un meilleur plan ?

— Parce que vous appelez ça un plan ? rétorqua-t-elle avec mépris. On joue au chat et à la souris, et les souris, c'est nous.

— Eh oui, et les troupes du plus gros *think tan*k du monde cherchent à nous éliminer.

— Alors arrêtez d'y penser.

— Plus facile à dire qu'à faire. Il y a chez Kingsley International assez de matière grise pour remplir le Grand Canyon !

— Eh bien il faut que nous soyons plus malignes. (Kelly fronça les sourcils.) Il nous faudrait une arme. Vous savez vous servir d'un revolver ?

— Non.

— Zut alors. Moi non plus.

— Peu importe puisque nous n'en avons pas.

— Et le karaté, vous en avez fait ?

— Non, mais j'étais membre du club de débat à la fac, répondit sèchement Diane. Peut-être réussirai-je à les dissuader de nous tuer ?

— Pourquoi pas.

Diane alla à la fenêtre et son regard se perdit dans la circulation de la 34ᵉ Rue. Soudain elle écarquilla les yeux et murmura dans un souffle :

— Oh !

Kelly se rua à ses côtés.

— Qu'y a-t-il ? Qu'avez-vous vu ?

Diane eut soudain la gorge très sèche.

— Un homme... un passant. Il ressemblait à Richard. Pendant un instant, j'ai cru que...

Elle s'éloigna de la fenêtre.

— Voulez-vous que j'envoie les chasseurs de fantômes ? fit Kelly avec dédain.

Diane s'apprêtait à répliquer, mais renonça.

Le portable collé à l'oreille, Flint s'entretenait avec son patron furieux.

— Je suis désolé, monsieur Kingsley, elles n'étaient pas dans leur chambre. Elles avaient filé. Elles ont dû deviner que j'allais venir.

Tanner était au bord de la crise de nerfs.

— Les salopes ! Elles veulent jouer avec moi ! Moi, Tanner Kingsley ! Je vous rappelle, dit-il en raccrochant violemment.

Etendu sur le divan de son bureau, Andrew rêvait à l'immense scène de la grande salle de concert à Stockholm. Le public l'acclamait et criait en cadence : « Andrew ! Andrew ! » La salle tout entière résonnait du bruit de son nom.

Il traversa la scène sous les applaudissements pour aller recevoir son prix des mains du roi Charles XVI Gustave de Suède. Au moment où il allait prendre sa récompense, il se fit insulter.

— Andrew, pauvre con, amène-toi.

La grande salle de gala s'évanouit, et Andrew se retrouva dans son bureau. Tanner l'appelait.

186

« Il a besoin de moi », songea Andrew, heureux. Lentement il se leva pour se rendre dans le bureau de son frère.

— Me voilà.

— Je le vois bien, répliqua sèchement Tanner. Assieds-toi. J'ai quelques petites choses à t'enseigner, grand frère. Diviser pour conquérir. (Il y avait dans sa voix une pointe d'arrogance.) Diane Stevens pense que la mafia a tué son mari, et Kelly Harris s'inquiète de l'existence d'une Olga virtuelle. Tu piges ?

— Oui, Tanner, répondit-il vaguement.

Il tapota l'épaule d'Andrew.

— Tu es un interlocuteur parfait, Andrew. Il y a des choses dont j'ai besoin de parler, mais que je ne peux confier à personne. Toi au moins, je peux te raconter n'importe quoi, tu es trop bête pour comprendre. (Il avisa l'œil morne de son frère.) Tu ne vois pas le mal, tu n'entends pas le mal, tu ne dis pas de mal. (Soudain Tanner revint à ses préoccupations.) Nous avons un problème à régler. Deux femmes ont pris la fuite. Elles savent que nous les cherchons, pour les tuer, et elles essaient de nous échapper. Où peuvent-elles se cacher, Andrew ?

Andrew fixa son frère.

— Je... je ne sais pas.

— Il y a deux façons de le découvrir. D'abord, la méthode cartésienne, logique, méthodique. Réfléchissons.

Andrew le fixait toujours et ajouta d'un air absent :

— Comme tu voudras...

Tanner se mit à faire les cent pas.

— Elles ne vont pas retourner chez Diane Stevens parce que c'est trop dangereux : nous surveillons l'appartement. Nous savons également que Kelly Harris n'a pas d'amis proches aux États-Unis car il y a trop longtemps qu'elle vit à Paris : elle ne peut compter sur personne pour la protéger. Tu me suis ?

— Oui... oui, Tanner, fit-il en clignant les yeux.

— A présent, Diane Stevens va-t-elle faire appel à ses amis? Je ne crois pas. Cela pourrait les mettre en danger. Autre possibilité : aller à la police et déballer toute leur histoire, mais elles savent bien qu'on ne les prendrait pas au sérieux. Alors, que peuvent-elles faire? (Il ferma les yeux quelques secondes, puis reprit :) Bien sûr, elles ont songé aux aéroports, aux gares routières et ferroviaires, mais elles savent que nous les surveillons aussi. Alors que nous reste-t-il?

— Je... je... comme tu voudras, Tanner.

— Il nous reste les hôtels, Andrew. Elles ont besoin de se cacher quelque part. Mais dans quel genre d'hôtel? Voilà deux femmes terrifiées qui cherchent à sauver leur peau. Tu vois, où qu'elles aillent, elles penseront que nous avons nos renseignements, et qu'elles seront découvertes. Elles ne se sentiront pas en sécurité. Tu te souviens de Sonja Verbrugge à Berlin? Nous l'avons eue quand elle a reçu ce message sur son ordinateur. Elle s'est rendue à l'hôtel Artemisia parce que c'était uniquement réservé aux femmes, et qu'elle pensait y être en sécurité. Eh bien, je pense que mesdames Stevens et Harris vont songer à la même option. Où cela nous amène-t-il?

Il se tourna de nouveau vers son frère. Andrew fermait les yeux. Il s'était assoupi. Furieux, Tanner s'approcha et lui assena une grande claque.

Andrew se réveilla en sursaut.

— Qu'est-ce que...

— Ecoute-moi, quand je parle, pauvre crétin.

— Je... je suis désolé, Tanner, je...

Son frère se tourna vers un écran.

— A présent, voyons quels sont les hôtels réservés aux femmes à Manhattan.

Il fit une recherche rapide sur Internet et imprima le résultat.

— El Carmelo Residence, sur West Fourteen Street... Centro Maria Residence sur West Fifty-Fourth Street... The Parkside Evangeline sur Gramercy South, et l'hôtel Wilton pour Dames, dit-il en relevant la tête, le sourire aux lèvres. Voilà où nous mène la logique cartésienne, Andrew. A présent, voyons ce que nous propose la technologie.

Tanner se dirigea vers une toile accrochée au mur, représentant un paysage, et appuya sur un bouton dissimulé derrière. Un pan de la cloison coulissa, dévoilant un écran de télévision qui montrait une carte de Manhattan.

— Tu te souviens de ça, Andrew ? C'est toi qui t'en servais autrefois. En fait, tu étais si habile, que j'en étais jaloux. C'est un GPS. Grâce à cette remarquable technologie, nous pouvons repérer n'importe qui dans le monde. Tu te rappelles ?

Andrew secoua la tête, luttant contre le sommeil.

— Quand ces dames ont quitté mon bureau, je leur ai donné ma carte. Une puce de la taille d'un grain de sable y est intégrée. Elle émet un signal qui est repéré par satellite, et quand je branche le GPS, il me montre avec exactitude l'endroit où se trouve la puce. Tu comprends ? fit-il en se tournant vers Andrew.

— Oui..., Tanner, articula-t-il avec difficulté.

A nouveau Tanner regardait l'écran. Il appuya sur un deuxième bouton. De minuscules lueurs se mirent à clignoter sur la carte, se dirigeant vers le bas. Elles ralentirent, puis repartirent. Un petit point rouge avançait à présent le long d'une rue, si lentement qu'on avait le temps de déchiffrer le nom des commerces.

— C'est West Fourteenth Street. (Le point rouge se remit à progresser.) Voilà le restaurant Tequila... une pharmacie... l'hôpital Saint-Vincent... Banana Republic... l'église Notre-Dame de Guadalupe. (Le point s'arrêta.) Et l'hôtel Wilton pour Dames ! fit-il avec une exclamation de triomphe. J'avais raison !

Andrew passa sa langue sur ses lèvres.

— Oui. Tu avais raison...

— Tu peux t'en aller maintenant, fit Tanner. (Il saisit son téléphone portable et composa un numéro.) Monsieur Flint, elles sont à l'hôtel Wilton, sur West Fourteenth Street. (Il coupa la communication. En relevant les yeux, il vit Andrew, dans l'embrasure de la porte.) Qu'est-ce qu'il y a? aboya-t-il.

— Tanner, est-ce que je vais aller... tu sais... en Suède, pour recevoir le prix Nobel qu'on vient de me donner?

— Non, Andrew, c'était il y a sept ans.

— Ah.

Andrew retourna à son bureau en traînant les pieds.

Tanner se remémora ce voyage en urgence qu'il avait fait en Suisse, trois ans plus tôt...

*

Il était en train de régler un problème logistique compliqué quand la voix de sa secrétaire retentit dans l'interphone.

— Zurich en ligne pour vous, monsieur Kingsley.

— Je n'ai pas le temps, je... Bon d'accord, je les prends. Allô? (Son visage se rembrunit.) Je vois, fit-il avec impatience. Vous êtes sûr?... Peu importe. Je m'en occupe moi-même. (Il appuya à son tour sur le bouton de l'interphone :) Miss Ordonez, dites au pilote de tenir le Challenger prêt à décoller. Nous partons pour Zurich. Il y aura deux passagers.

Madeleine Smith était assise dans un box de La Rotonde, l'un des meilleurs restaurants de Zurich. Elle avait la trentaine, un charmant visage ovale, une coupe au carré, et un teint sans défaut. Manifestement, elle était enceinte.

Quand elle vit Tanner arriver, elle se leva. Il lui tendit la main.

— Je vous en prie, restez assise, fit-il en se plaçant face à elle.

— Je suis heureuse de faire votre connaissance, dit-elle avec un léger accent. Au début, j'ai cru qu'il s'agissait d'une plaisanterie.

— Pourquoi ?

— Eh bien, vous êtes un homme important, et quand on m'a appris que vous veniez à Zurich spécialement pour me voir, j'ai eu du mal à y croire...

— Je vais vous dire pourquoi je suis ici, reprit Tanner en souriant. On m'a rapporté que vous étiez une scientifique remarquable, Madeleine. Je peux vous appeler Madeleine ?

— Je vous en prie, monsieur Kingsley.

— Chez KIG, nous apprécions avant tout le talent. Vous êtes le genre de personne dont nous avons besoin, Madeleine. Depuis combien de temps êtes-vous chez Tokyo First Industrial Group ?

— Sept ans.

— Eh bien, il semblerait que le chiffre sept vous porte chance, car je vous offre de venir travailler chez KIG pour le double de votre salaire actuel, et vous dirigerez votre propre département...

— Oh, monsieur Kingsley ! s'écria-t-elle, rayonnante.

— Cela vous intéresse, Madeleine ?

— Oh oui ! Enormément ! Par contre, je ne pourrai pas commencer tout de suite.

L'expression de Tanner changea.

— Que voulez-vous dire ?

— Eh bien je vais avoir un bébé, et je me marie...

— Ce n'est pas un problème, nous vous aiderons, répondit Tanner en retrouvant le sourire.

— Et puis il y a une autre raison. Je travaille actuellement sur un projet au laboratoire, et nous avons... nous avons presque terminé.

— Madeleine, je ne sais pas de quoi il s'agit, et cela ne m'intéresse pas. C'est une offre à saisir tout de suite. En réalité, j'espérais pouvoir vous ramener aux États-Unis avec moi, vous et votre fiancé, ou plutôt, se reprit-il en souriant, votre futur mari.

— Je viendrai dès que notre projet touchera à son terme. Dans six mois ou un an.

Tanner garda un instant le silence.

— Vous êtes sûre de ne pas pouvoir me suivre tout de suite ?

— Non, je ne peux pas. Je dirige ce projet. Ce serait injuste de ma part de tout abandonner ainsi. L'année prochaine ? fit-elle avec un grand sourire.

— Très bien, dit-il en lui rendant son sourire.

— Je suis désolée que vous ayez fait ce voyage pour rien.

— Ce n'était pas pour rien, Madeleine. Cela m'a donné la chance de vous rencontrer.

— Vous êtes gentil, dit-elle en rougissant.

— Oh, j'allais oublier. J'ai un petit cadeau pour vous. Mon assistant l'apportera à votre domicile ce soir vers dix-huit heures. Il s'appelle Harry Flint.

*

Le lendemain matin, le corps de Madeleine Smith fut retrouvé étendu dans la cuisine. Le gaz était ouvert.

Tanner revint au présent. Flint ne l'avait jamais déçu. Dans quelque temps, il en aurait fini avec Diane Stevens et Kelly Harris. Après la disparition de ces gêneuses, l'expérience pourrait continuer.

CHAPITRE 26

HARRY Flint alla à la réception de l'hôtel Wilton.
— Bonjour.
— Bonjour, fit l'employée en remarquant son sourire. Puis-je vous aider ?

— Oui. Ma femme et son amie, une Noire, ont pris une chambre ici tout à l'heure. Je voudrais monter les voir pour leur faire une surprise. Quel est le numéro de leur chambre ?

— Je suis désolée, c'est un hôtel réservé aux femmes. Les hommes ne peuvent pas monter à l'étage. Vous pouvez leur téléphoner...

Flint regarda autour de lui. Malheureusement, le hall était bondé.

— Ce n'est pas grave, je pense qu'elles ne vont pas tarder.

Flint sortit de l'hôtel et composa un numéro sur son téléphone portable.

— Elles sont là-haut dans leur chambre, monsieur Kingsley. Je ne peux pas monter.

Tanner réfléchit un moment.

— Monsieur Flint, la logique me dit qu'elles vont se séparer. J'envoie Carballo vous aider.

*

Dans la suite, Kelly alluma la radio. Soudain, la pièce vibra au rythme du rap.

— Comment pouvez-vous écouter ça ? fit Diane, irritée.

— Vous n'aimez pas le rap ?

— Ce n'est pas de la musique, c'est du bruit.

— Vous n'aimez pas Eminem ? Ni LLCoolJ, R. Kelly ou Ludacris ?

— C'est tout ce que vous écoutez ?

— Non, fit Kelly acerbe. J'aime aussi la *Symphonie Fantastique* de Berlioz, les études de Chopin, l'*Almira* de Haendel. J'ai également un faible pour...

Kelly vit Diane éteindre la radio.

— Qu'allons-nous faire quand nous aurons épuisé les hôtels, madame Stevens ? Connaissez-vous quelqu'un qui puisse nous aider ?

Diane secoua la tête.

— La plupart des amis de Richard travaillent pour Kingsley International, et nos autres amis... Je refuse de les mêler à ça. Et vous ?

— Mark et moi vivions à Paris depuis plus de trois ans, répondit-elle en haussant les épaules. Je ne connais personne ici, en dehors des gens de l'agence, et je crains qu'ils ne soient pas d'une grande aide.

— Mark vous a-t-il dit pourquoi il allait à Washington ?

— Non.

— Richard non plus n'a rien dit. J'ai le sentiment que nous tenons là la clef du meurtre.

— Génial. Nous avons la clef. Mais où est la serrure ?

— Nous la trouverons. (Diane réfléchit un moment, puis son visage s'illumina.) Une seconde ! Je connais quelqu'un qui pourrait nous aider.

Elle se dirigea vers le téléphone.

194

— Qui appelez-vous ?

— La secrétaire de Richard. Elle doit savoir ce qui s'est passé.

A l'autre bout du fil, une voix répondit.

— Je souhaiterais parler à Betty Barker, s'il vous plaît.

Dans son bureau, Tanner vit s'allumer la lumière bleue de l'identification vocale. Il appuya sur un bouton et entendit la standardiste répondre :

— Miss Barker n'est pas à son bureau actuellement.

— Pouvez-vous me dire comment je pourrais la joindre ?

— Je suis désolée. Si vous me donnez votre nom et votre numéro de téléphone, je lui...

— Ce n'est pas la peine, dit-elle en raccrochant.

La lumière bleue s'éteignit.

Diane se retourna vers Kelly.

— J'ai le sentiment que Betty Barker est la serrure que nous cherchons. Je dois trouver le moyen de la contacter. (Elle fronça les sourcils.) C'est étrange.

— Quoi ?

— Une voyante m'a prédit tout ça. Elle a vu la mort rôder autour de moi et...

— Non ? s'exclama Kelly. Et vous n'êtes pas allée prévenir le FBI et la CIA ?

Diane la toisa sévèrement. Kelly l'énervait de plus en plus.

— Allons dîner.

— Je dois d'abord passer un coup de téléphone. (A son tour, elle attrapa le combiné et composa le numéro de la réception.) J'ai un appel pour Paris. (Elle donna le numéro à la standardiste et attendit. Au bout de quelques instants, son visage s'éclaira.) Allô, Philippe. Comment allez-vous ?... Oui, tout va bien... (Elle jeta un regard à Diane.) Oui... Je serai là dans un jour ou deux... Comment va Angel ?... Oh, c'est merveilleux. Est-ce que je lui manque ?... Pouvez-vous me la passer ? (Elle se mit soudain à parler comme le font les adultes aux jeunes enfants.) Angel, comment ça va mon bébé ?... C'est maman. Philippe m'a dit que je te manquais... Toi aussi, tu me manques. Je serai bientôt à la maison, et je te prendrai dans mes bras pour te faire un câlin, mon ange.

Diane l'écoutait, déconcertée.

— A bientôt, mon bébé. Très bien, Philippe... Merci. A bientôt.

Kelly avisa l'expression de Diane.

— Je parlais à mon chien.

— Bien sûr. Et qu'est-ce qu'il vous a dit ?

— Elle. C'est une chienne.

— Ah. Ça explique tout.

Il était l'heure du dîner. Comme elles avaient peur de quitter leur chambre où elles se sentaient en sécurité, elles commandèrent leur repas au service d'étage.

La conversation demeura superficielle. Diane essaya de se rapprocher de Kelly, en vain.

— Ainsi donc vous vivez à Paris ?

— Oui.

— Mark était-il français ?

— Non.

— Comment vous êtes-vous rencontrés ?

— Oh, je ne sais plus très bien.

Diane examina Kelly.

— Pourquoi ne vous débarrassez-vous pas de cette muraille que vous avez construite autour de vous ?

— On ne vous a jamais dit que les murailles servaient à éviter les curieux ? répondit-elle sèchement.

— Mais parfois elles vous enferment à l'intérieur et...

— Ecoutez, madame Stevens. Occupez-vous de vos affaires. Tout allait bien avant que je vous rencontre. Restons-en là.

— Très bien.

Elles terminèrent leur repas en silence, puis Kelly annonça :

— Je vais prendre une douche.

Diane ne répondit pas.

Dans la salle de bains, Kelly se déshabilla, entra dans la douche et ouvrit le robinet. Le ruissellement de l'eau chaude sur son corps lui procura une merveilleuse sensation de bien-être. Elle ferma les yeux et laissa son esprit vagabonder...

Elle entendait à nouveau les paroles de Sam Meadows. « Vous savez qu'il est fou amoureux de vous. Il aimerait vous épouser. J'espère qu'il ne sera pas trop déçu. » Il avait raison, elle le savait. Kelly aimait la compagnie de Mark. Il était drôle, réfléchi, attentionné, et c'était un ami formidable. C'était bien ça le problème. Ce n'était qu'un ami et ce n'était pas juste pour lui. Elle devait mettre fin à cette relation.

Le lendemain du banquet, Mark l'avait appelée.

— Allô, Kelly. Où veux-tu dîner ce soir ? avait-il demandé d'un ton plein d'espoir.

— Je suis désolée, Mark. Je... je ne suis pas libre ce soir.

Silence.

— Oh. Je croyais que nous devions...

— Non.

Et Kelly s'était détestée de lui infliger cela. Elle n'aurait pas dû laisser les choses aller aussi loin.

— Bon, très bien, je t'appellerai demain.

En effet, il rappela le lendemain.

— Kelly, si je t'ai blessée d'une manière quelconque...

Elle avait alors dû rassembler toutes ses forces pour lui répondre :

— Mark, je suis désolée. Je... je suis amoureuse de quelqu'un d'autre.

Elle attendit. Ce silence était insupportable.

— Oh, fit-il, visiblement ébranlé. Je comprends. J'aurais dû savoir que... félicitations. J'espère que tu seras heureuse, Kelly. Dis au revoir de ma part à Angel.

Mark raccrocha. Elle resta pétrifiée, le téléphone à la main, misérable. « Il m'oubliera vite, il trouvera quelqu'un qui lui apportera le bonheur qu'il mérite. »

Kelly travaillait tous les jours. Elle souriait en défilant au milieu des applaudissements, mais au fond d'elle-même, elle était triste. La vie n'était plus la même sans Mark. Elle avait constamment envie de l'appeler, mais refusait de céder à la tentation. « Je ne peux pas. Je lui ai fait assez de mal. »

Plusieurs semaines passèrent sans qu'elle eût de ses nouvelles. « Il est sorti de ma vie. Il a probablement rencontré quelqu'un d'autre à présent. Tant mieux. » Et elle essaya de s'en persuader

Un samedi après-midi, Kelly participait à un élégant défilé où se pressait l'élite parisienne. Quand elle apparut sous les projecteurs, il y eut un tonnerre d'applaudissements. Elle suivait un autre mannequin vêtu d'un tailleur d'après-midi. La jeune femme tenait à la main une paire de gants, dont l'un tomba. Kelly le vit trop tard, marcha dessus et glissa. Elle s'affala de tout son long. Le public retenait son souffle. Terrassée par la honte, se forçant pour ne pas fondre en larmes, elle se releva et quitta la scène précipitamment.

Quand elle arriva au vestiaire, l'habilleuse lui dit :

— Votre robe du soir est prête. Vous feriez mieux de...

Elle éclata en sanglots.

— Non. Je ne peux pas retourner affronter ces gens. Ils vont se moquer de moi. (Elle faisait une crise de nerfs.) C'est fini. Jamais plus je ne me montrerai. Jamais !

— Bien sûr que si.

Kelly se retourna. Mark se tenait dans l'embrasure de la porte.

— Mark ! Mais que fais-tu là ?

— Eh bien... disons que je traîne dans les parages depuis quelque temps.

— Alors tu as vu ce qui s'est passé ?

— C'était magnifique, dit-il en souriant. Je suis content que ce soit arrivé.

Elle le regarda en écarquillant les yeux.

— Quoi ?

Il s'approcha en sortant son mouchoir et sécha ses larmes.

— Kelly, avant, tous ces gens voyaient en toi un rêve magnifique et inaccessible, un fantasme hors de portée. Quand tu es tombée, cela leur a montré que tu étais humaine, et ils t'en ont aimée encore davantage. Alors maintenant, tu vas retourner là-bas pour leur faire plaisir.

Elle regarda Mark dans les yeux et lut une immense compassion. C'est à cet instant qu'elle comprit qu'elle était amoureuse de lui.

L'habilleuse allait remettre la robe à sa place.

— Passez-moi ça, fit Kelly.

Elle regarda Mark et lui sourit à travers ses larmes.

Cinq minutes plus tard, elle était revenue sur scène : ce fut une ovation, et la foule se leva pour l'acclamer. Face à son public, Kelly se sentit soudain envahie par l'émotion. C'était tellement merveilleux d'avoir à nouveau Mark auprès d'elle.

Puis elle se souvint de ses angoisses du début.... Elle attendait que Mark lui fasse des avances, mais il se comportait toujours en parfait gentleman. Et cette timidité donnait d'autant plus d'assurance à Kelly. C'est elle qui lançait la plupart des conversations, et quel que soit le sujet, Mark s'avérait toujours un interlocuteur de choix, qui plus est amusant.

Un soir, elle lui dit :

— Il y a un grand concert symphonique demain. Tu aimes la musique classique ?

— Elle a bercé toute mon enfance.

— Très bien, alors allons-y.

Le concert fut un triomphe, et le public se montra enthousiaste.

Lorsqu'ils arrivèrent devant chez Kelly, Mark lui dit :

— Kelly... je t'ai menti.

Il était comme les autres. C'était terminé. Elle s'arma de courage pour affronter sa confession.

— Ah ?

— Oui. Je... je n'aime pas vraiment la musique classique.

Elle dut se mordre les lèvres pour ne pas éclater de rire.

A leur rendez-vous suivant, elle déclara :

— Il faut que je te remercie pour Angel. C'est un amour.

« Comme toi », songea-t-elle. Mark avait les yeux bleus les plus éclatants qu'elle ait jamais vus, et un adorable sourire un peu de travers. Elle adorait sa compagnie et...

L'eau refroidissait. Kelly ferma le robinet, se sécha, enfila le peignoir en éponge de l'hôtel et retourna dans la chambre.

— La place est libre.

— Merci.

Diane se leva et se rendit à la salle de bains. C'était un vrai capharnaüm. Il y avait de l'eau partout, et les serviettes traînaient par terre.

En colère, Diane revint dans la chambre.

— Quel bazar dans la salle de bains ! Vous avez peut-être l'habitude que quelqu'un passe derrière vous pour ranger ?

Kelly lui adressa un sourire.

— Mais oui, madame Stevens. En fait, j'ai grandi entourée de servantes.

— Oui, eh bien je n'en fais pas partie.

Diane reprit sa respiration.

— Je crois que nous ferions mieux de...

— Il n'y a pas de « nous », madame Stevens. Il y a vous, et il y a moi.

Elles se regardèrent en chiens de faïence. Puis, sans un mot, Diane tourna les talons et retourna à la salle de bains. Quand elle en ressortit, un quart d'heure plus tard, Kelly était couchée. Diane s'approcha de l'interrupteur pour éteindre la lumière.

— Non, ne faites pas ça ! hurla Kelly.

Diane la regarda, stupéfaite.

— Quoi ?

— Laissez la lumière.

— Vous avez peur du noir ? railla Diane.

— Oui. J'ai... j'ai peur du noir.

— C'est vrai ? Vos parents vous racontaient d'horribles histoires de croque-mitaine quand vous étiez petite ? continua-t-elle d'un ton condescendant.

— Exactement, répondit Kelly au bout d'un long silence.

Diane se mit au lit à son tour. Au bout d'une minute, elle ferma les yeux.

« Richard, mon chéri, je n'ai jamais cru qu'on pouvait mourir de chagrin. Maintenant, je sais que c'est possible. Tu me manques tellement. J'ai besoin que tu guides mes pas. J'ai besoin de ta chaleur, de ton amour. Tu es là, quelque part, je le sais. Je sens ta présence. Tu étais un trésor que Dieu m'avait confié, et qu'il ne m'a pas laissé assez longtemps. Bonne nuit, mon ange gardien. S'il te plaît, ne me laisse pas. Je t'en prie. »

Dans son lit, Kelly entendait les pleurs assourdis de Diane. Sa bouche se crispa. « Arrête. Arrête. Arrête. » Et les larmes se mirent à rouler sur ses joues.

CHAPITRE 27

QUAND Diane se réveilla le lendemain matin, Kelly était assise sur une chaise, face au mur.

— Bonjour. Vous avez bien dormi ?

Pas de réponse.

— Il va falloir réfléchir à ce que nous allons faire. Nous ne pouvons pas rester là indéfiniment.

Pas de réponse.

Exaspérée, Diane haussa le ton.

— Kelly, vous m'entendez !

Elle se retourna alors :

— S'il vous plaît, je suis au milieu d'un mantra !

— Oh, je suis désolée, je ne savais pas que...

— Laissez tomber, soupira-t-elle en se levant. On ne vous a jamais dit que vous ronfliez ?

Diane éprouva un choc. Elle entendait encore la voix de Richard, après la première nuit où ils avaient dormi ensemble : « Chérie, tu sais que tu ronfles ? Non, ce n'est pas exactement un ronflement. Ton nez fredonne une adorable mélodie pendant la nuit, c'est la musique des anges. » Puis il l'avait prise dans ses bras et...

— Eh bien oui, vous ronflez. (Elle alluma la télévision.)

Voyons voir ce qui se passe dans le monde. (Elle se mit à zapper et s'arrêta soudain : c'était le journal de Ben Roberts.) Mais c'est Ben !

— Qui est Ben ? s'enquit Diane avec indifférence.

— Ben Roberts. Il présente le journal et il anime une émission. C'est le seul journaliste que j'apprécie vraiment. Mark et lui étaient devenus bons amis. Un jour...

Elle se tut brusquement. Ben Roberts annonçait :

« ... Nous venons de recevoir une dépêche annonçant qu'Anthony Altieri, le supposé parrain de la mafia récemment acquitté lors d'un procès pour meurtre, est mort ce matin d'un cancer. Il était... »

Kelly se retourna vers Diane.

— Vous avez entendu ça ? Altieri est mort.

Diane ne réagit pas. Pour elle, cette nouvelle venait d'un autre monde, d'une autre époque. Elle regarda Kelly :

— Je crois qu'il serait bon que vous et moi ne restions pas ensemble. A deux, il est plus facile d'être repérées.

— Tout à fait, fit Kelly avec acrimonie. Nous sommes de la même taille.

— Je voulais dire...

— Je sais ce que vous vouliez dire. Mais je pourrais porter un masque de visage pâle et...

— De quoi parlez-vous ? fit Diane, déconcertée.

— Je plaisante. Se séparer est une bonne idée. C'est presque un plan, non ?

— Kelly...

— Ce fut un plaisir de vous connaître, madame Stevens.

— Quittons cette chambre, répondit sèchement Diane.

Le hall de l'hôtel était bondé car une convention s'y tenait. Une demi-douzaine de femmes attendaient pour payer leur chambre, et Kelly et Diane prirent place derrière elles.

Posté dehors, Harry Flint les aperçut et se dissimula. Il saisit son portable.

— Elles viennent de descendre dans le hall.

— Parfait. Carballo est-il sur place, monsieur Flint ?

— Oui.

— Alors faites exactement ce que je vous ai dit. Couvrez l'entrée de l'hôtel en vous postant de chaque côté du trottoir, ainsi, où qu'elles aillent, elles seront prises en tenaille. Je veux qu'elles disparaissent sans laisser de trace.

Enfin, elles réglèrent leur note.

En sortant de l'hôtel, Kelly demanda :

— Savez-vous où vous irez, madame Stevens ?

— Non. Je veux simplement m'éloigner de Manhattan. Et vous ?

— Je rentre à Paris.

Elles débouchèrent sur le trottoir et examinèrent les alentours. La foule des piétons se pressait, comme d'habitude, et tout semblait normal.

— Au revoir, madame Stevens, dit Kelly avec soulagement.

— Au revoir, madame Harris.

Kelly partit vers la gauche. Diane l'observa quelques instants, puis prit la direction opposée. Elles n'avaient pas fait plus d'une douzaine de pas que Harry Flint et Vince Carballo surgirent soudain devant elles. Carballo arborait une expression vicieuse ; Flint, un demi-sourire.

Bousculant les passants, les deux hommes se rapprochaient de leurs proies. Elles se retournèrent l'une vers l'autre, prises de panique. Elles étaient tombées dans une embuscade. Elles firent immédiatement demi-tour vers l'hôtel, mais l'entrée débordait de monde, et il était impossible de passer la porte. Il n'y avait nulle part où aller. Le piège se refermait sur elles.

A nouveau, Kelly se retourna vers Diane, et la vit avec stupeur sourire aux deux hommes en leur faisant de grands signes.

— Elle est folle ? murmura-t-elle.

Diane sortit alors son portable et se mit à parler à voix haute :

— Nous sommes devant l'hôtel... oui, c'est parfait. Vous êtes au coin ? (Elle sourit à Kelly en faisant le signe de la victoire.) Ils seront là dans une minute, s'écria-t-elle. (Elle regarda à nouveau Flint et Carballo :) Non, ils ne sont que deux. (Elle se tut, puis éclata de rire.) Exactement... Ils sont prêts ? Génial !

Et sous les yeux de Kelly et des tueurs, Diane fit un pas sur la chaussée, regardant les voitures qui se présentaient. Soudain, elle désigna un véhicule, au loin, et se mit à faire de grands gestes démonstratifs. Flint et Carballo s'arrêtèrent, décontenancés.

Diane les montra du doigt.

— Par ici, cria-t-elle au milieu de la circulation et s'agitant toujours. Par ici.

Les deux tueurs se regardèrent et en un clin d'œil ils firent demi-tour et s'éclipsèrent.

Kelly avait toujours les yeux rivés sur Diane. Son cœur battait à tout rompre.

— Ils sont partis. Qui... qui avez-vous appelé ?

Diane inspira profondément.

— Personne. Je n'ai plus de batterie.

CHAPITRE 28

K ELLY était subjuguée.
— C'était génial. J'aurais dû y penser.
— Ça viendra, répliqua Diane avec hauteur.
— Où allez-vous à présent ?
— Je quitte Manhattan.
— Comment ? Ils vont surveiller les gares, les aéroports, les stations de car, les agences de location de voitures...
Diane réfléchit.
— On pourrait aller à Brooklyn. Ils n'iront pas chercher là-bas.
— Très bien. Allez-y.
— Comment ?
— Je ne vous accompagne pas.
Diane s'apprêtait à répondre, puis elle se ravisa.
— Vous êtes sûre ?
— Oui, madame Stevens.
— Très bien, dans ce cas nous... au revoir.
— Au revoir.
Kelly vit Diane héler un taxi et ouvrir la portière. Elle hésitait, incapable de se décider. Elle était là, dans cette rue inconnue, sans nulle part où aller, ni personne vers qui se tourner. Le taxi s'apprêtait à démarrer.

— Attendez-moi ! hurla-t-elle.

Et elle se mit à courir derrière le véhicule qui s'arrêta. Diane lui ouvrit, et elle monta à côté d'elle.

— Qu'est-ce qui vous a fait changer d'avis ?

— J'ai soudain réalisé que je ne connaissais pas Brooklyn.

Diane la considéra en secouant la tête.

— Où va-t-on ? demanda le chauffeur.

— A Brooklyn, s'il vous plaît, ordonna Diane.

— Plus précisément ?

— On verra.

Kelly la toisa, incrédule.

— Vous ne savez pas où nous allons ?

— Je saurai quand on y sera.

Pendant tout le trajet, les deux femmes gardèrent le silence. Au bout de vingt minutes, elles franchirent le pont de Brooklyn.

— Nous cherchons un hôtel. Mais je ne sais pas si...

— Vous voulez quelque chose de bien, je suppose ? J'en connais justement un. L'Adams. Vous verrez, ça va vous plaire.

L'hôtel Adams était un bâtiment en brique de cinq étages, avec un auvent à l'entrée, flanqué d'un portier.

Le taxi se gara devant et leur lança :

— Ça vous va ?

— Ce sera très bien, fit Diane.

Kelly garda le silence, se demandant toujours pourquoi elle l'avait suivie.

Elles sortirent, et le portier les accueillit.

— Bonjour mesdames. Vous voulez une chambre ?

— Oui, fit Diane.

— Vous avez des bagages ?

— La compagnie aérienne les a égarés. Y a-t-il un endroit ici où nous puissions acheter des vêtements ?

207

— Il y a un très beau magasin pour dames au coin de la rue. Peut-être voulez-vous d'abord réserver votre chambre ? Nous pourrons ensuite faire livrer directement vos achats à l'hôtel.

— Très bien. Vous êtes sûr qu'il y a de la place ?

— A cette époque de l'année, aucun problème.

A l'accueil le réceptionniste leur présenta des formulaires. Kelly signa le sien, et dit à haute voix :

— Emily Brontë.

Diane observa le visage de l'employé, épiant sa réaction. Mais il n'y en eut aucune.

Mary Cassatt, écrivit-elle à son tour.

Le réceptionniste prit leurs formulaires.

— Voulez-vous payer par carte bancaire ?

— Oui, nous...

— Non, coupa Diane.

Kelly la regarda et approuva bon gré mal gré.

— Des bagages ?

— Ils arriveront plus tard.

— Très bien. Vous avez la suite 515.

Le réceptionniste les regarda sortir. Il se demandait comment d'aussi jolies femmes pouvaient être seules.

*

La boutique pour dames était une véritable caverne d'Ali Baba. Elle recelait tous les styles de vêtements possibles, ainsi qu'un rayon de sacs à main et de bagages.

Kelly regarda autour d'elle.

— On dirait que la chance nous sourit à nouveau.

Une vendeuse s'approcha.

— Bonjour, puis-je vous aider ?

— Merci, on regarde.

La jeune femme les vit prendre chacune un panier et parcourir les allées.

— Tiens, fit Kelly, des collants !

Elle en prit une demi-douzaine, imitée par Diane.

— Soutiens-gorge.

— Petites culottes.

Bientôt, leurs paniers débordèrent de lingerie.

La vendeuse accourut avec deux autres paniers.

— Laissez-moi vous aider.

Diane et Kelly se mirent à remplir leur second panier.

Kelly examinait une rangée de pantalons. Elle en prit quatre et en se retournant vers Diane :

— Dieu sait quand nous aurons à nouveau la possibilité de faire du shopping.

A son tour, Diane choisit des pantalons et une robe d'été à rayures.

— Vous ne pouvez pas porter ça, fit Kelly. Ces rayures vont vous grossir.

Elle s'apprêtait à reposer la robe, puis elle regarda sa compagne et changea d'avis.

— Je la prends, déclara-t-elle.

Eberluée, la vendeuse les regardait poursuivre leurs emplettes. Quand elles eurent fini, leurs achats remplissaient quatre valises.

Kelly eut un sourire de satisfaction.

— Ça devrait aller pour un moment.

A la caisse on leur demanda :

— Voulez-vous payer par carte ?

— Par carte...

— En liquide, coupa Diane.

Elles ouvrirent toutes les deux leur portefeuille et partagèrent l'addition, réalisant en même temps qu'elles n'avaient plus grand-chose sur elles.

— Nous sommes descendues à l'hôtel Adams, dit Kelly à la caissière. Nous nous demandions si vous pourriez...

— Faire livrer vos achats ? Pas de problème. C'est à quel nom, s'il vous plaît ?

Kelly hésita un instant.

— Charlotte Brontë.

Diane la fusilla du regard, et reprit vivement :

— Emily. Emily Brontë.

— Oui, bien sûr, se souvint Kelly.

La caissière les regarda, perplexe. Elle se retourna vers Diane.

— Et vous ?

— Moi... je...

Diane réfléchissait à toute vitesse. Quel nom avait-elle donné ? Georgia O'Keeffe... Frida Kahlo... Joan Mitchell ?

— Mary Cassatt, répondit Kelly.

— Bien sûr, appuya la caissière.

Près de la boutique pour dames se trouvait une grande pharmacie.

— La chance continue, déclara Diane en souriant.

Elles se précipitèrent à l'intérieur et remplirent à nouveau de petits paniers.

— Mascara.

— Blush.

— Brosse à dents.

— Dentifrice.

— Tampons et protège-slips.

— Rouge à lèvres.

— Barrettes.

— Poudre.

*

210

Quand elles arrivèrent à leur hôtel, les quatre valises les attendaient déjà dans leur chambre.

— Je me demande lesquelles sont les vôtres..., fit Kelly.

— Aucune importance, lui assura Diane. Nous sommes coincées ici pour une semaine, peut-être plus, alors autant nous installer.

— Pourquoi pas.

Elles entreprirent donc de suspendre leurs robes et leurs pantalons sur des cintres, de ranger la lingerie dans les tiroirs, et de disposer leurs articles de toilette dans la salle de bains.

Quand les valises furent vides et que tout fut en place, Diane ôta ses chaussures et sa robe pour s'affaler sur son lit avec bonheur.

— Ça fait du bien, fit-elle avec un soupir de satisfaction. Je ne sais pas ce que vous allez faire, mais moi, je dîne au lit. Ensuite, je prendrai un bon bain chaud. Je ne bouge plus d'ici.

Une femme de chambre au visage avenant frappa à la porte et entra, les bras chargés de serviettes propres qu'elle alla ranger dans la salle de bains.

Deux minutes plus tard, elle repartit en leur disant :

— Si vous avez besoin de quelque chose, appelez-moi. Bonne soirée.

— Merci, dit Kelly en la regardant quitter la suite.

Diane feuilletait la brochure de l'hôtel qu'elle avait trouvée sur sa table de chevet.

— Vous savez en quelle année a été construit ce bâtiment?

— Rhabillez-vous, fit Kelly. On s'en va.

— Il date de...

— Rhabillez-vous, il faut qu'on parte.

— C'est une plaisanterie? fit Diane en levant les yeux.

— Non. Il va se passer quelque chose de terrible, dit-elle d'un ton empreint de panique.

Diane s'assit, effrayée.

— Vous avez peur de quoi?

— Je ne sais pas. Mais il faut partir d'ici, ou nous allons mourir.

Sa peur était contagieuse, pourtant cela n'avait aucun sens.

— Kelly, soyez raisonnable. Si...

— Je vous en supplie, Diane.

Plus tard, en y réfléchissant, Diane se demanda si c'était le ton pressant de Kelly ou bien le fait que pour la première fois elle l'eût appelée par son prénom qui l'avait finalement décidée à la suivre.

— Très bien, fit-elle en se levant. Rangeons nos affaires et...

— Non ! On laisse tout.

Diane la regarda, incrédule.

— On laisse tout ! Mais nous venons d'acheter...

— Vite !

— D'accord.

Tout en se rhabillant avec réticence, Diane maugréait tout bas : « J'espère qu'elle sait ce qu'elle fait, car... »

— Dépêchez-vous, fit Kelly la gorge nouée par l'angoisse.

Diane se hâta.

— Allez !

Elles saisirent leur sac à main, et filèrent.

« Je suis aussi folle qu'elle », songea Diane avec aigreur.

Quand elles arrivèrent dans le hall, il lui fallut courir pour pouvoir suivre Kelly.

— Et où allons-nous ?

Dehors, Kelly regarda autour d'elle.

— Il y a un parc en face de l'hôtel. Je... j'ai besoin de m'asseoir.

Exaspérée, Diane la suivit. Elles s'assirent sur un banc.

— Bien, qu'est-ce qu'on fait, maintenant ?

Au même instant, il y eut une terrible explosion à l'intérieur de l'hôtel. Depuis leur banc, elles virent voler en éclats les fenêtres de leur chambre.

Diane regardait l'hôtel, pétrifiée.

— Il y avait une bombe..., murmura-t-elle d'une voix pleine de terreur. Dans notre chambre... Comment avez-vous deviné ?

— La femme de chambre.

— Et alors ? fit Diane perplexe.

— Les femmes de chambre ne portent pas de chaussures Manolo Blahnik à trois cents dollars la paire, répondit-elle tranquillement.

Diane avait du mal à respirer.

— Comment... comment nous ont-il retrouvées ?

— Je ne sais pas, fit Kelly. Mais souvenez-vous à qui nous avons à faire.

Elles demeurèrent un moment immobiles, remplies d'effroi.

— Tanner Kingsley vous a-t-il donné quelque chose quand vous êtes allée le voir ? demanda Diane.

— Non. Et vous ?

— Non.

Et au même instant, cela leur revint à l'esprit :

— Sa carte !

Elles ouvrirent leur sac, et en extirpèrent la carte de Tanner. Diane essaya de la déchirer, mais ne réussit même pas à la plier.

— Il doit y avoir une sorte de puce à l'intérieur, fit-elle, furieuse.

— Dans la mienne aussi, répondit sa compagne qui essayait à son tour de la plier. C'est comme ça que ces salauds nous ont suivies.

Diane s'empara de la carte de Kelly et s'écria avec colère :

— C'est terminé.

Kelly la vit s'avancer sur la chaussée et y jeter les cartes. Quelques minutes plus tard, elles avaient été écrasées par une douzaine de voitures et de camions.

Au loin, on entendait un bruit de sirènes qui se rapprochaient. Kelly se leva.

— On ferait mieux de s'en aller, Diane. A présent qu'ils ne peuvent plus nous suivre, ça va aller. Je rentre à Paris. Et vous?

— Je vais d'abord essayer de comprendre ce qui se passe.

— Soyez prudente.

— Vous aussi.

Diane hésita un moment, puis ajouta :

— Kelly... merci. Vous m'avez sauvé la vie.

Gênée, elle répondit :

— Il y a quelque chose qui me chiffonne. Je vous ai menti.

— Ah?

— Vous savez, ce que j'ai dit à propos de vos tableaux.

— Oui?

— En vérité, j'aime ce que vous faites. Beaucoup, même. Vous êtes vraiment douée.

— Merci, fit-elle en souriant. Je crains de m'être montrée un peu dure avec vous.

— Diane?

— Oui?

— Je n'ai pas grandi entourée de servantes.

Diane se mit à rire, et elles tombèrent dans les bras l'une de l'autre.

Immobiles, elles se regardaient mutuellement, éprouvant de la difficulté à se séparer.

— J'ai une idée. Si vous en avez besoin, je vous donne mon numéro de portable, s'exclama Diane en l'écrivant sur un bout de papier.

— Voilà le mien, répondit Kelly en faisant de même. Bien, alors au revoir encore une fois.

— Oui, fit Diane d'un ton hésitant. Je... au revoir, Kelly.

Elle regarda s'éloigner la top model. Arrivée au coin de la rue, celle-ci se retourna pour lui faire un geste de la main. Diane lui répondit de même. Quand Kelly eut disparu, Diane leva les yeux vers le cratère noir qui aurait pu être son tombeau et un frisson glacial la parcourut.

CHAPITRE 29

K ATHY Ordonez entra dans le bureau de Tanner Kingsley avec la presse du matin :
— Ça recommence, dit-elle en lui tendant les journaux.

Partout à la Une on pouvait lire :

LE BROUILLARD SÈME LE CHAOS
DANS LES GRANDES VILLES ALLEMANDES
LES AÉROPORTS ALLEMANDS FERMÉS POUR CAUSE DE BROUILLARD
AUGMENTATION DU NOMBRE DE DÉCÈS À CAUSE DU BROUILLARD

— Dois-je les envoyer à la sénatrice van Luven ?
— Absolument. Et tout de suite, répondit Tanner, lugubre.

La jeune femme retourna prestement à son bureau.

Tanner regarda sa montre en souriant. « La bombe a dû exploser à cette heure. Ces deux salopes ont enfin ce qu'elles méritent. »

La voix de sa secrétaire résonna soudain dans l'interphone.

— Monsieur Kingsley, la sénatrice van Luven au téléphone. Voulez-vous prendre son appel ?

— Oui, dit-il en décrochant. Ici Tanner Kingsley.

— Bonjour monsieur Kingsley. Ici la sénatrice van Luven.

— Bonjour, madame la sénatrice.

— Il se trouve que mes assistantes et moi-même sommes dans les parages, et je me demandais si nous pourrions passer vous faire une visite.

— Tout à fait, répondit-il avec enthousiasme. Je serai heureux de vous faire découvrir nos locaux, madame la sénatrice.

— Très bien. Dans ce cas, nous serons bientôt là.

Tanner appuya sur le bouton de l'interphone.

— J'attends de la visite très bientôt. Ne me passez plus d'appels.

Il se rappela la notice nécrologique qu'il avait lue quelques semaines plus tôt. Le mari de la sénatrice était décédé d'une crise cardiaque. Il faudrait lui présenter des condoléances.

Un quart d'heure plus tard, la sénatrice van Luven et ses deux charmantes assistantes étaient là.

Tanner se leva pour les accueillir.

— Je suis ravi que vous ayez accepté mon invitation.

La sénatrice hocha la tête.

— Vous connaissez déjà mes assistantes, Corinne Murphy et Karolee Trost.

Tanner sourit.

— Absolument. Heureux de vous revoir. J'ai appris le décès de votre mari, dit-il en se tournant vers la sénatrice. Je suis absolument désolé.

— Merci. Il était malade depuis longtemps et finalement, il y a quelques semaines... (Un sourire forcé se dessina sur ses lèvres.) Au fait, les articles que vous m'avez envoyés concernant le réchauffement de la planète sont très impressionnants.

— Je vous remercie.

— Voulez-vous nous montrer ce que vous faites ici?

— Bien sûr. Il y a plusieurs options possibles. Nous avons la visite de cinq heures, de quatre heures, ou d'une heure et demie.

Corinne Murphy sourit :

— La visite de cinq heures serait intéressante...

— La version d'une heure et demie suffira, trancha la sénatrice.

— Ce sera un plaisir.

— Combien de personnes travaillent pour vous ? reprit-elle.

— Presque deux mille. Nous avons des bureaux dans une
douzaine de pays importants à travers le monde.

Corinne Murphy et Karolee Trost étaient impressionnées.

— Dans ces locaux, nous avons cinq cents employés. Les
chercheurs sont à part. Chaque scientifique possède un quotient intellectuel minimum de cent soixante.

— Ce sont des génies, s'exclama Corinne Murphy, interdite.

La sénatrice van Luven lui jeta un regard réprobateur.

— Suivez-moi, je vous prie, dit Tanner.

Les trois femmes emboîtèrent le pas à Tanner Kingsley qui
les mena dans un bâtiment adjacent. Il leur fit traverser une
pièce remplie d'objets à l'allure ésotérique.

La sénatrice alla examiner une étrange machine :

— Qu'est-ce que c'est ?

— C'est un audio-spectrographe, madame la sénatrice. Ça sert
à convertir le son de la voix en empreinte vocale. Cette machine
est capable d'identifier des milliers de voix différentes.

— Comment fonctionne-t-elle ? demanda Karolee Trost en
fronçant les sourcils.

— Prenons les choses ainsi. Quand un ami vous appelle au
téléphone, vous reconnaissez instantanément sa voix car son
timbre est enregistré dans les circuits de votre cerveau. Cette
machine est programmée pour faire la même chose. Un filtre
électronique ne laisse entrer que certaines fréquences dans
l'enregistreur, aussi nous n'obtenons que les caractéristiques
distinctes de la voix de cette personne.

217

*

Le reste de la visite consista en passionnantes découvertes de machines géantes, de microscopes électroniques miniatures et de laboratoires de chimie : il y avait des pièces avec des tableaux remplis de mystérieux symboles, des laboratoires où des douzaines de scientifiques travaillaient ensemble, des bureaux où une personne seule était absorbée dans la résolution d'un problème extrêmement pointu.

Ils passèrent devant un bâtiment de briques dont la porte était munie d'un double jeu de cadenas.

— Qu'y a-t-il ici ? demanda la sénatrice.

— Des recherches commandées par le gouvernement. Désolé, c'est top secret, madame la sénatrice.

La visite dura deux heures. Quand elle fut terminée, Tanner escorta les trois femmes à nouveau jusqu'à son bureau.

— J'espère que vous vous êtes amusées.

— Ce fut instructif, répondit la sénatrice.

— Oui, c'était vraiment très intéressant, renchérit Corinne Murphy en souriant, les yeux plongés dans ceux de Tanner.

— J'ai adoré ! s'exclama Karolee Trost.

Tanner se retourna vers la sénatrice.

— Au fait, avez-vous eu l'occasion de discuter avec vos collègues des problèmes d'environnement dont je vous ai parlé ?

— Oui, fit-elle d'un ton neutre.

— Quelle sont les chances ?

— Il ne s'agit pas d'un jeu, monsieur Kingsley. Les discussions ne sont pas terminées. Je vous ferai savoir quand nous aurons abouti à une décision.

— Merci, dit-il en arborant un sourire forcé. Merci de votre visite.

Il les regarda s'éloigner.

*

La porte se referma derrière elles, et la voix de Kathy Ordonez résonna dans l'interphone.

— Monsieur Kingsley, Saida Hernandez a essayé plusieurs fois de vous joindre. Elle a dit que c'était urgent, mais vous m'aviez dit de ne pas vous passer d'appels.

— Rappelez-la pour moi.

Saida Hernandez était la tueuse qu'il avait envoyée poser une bombe à l'hôtel Adams.

— Ligne une.

Tanner décrocha son téléphone, escomptant une bonne nouvelle.

— Tout s'est bien passé, madame Hernandez ?

— Non. Je suis désolée, monsieur Kingsley. (Il sentit la peur dans sa voix.) Elles ont filé.

— Quoi ? fit Tanner en se crispant.

— Oui, monsieur. Elles ont quitté l'hôtel avant que la bombe explose. Le portier les a vues sortir.

Il raccrocha violemment puis appela sa secrétaire.

— Envoyez-moi Flint et Carballo.

Une minute plus tard, les deux gangsters entrèrent dans le bureau de Tanner. Il se tourna vers eux. Il était dans une rage indicible.

— Ces salopes nous ont encore échappé. C'est la dernière fois, vous m'entendez ! Je vais vous dire où elles se trouvent, et vous allez vous occuper d'elles. Des questions ?

Flint et Carballo se regardèrent.

— Non, monsieur.

Tanner appuya sur un bouton pour découvrir l'écran électronique représentant la ville.

— Tant qu'elles ont les cartes que je leur ai données, nous pouvons les suivre à la trace.

Ils virent apparaître les lueurs électroniques sur l'écran.

219

Tanner appuya sur un bouton. Les lueurs demeurèrent immobiles. Il grinça des dents.

— Elles se sont débarrassées des cartes. (Son visage devint très rouge. Il se tourna vers Flint et Carballo.) Vous les éliminez aujourd'hui.

Flint regarda Tanner, décontenancé.

— Mais si on ne sait pas où elles sont, comment est-ce qu'on...

— Vous croyez que je vais me laisser doubler aussi facilement par des bonnes femmes ? Tant qu'elles ont leur portable, elles n'iront nulle part sans que nous le sachions.

— Vous connaissez leur numéro de portable ? demanda le tueur, surpris.

Tanner ne prit pas la peine de lui répondre et se retourna vers le plan.

— A présent, elles ont dû se séparer. (Il appuya sur un premier bouton.) Nous allons commencer par Diane Stevens.

Sur la carte, les lueurs se mirent à bouger, pour ralentir au niveau de Manhattan, flottant au-dessus d'hôtels, de boutiques, et de galeries commerçantes. Enfin, elles s'arrêtèrent au-dessus d'une enseigne où était écrit : THE MALL FOR ALL.

— Diane Stevens se trouve dans un centre commercial. (Tanner appuya sur un second bouton.) Voyons maintenant où est Kelly Harris.

Le même processus se répéta, et cette fois, les lueurs se rassemblèrent sur une autre partie de la ville. Les trois hommes virent le faisceau lumineux se concentrer peu à peu sur une rue où il y avait un magasin de vêtements, un restaurant, une pharmacie et une gare routière. Les lueurs se stabilisèrent finalement sur un grand bâtiment ouvert.

— Kelly Harris se trouve dans une gare routière, déclara Tanner d'une voix grave. Il ne faut pas perdre de temps.

— Comment on va s'y prendre ? demanda Carballo. Elles sont à l'opposé l'une de l'autre. Le temps qu'on aille là-bas, elles auront filé.

— Suivez-moi, leur dit Tanner.

Il entra dans une pièce adjacente, ses tueurs sur les talons. Là se trouvait tout un dispositif de moniteurs, d'ordinateurs, de claviers électroniques aux touches de couleurs. Sur une étagère était posée une petite machine compacte ainsi qu'une douzaine de CD et de DVD. Tanner en saisit un où était inscrit DIANE STEVENS et le glissa dans la machine.

— C'est un synthétiseur vocal. Les voix de ces dames ont été digitalisées. On les a enregistrées et analysées. Si j'appuie sur ce bouton, chaque mot que je prononce est analysé et dupliqué avec le son de leur voix.

Tanner prit un téléphone portable et composa un numéro. On entendit un prudent :

— Allô ?

C'était la voix de Kelly Harris.

— Kelly ! Je suis si contente !

C'était Tanner qui parlait, mais on entendait la voix de Diane Stevens.

— Diane ! Vous m'appelez juste à temps. Je m'en vais.

Flint et Carballo écoutaient, médusés.

— Où allez-vous, Kelly ?

— A Chicago. Je vais prendre l'avion à O'Hare pour rentrer chez moi.

— Kelly, ne partez pas tout de suite.

Silence.

— Pourquoi ?

— Parce que j'ai découvert ce qui s'est réellement passé. Je sais qui a tué nos maris et pourquoi.

— Mon Dieu ! Comment... vous en êtes sûre ?

— Absolument. J'ai toutes les preuves dont nous avons besoin.

— Diane, c'est fabuleux.

— J'ai tout avec moi. Je suis à l'hôtel Delmont, dans la suite-terrasse A. J'ai l'intention d'aller voir le FBI. J'aimerais que vous m'accompagniez, mais si vous préférez rentrer chez vous, je comprendrai.

— Non, non! Je veux achever ce que Mark avait commencé.

Flint et Carballo étaient suspendus aux lèvres de Tanner. Dans le lointain, ils entendirent l'annonce du bus pour Chicago.

— Je vais avec vous, Diane. Vous avez dit l'hôtel Delmont?

— Oui, sur la 86ᵉ Rue. La suite-terrasse A.

— J'arrive. A tout à l'heure.

La communication fut coupée.

Tanner se retourna vers Flint et Carballo.

— Voilà une moitié du problème résolue. Passons à l'autre moitié.

Les deux tueurs le virent insérer dans la machine un autre CD portant l'étiquette KELLY HARRIS. Tanner activa ensuite une commande sur le téléphone et composa le numéro.

Presque immédiatement, la voix de Diane répondit:

— Allô...

Tanner prit alors la parole, mais c'est la voix de Kelly qui résonna.

— Diane...

— Kelly! Tout va bien?

— Oui, tout va très bien. J'ai d'excellentes nouvelles. J'ai découvert qui a tué nos maris et pourquoi.

— Quoi!!! Qui... qui...

— On ne peut pas en parler par téléphone, Diane. Je suis à l'hôtel Delmont, sur la 86ᵉ Rue, dans la suite-terrasse A. Pouvez-vous m'y retrouver?

— Bien sûr. J'arrive tout de suite.

— C'est magnifique, Diane. Je vous attends.

Tanner raccrocha et se retourna vers Flint.

— Vous les cueillerez là-bas, dit-il en lui remettant une clef. C'est la suite de notre compagnie. Allez-y tout de suite et

222

attendez-les. Je veux que vous les supprimiez dès qu'elles auront mis le pied à l'intérieur. Je m'occuperai des cadavres.

Carballo et Tanner virent Flint sortir avec hâte.

— Et moi, vous voulez que je fasse quoi, monsieur Kingsley ?

— Vous ? Occupez-vous de Saida Fernandez.

Dans la suite-terrasse A, Flint était résolu à réussir sa mission, cette fois. Il avait entendu parler de ces hommes de main dont Tanner s'était débarrassé. « Pas moi », songea-t-il. Il sortit son arme, vérifia le canon, et vissa le silencieux. A présent, il n'avait plus qu'à attendre.

Dans un taxi, à six rues de là, le cerveau de Kelly Harris était en pleine ébullition après les révélations de Diane. « "Je sais qui a tué nos maris et pourquoi, et j'ai toutes les preuves dont nous avons besoin." Mark, je vais leur faire payer ce qu'ils t'ont fait. »

Diane trépignait d'impatience. Le cauchemar touchait à sa fin. Kelly avait percé à jour le complot qui avait causé la mort de leurs époux, et elle avait des preuves. « Tu vas être fier de moi, Richard. Je sens que tu es là, tout près, et... »

Ses pensées furent interrompues par la voix du chauffeur de taxi.

— Nous sommes arrivés à l'hôtel Delmont, madame.

CHAPITRE 30

QUAND Diane traversa le hall de l'hôtel Delmont, son cœur se mit à battre la chamade. Elle mourait d'impatience de savoir ce que Kelly avait découvert.

La porte de l'ascenseur s'ouvrit, et des gens descendirent.

— Vous montez ?

— Oui, fit Diane au liftier. La suite-terrasse, s'il vous plaît.

Son esprit allait à toute vitesse. « Quel projet pouvait être assez secret pour qu'on tue nos maris ? Et comment Kelly a-t-elle fait pour le découvrir ? »

D'autres gens entrèrent. L'ascenseur se referma et l'ascension commença. Diane avait quitté Kelly seulement quelques heures plus tôt, mais elle s'aperçut avec surprise qu'elle lui avait manqué.

Enfin, après une demi-douzaine d'arrêts, le liftier annonça :

— Suites-terrasses.

Dans le salon de la suite-terrasse A, Flint attendait, posté derrière la porte, tendant l'oreille pour percevoir les bruits du couloir. Hélas, cette porte était particulièrement bien insonorisée, il le savait. Pas pour se prémunir des bruits extérieurs, mais pour empêcher de filtrer ceux de l'intérieur.

Des conseils d'administration avaient lieu dans cette suite, mais comme disait Flint, on ne s'y ennuyait jamais. Trois fois par an, Tanner invitait les directeurs des filiales de KIG d'une douzaine de pays étrangers. Une fois la réunion terminée, un essaim de filles débarquait pour distraire ces messieurs. Flint avait assuré la sécurité de plusieurs orgies de ce genre, et en repensant à tous ces corps nus magnifiques, gémissant et se pâmant sur les lits et divans, il eut une érection. Il sourit. Ces dames allaient bientôt pouvoir y remédier.

Harry Flint n'était pas nécrophile. Il n'avait jamais tué une femme uniquement pour jouir d'elle ensuite. Mais après tout, si la dame était déjà morte...

En sortant de l'ascenseur, Diane demanda :
— Où se trouve la suite-terrasse A ?
— C'est à gauche, au fond du couloir. Mais il n'y a personne.
— Comment ? fit-elle en se retournant.
— Cette suite ne sert que pour des conseils d'administration, et le prochain n'aura pas lieu avant septembre.
— Je ne vais pas à un conseil d'administration, répondit-elle en souriant. J'ai rendez-vous là-bas avec une amie.

Le liftier vit Diane s'éloigner dans le couloir. Il haussa les épaules, ferma les portes et redescendit.

Plus la jeune femme approchait du but, plus elle se hâtait, impatiente de connaître la vérité.

*

Dans la suite-terrasse, Flint attendait toujours qu'on frappe à la porte. « Laquelle va se pointer la première ? La blonde, ou la Black ? Pas grave. Je suis pas raciste. »

Soudain, il crut entendre des pas et serra plus fort son arme.

225

Kelly rongeait son frein. Les obstacles ne cessaient de surgir, ralentissant le taxi : feu rouge... travaux sur la chaussée... circulation... Elle était en retard. Elle se précipita dans le hall de l'hôtel et bondit dans l'ascenseur en ordonnant :

— La suite-terrasse, s'il vous plaît.

Au cinquième étage, alors que Diane approchait de la suite-terrasse A, une porte s'ouvrit devant elle, et un porteur sortit en poussant un chariot chargé de bagages, bloquant le passage.

— Je vous demande une minute, s'excusa-t-il.

Il rentra dans la suite pour en ressortir avec deux valises supplémentaires. Diane essaya de passer malgré tout, mais en vain.

— Je suis désolé, madame, reprit le porteur en déplaçant enfin le chariot.

Enfin, la voie fut libre. Diane poursuivit son chemin. Elle allait frapper à la porte de la suite-terrasse A, quand elle entendit qu'on l'interpellait :

— Diane !

Elle se retourna : Kelly sortait juste de l'ascenseur.

— Kelly !

Elle se précipita vers elle.

*

Dans la suite, Flint tendait l'oreille. Y avait-il quelqu'un dehors ? Il aurait bien ouvert la porte pour jeter un coup d'œil, mais cela aurait pu tout gâcher. « Supprimez-les dès qu'elles seront entrées. »

Dans le couloir, Diane et Kelly s'enlacèrent, heureuses de se retrouver.

— Je suis désolée, Diane, il y avait beaucoup de circulation. Vous m'avez appelée au moment où j'allais monter dans le car pour Chicago.

Diane la regarda, perplexe.

— Je vous ai appelée... ?

— Oui, le car s'apprêtait juste à partir.

Silence.

— Kelly... ce n'est pas moi qui vous ai appelée. C'est vous qui m'avez téléphoné. Pour me dire que vous aviez trouvé les preuves...

En voyant l'expression de Kelly, elle se tut.

— Mais je n'ai jamais...

Elles se retournèrent vers la suite-terrasse A. Diane inspira profondément.

— Et si nous...

— Bonne idée.

Elles prirent l'escalier, descendirent un étage, puis s'engouffrèrent dans l'ascenseur. Trois minutes plus tard, elles avaient quitté l'hôtel.

A l'intérieur, Harry Flint regarda sa montre. « Mais qu'est-ce qu'elles font ? »

Diane et Kelly étaient à présent dans le métro bondé.

— Je ne sais pas comment ils s'y sont pris, fit Diane. C'était votre voix.

— Vous aussi, c'était la vôtre. Ils ne s'arrêteront pas avant de nous avoir éliminées. C'est comme une pieuvre aux mille bras armés qui essaie de nous étrangler...

— Mais pour nous tuer, il faudra d'abord qu'ils nous attrapent.

— Comment ont-ils pu nous retrouver, cette fois ? Nous nous sommes débarrassées de la carte de Kingsley, et nous n'avons rien sur nous qui...

Elles se regardèrent, puis jetèrent un coup d'œil à leurs portables.

— Mais comment peuvent-il avoir accès à nos numéros ? fit Kelly avec étonnement.

227

— Souvenez-vous à qui nous avons affaire. Enfin, nous sommes probablement dans le coin le plus sûr de New York. On peut rester dans le métro jusqu'à... (Soudain, en regardant à l'autre bout du wagon, Diane pâlit.) Il faut qu'on descende tout de suite, à la prochaine station.

— Quoi ? Mais vous venez de dire...

Les yeux de Kelly suivirent ceux de Diane et elle découvrit une affiche publicitaire où elle souriait en exhibant une magnifique montre.

— Oh, mon Dieu !

Elles se levèrent et se dirigèrent vers la porte. Deux *Marines* en uniforme assis près d'elles les fixaient avait insistance.

Kelly leur sourit, s'empara du portable de Diane et tendit leurs deux téléphones aux garçons.

— Nous vous appellerons.

Et elles sortirent.

Dans la suite-terrasse A, le téléphone retentit. Flint décrocha.

— Ça fait plus d'une heure, s'écria Tanner. Que se passe-t-il, monsieur Flint ?

— Elles ne sont pas venues.

— Comment ?!

— Je les ai attendues sans bouger.

— Revenez tout de suite ici, dit Tanner en raccrochant violemment.

Au début, c'était un problème comme un autre. A présent, Tanner en faisait une affaire personnelle. Il reprit le portable trafiqué et composa le numéro de portable de Diane.

L'un des *Marines* à qui Kelly avait donné les téléphones répondit :

— Salut, chérie. Qu'est-ce qui te plairait comme petite gâterie, ce soir ?

« Ces salopes se sont débarrassées de leurs portables ! »

C'était une petite pension qui ne payait pas de mine, dans une ruelle du West Side. Le taxi passa devant, et les deux femmes lurent l'écriteau : CHAMBRES À LOUER.

— Arrêtez-vous ici, lança Diane au chauffeur.

Elles descendirent et allèrent sonner à la porte.

La propriétaire leur ouvrit. C'était une femme sympathique, entre deux âges, du nom d'Alexandra Upshaw.

— Je peux vous proposer une chambre agréable pour quarante dollars, petit déjeuner compris.

— Ce sera parfait, déclara Diane. Qu'y a-t-il? ajouta-t-elle en voyant l'expression de sa compagne.

— Rien.

Kelly ferma un instant les yeux. Cette pension n'avait rien à voir avec celle de son enfance, où elle récurait les cabinets, faisait la cuisine pour des étrangers, où elle entendait les coups que son beau-père ivre assenait à sa mère. Elle se força à sourire.

— Ce sera très bien.

Le lendemain matin, Tanner eut un entretien avec Flint et Carballo.

— Elles se sont d'abord débarrassées de mes cartes, puis de leurs portables, fit Tanner.

— Donc, on les a perdues, conclut Flint.

— Non, monsieur Flint, pas tant que je serai en vie. Nous n'allons pas leur courir après. Ce sont elles qui viendront à nous.

Les deux hommes se regardèrent, puis se retournèrent vers leur patron.

— Quoi?

— Diane Stevens et Kelly Harris seront présentes dans les locaux de Kingsley International lundi à onze heures quinze.

CHAPITRE 31

K ELLY et Diane se réveillèrent en même temps. Kelly s'assit dans son lit et se tourna vers sa compagne.
— Bonjour. Tu as bien dormi ?
— J'ai fait des cauchemars.
— Moi aussi.
— Kelly... fit Diane avec hésitation, quand tu es sortie de l'ascenseur, à l'hôtel, juste au moment où j'allais frapper à la porte, tu crois que c'était une coïncidence ?
— Bien sûr. Et nous avons eu toutes les deux de la chance que... (Kelly regarda Diane plus attentivement.) Mais pourquoi cette question ?
— Eh bien, fit-elle prudemment, jusqu'ici, la fortune nous a souri. Je veux dire, c'est étonnant. C'est un peu comme si... comme si notre bonne étoile nous aidait, nous guidait.
Kelly écarquillait les yeux.
— Tu veux dire... comme un ange gardien ?
— Oui.
— Diane, continua-t-elle patiemment, je sais que tu crois à ce genre de choses, mais pas moi. Je sais parfaitement que je n'ai pas d'ange gardien derrière moi.
— C'est que tu ne le vois pas encore.

— Bien sûr, répondit-elle en levant les yeux au ciel.

— Si nous allions prendre le petit déjeuner ? Nous sommes en sécurité à présent. Je crois même que nous sommes hors de danger.

— Tu crois ça parce que tu n'as pas encore goûté aux petits déjeuners des pensions. Habillons-nous et allons manger dehors. Il me semble avoir vu un café au coin de la rue.

— D'accord. D'abord, il faut que je téléphone.

Diane décrocha le combiné et composa un numéro.

— KIG, répondit le standardiste.

— Je voudrais parler à Betty Barker.

— Un moment, s'il vous plaît.

Tanner avait vu s'allumer la lumière bleue, et il écoutait la conversation.

— Miss Barker n'est pas à son poste. Puis-je prendre un message ?

— Non, merci.

Tanner fronça les sourcils. « Trop court pour être localisée. »

Diane se tourna vers Kelly :

— Betty Barker est toujours chez KIG ; il faut juste qu'on trouve le moyen de la contacter.

— Peut-être son numéro est-il dans le bottin ?

— Certes, mais sa ligne est peut-être aussi sur écoute. (Elle prit l'annuaire et se mit à chercher.) La voilà.

Elle composa un numéro, écouta, puis raccrocha.

— Qu'y a-t-il ?

Diane mit un moment à répondre.

— Sa ligne a été coupée.

— Je crois que j'ai besoin d'une bonne douche, fit Kelly en inspirant profondément.

*

231

Au moment de quitter la salle de bains, elle s'aperçut qu'elle avait laissé les serviettes traîner par terre. Elle hésita, puis les ramassa et les reposa en ordre sur le porte-serviettes.

— La place est à toi, dit-elle en sortant.

— Merci, fit Diane en acquiesçant d'un air absent.

La première chose qu'elle remarqua en pénétrant dans la salle de bains, c'est que tout était bien rangé. Elle sourit.

Elle entra dans la douche et laissa l'eau chaude couler sur elle. Elle se souvint des douches qu'elle prenait avec Richard, des sensations de leurs corps peau contre peau...

Il y avait aussi les fleurs.

— Merci, mon chéri, elles sont magnifiques. C'est en quel honneur ?

— La Saint-Crépin.

Le lendemain.

— C'est la fête nationale du Mexique.

— C'est la journée mondiale des paralytiques.

— C'est la fête du céleri.

Quand le mot accompagnant les roses afficha « Journée mondiale des lézards sauteurs », elle éclata de rire et lui dit :

— Mon ange, les lézards ne sautent pas !

— Quoi ! fit Richard en se frappant le front, j'ai été mal renseigné !

Il lui écrivait aussi des petits poèmes d'amour. En s'habillant, Diane en trouvait un glissé dans une chaussure, dans un soutien-gorge, une veste...

Un jour, en rentrant du travail, il avait frappé à la porte. Elle lui avait ouvert, complètement nue, uniquement chaussée d'escarpins à talons hauts. Elle lui avait demandé :

— Chéri, tu aimes ces chaussures ?

Alors il s'était déshabillé à son tour, et le dîner avait été retardé. Ils...

— Bon, on va le prendre ce petit déjeuner ? s'écria Kelly.

Il faisait frais dehors, et le ciel était d'un bleu transparent.

— Il fait beau, c'est un bon présage, fit Diane.

Kelly se retint de rire. Finalement, la superstition de sa compagne l'amusait.

Un peu avant d'arriver au café, elles passèrent devant une petite boutique. Elles se regardèrent, échangèrent un sourire complice, et entrèrent.

Une vendeuse s'approcha.

— Puis-je vous aider ?

— Mais oui ! répondit Kelly avec enthousiasme.

— Allons-y doucement, déclara Diane. Rappelle-toi ce qui s'est passé la dernière fois.

— Tu as raison. Pas de dépenses inconsidérées.

Elles parcoururent la boutique en n'achetant que ce dont elles avaient besoin et laissèrent les vêtements qu'elles portaient dans la cabine d'essayage.

— Vous ne les emportez pas ? demanda la vendeuse.

— Non, fit Diane en souriant, donnez-les à une œuvre de charité.

A l'angle de la rue se trouvait un magasin de téléphonie.

— Regarde, fit Kelly, des portables sans abonnement.

Elles entrèrent et en achetèrent chacune un, équipé de mille minutes de communication prépayées.

— Échangeons nos numéros.

Cela ne leur prit que quelques secondes.

Au moment de payer, Diane constata :

— Je commence à être à court de liquide.

— Moi aussi.

— Il va falloir payer par carte.

— Pas avant d'avoir trouvé le terrier magique.

— Comment ?

— Laisse tomber.

Lorsqu'elles furent attablées à l'intérieur du café, la serveuse vint prendre leur commande.

— Que puis-je vous servir, mesdames ?

— Commande la première, fit Kelly.

— Je prendrai un jus d'orange, des œufs au bacon, des toasts et un café.

— Et vous ?

— Un demi-pamplemousse.

— C'est tout ? s'exclama Diane.

— Oui.

La serveuse s'éloigna.

— Mais tu ne peux pas vivre en te nourrissant seulement d'un demi-pamplemousse !

— Question d'habitude. Je suis un régime strict depuis des années. Certains mannequins avalent des Kleenex pour se couper l'appétit.

— Pas possible !

— Absolument. Mais tout cela n'a plus d'importance. J'arrête ma carrière.

— Pourquoi ?

— Ça ne compte plus. Avec Mark j'ai compris ce qui était vraiment important... (Elle s'arrêta, refoulant ses larmes.) J'aurais aimé que tu le rencontres.

— Moi aussi. Mais il faut bien que tu continues à vivre.

— Et toi, tu vas recommencer à peindre ?

Il y eut un long silence.

— Sans doute... Non.

Au moment où elles s'apprêtaient à partir, Kelly vit qu'on mettait en place les journaux du matin.

Diane allait sortir, quand elle lui dit :

— Attends. (Elle saisit un journal.) Regarde !

Il y avait un article en première page :

« Une cérémonie aura lieu chez Kingsley International Group en mémoire de tous les employés récemment décédés dans des conditions mystérieuses. Cet hommage leur sera rendu dans les locaux de l'entreprise à Manhattan, lundi à 11 h 15. »

— C'est demain. (Kelly regarda longuement Diane.) A ton avis, pourquoi font-ils ça?

— Je crois qu'ils veulent nous tendre un piège.

— C'est aussi mon avis. Kingsley nous croit-il assez stupides pour tomber dans le panneau? Mais nous devons peut-être y aller.

Diane hocha la tête.

— Il le faut. Je suis certaine que Betty Barker y sera aussi. Je dois lui parler.

— Je ne veux pas être rabat-joie, mais comment espères-tu t'en sortir vivante?

— Je trouverai un moyen, dit-elle en lui souriant. Fais-moi confiance.

Kelly secoua la tête.

— Rien ne m'effraie plus que d'entendre quelqu'un me dire : « Fais-moi confiance. » (Elle réfléchit un moment, puis son visage s'éclaira.) J'ai une idée.

— C'est quoi?

— Une surprise.

Diane lui jeta un regard inquiet.

— Tu penses vraiment que tu peux nous sortir de là?

— Fais-moi confiance.

De retour à la pension, Kelly donna un coup de téléphone.

Elles dormirent mal toutes les deux, cette nuit-là. Allongée dans son lit, Kelly se sentait nerveuse. Si son plan échouait, elles mourraient. Au moment où elle s'assoupit, elle eut l'impression de voir le visage de Tanner Kingsley penché sur elle. Il souriait.

Les yeux clos, Diane priait. « Mon chéri, c'est peut-être la dernière fois que je te parle. Je ne sais pas si c'est un au revoir ou un bonjour. Demain, Kelly et moi allons nous rendre chez Kingsley International, à la cérémonie d'hommage. Je crains que nos chances de nous en tirer soient faibles, mais nous devons y aller, il faut bien tenter quelque chose. Avant qu'il ne soit trop tard, je voulais te dire une fois encore combien je t'aime. Bonne nuit, mon amour. »

CHAPITRE 32

L A cérémonie avait lieu dans le parc, à l'écart des bâtiments. Une centaine de personnes étaient rassemblées là,
et il y avait seulement deux issues, l'entrée et la sortie.

Au centre, était monté un dais, surplombant une estrade où
avaient pris place une demi-douzaine de cadres de
l'entreprise. Au bout du rang se trouvait la secrétaire de
Richard Stevens, Betty Barker, jolie femme d'une trentaine
d'années.

Tanner était au micro :

— ... cette compagnie s'est développée grâce au dévoue-
ment et à la loyauté de ses employés. Nous apprécions leurs
efforts et nous les saluons. J'ai toujours considéré cette entreprise comme une famille, dont tous les membres cherchent à
atteindre le même objectif. (Tout en parlant, il scrutait la
foule.) Ici, chez Kingsley International, nous avons résolu
bien des problèmes et trouvé des idées qui ont permis de
rendre ce monde meilleur, et il n'existe pas de plus grande
satisfaction...

A l'extrémité du parc, Diane et Kelly apparurent. Tanner
consulta sa montre. Onze heures quarante. Il ne put s'empêcher de sourire en poursuivant :

237

— ... car c'est à vous que cette compagnie doit tous ses succès.

Diane leva les yeux vers l'estrade et dit, mal à l'aise :

— C'est trop simple. J'ai le sentiment que nous...

Elle se retourna et eut un frisson d'effroi. Flanqué de deux hommes, Harry Flint venait d'apparaître à l'entrée. Elle regarda de l'autre côté : Carballo s'y trouvait, lui aussi avec du renfort.

— Regarde ! fit Diane la gorge nouée.

Kelly avisa à son tour les six hommes qui bloquaient les issues.

— Tu crois qu'il y a une autre manière de sortir d'ici ?

— Je ne pense pas.

Tanner continuait son discours.

— ... Hélas, des drames récents ont endeuillé notre famille. Et quand la tragédie touche l'un des nôtres, elle nous affecte tous. Kingsley International offre une récompense de cinq millions de dollars à quiconque découvrira qui est à l'origine de ces effroyables disparitions.

— Cinq millions qui passeront d'une de ses poches dans l'autre, murmura Kelly.

Tanner lança un regard glacial aux deux femmes.

— Nous accueillons ici deux personnes en deuil, les épouses de Mark Harris et de Richard Stevens. Si vous voulez bien nous rejoindre sur cette estrade.

— On ne peut pas le laisser nous avoir comme ça, dit Kelly, horrifiée. Il faut rester parmi la foule. Qu'est-ce qu'on va faire ?

Diane la regarda, surprise.

— Que veux-tu dire ? C'est toi qui dois nous sortir de là, je te rappelle. On suit ton plan.

— Ça n'a pas marché, fit Kelly penaude.

— Alors on passe au plan B, rétorqua-t-elle, nerveuse.

— Diane...

238

— Quoi?

— Il n'y a pas de plan B.

Elle écarquilla les yeux.

— Tu veux dire que... tu nous as entraînées ici sans moyen d'en ressortir?

— Je croyais...

La voix de Tanner résonna dans le micro.

— Ces dames veulent-elles bien monter ici, s'il vous plaît?

Kelly se retourna vers son amie :

— Je... je suis désolée.

— Non, c'est ma faute. Nous n'aurions jamais dû venir ici.

A présent tout le monde les regardait. Elles étaient prises au piège.

— Madame Stevens, madame Harris...

— Qu'est-ce qu'on fait? chuchota Kelly.

— On n'a pas le choix. On y va. Allez, fit-elle en inspirant profondément.

Avec réticence, les deux femmes se mirent à avancer en direction de l'estrade.

Diane fixait Betty Barker, qui ne la quittait pas des yeux. La secrétaire semblait tétanisée par la peur.

Les deux femmes s'approchèrent de l'estrade, le cœur battant.

Diane songea : « Richard, mon chéri, j'ai essayé. Quoi qu'il arrive, je veux que tu saches que... »

Il y eut soudain une clameur au fond du parc. Les gens se retournèrent pour voir ce qu'il se passait.

Ben Roberts venait de faire son entrée, accompagné par toute une équipe de cameramen et d'assistants.

Les deux femmes se retournèrent elles aussi et Kelly saisit Diane par le bras :

— Voilà le plan A ! C'est Ben.

Diane leva les yeux au ciel et murmura :

— Merci, Richard.

Tanner observait la scène, le visage crispé. Il s'écria :

— Je suis désolé, monsieur Roberts. Il s'agit d'une cérémonie privée. Je dois vous demander de quitter les lieux, vous et votre équipe.

— Bonjour, monsieur Kingsley, répondit le présentateur. Nous faisons un reportage sur mesdames Harris et Stevens et je pensais que nous pourrions couvrir la cérémonie.

Tanner secoua la tête.

— Je ne peux pas vous autoriser à rester.

— Dommage. Dans ce cas, j'emmène ces dames au studio.

— C'est impossible, rétorqua durement Tanner.

— Vraiment ? le toisa Ben.

Tanner tremblait presque de rage.

— Je veux dire... non, rien.

Kelly et Diane avaient rejoint Ben.

— Désolé, fit-il doucement, on est en retard. On a eu un scoop à propos d'un meurtre et...

— Tu as failli en avoir un second, et un double avec ça ! coupa la top model. Allons-nous-en, maintenant.

Frustré, Tanner vit les deux femmes franchir le blocus de ses hommes de main et sortir du parc, encadrées par le journaliste et son équipe.

Harry Flint le regardait, attendant ses instructions. Tanner secoua lentement la tête en se demandant comment en finir avec ces salopes.

Diane et Kelly montèrent dans la voiture de Ben. Ses troupes suivaient, réparties dans deux camionnettes.

— A présent il faut que tu m'expliques ce qui se passe.

— J'aimerais pouvoir le faire, Ben. Mais c'est encore trop tôt. Je te révélerai tout quand je saurai exactement de quoi il retourne. C'est juré.

— Kelly, je suis journaliste. J'ai besoin de savoir...

— Aujourd'hui, tu es venu en tant qu'ami.

— C'est juste, soupira-t-il. Où veux-tu que je vous dépose ?

— Pouvez-vous nous laisser à l'angle de la 42ᵉ Rue et de Times Square ? demanda Diane.

— Pas de problème.

Vingt minutes plus tard, Diane et Kelly sortaient du véhicule.

Kelly embrassa son ami.

— Merci, Ben. Je n'oublierai pas. On reste en contact.

— Fais attention à toi.

Elles s'éloignèrent en lui adressant un petit signe.

— Je me sens nue, dit Kelly.

— Comment ça ?

— Diane, nous n'avons pas d'arme, rien du tout. J'aimerais avoir un revolver.

— Nous avons notre cerveau.

— Je préférerais un flingue. Au fait, que sommes-nous venues faire ici ?

— Nous allons arrêter de fuir. Dorénavant, on passe à l'offensive.

Kelly la regarda avec curiosité.

— Comment ça ?

— J'en ai assez de leur servir de cible. C'est nous qui allons attaquer à présent.

Kelly l'observa longuement.

— Tu veux dire nous deux, contre Kingsley International ?

— Exactement.

— Tu as lu trop de polars. Comment veux-tu qu'à nous deux, nous abattions le plus gros *think tank* du monde ?

— Nous allons commencer par chercher les noms de tous leurs employés décédés au cours des dernières semaines.

— Qu'est-ce qui te fait croire qu'il y en a eu d'autres en dehors de Mark et de Richard ?

241

— Dans l'annonce du journal, il était écrit « tous leurs employés », donc il devait y en avoir plus de deux.

— Ah. Et qui va nous fournir leurs noms ?

— Tu vas voir.

Le cybercafé Easy Access était une immense salle où se déployaient plus d'une douzaine de rangées rassemblant quatre cents ordinateurs. Presque tous les postes étaient occupés. C'était un maillon de l'incroyable réseau qui couvrait la planète.

Elles entrèrent, et Diane alla vers un distributeur qui vendait des cartes de connexion pour y acheter une heure d'accès à Internet.

Quand elle revint, Kelly lui dit :

— On commence par quoi ?

— Demandons à l'ordinateur.

Elles s'assirent devant le premier poste libre.

Kelly vit Diane se connecter.

— Que fait-on, maintenant ?

— D'abord, on va chercher les noms des autres victimes.

La jeune femme alla sur Google et saisit ses critères de recherche : « KIG » et « nécrologie ». Une longue liste d'entrées s'afficha. Diane était plus particulièrement à la recherche d'articles de journaux consultables en ligne. Il y en avait plusieurs. Elle cliqua sur les liens qui la menèrent à une série de nécrologies récentes ainsi qu'à d'autres articles. L'un d'eux la conduisit à la filiale de Kingsley International à Berlin.

— C'est intéressant... Franz Verbrugge.

— Qui est-ce ?

— La question est plutôt : où est-il ? Il semble avoir disparu. Il travaillait pour eux, à Berlin, et sa femme, Sonja, est morte de façon mystérieuse.

Elle cliqua sur un autre lien. Elle hésita, puis regarda Kelly.

— En France... Mark Harris.

Son amie inspira profondément et acquiesça.

— Continue.

— A Denver, Gary Reynolds, et à Manhattan... (Sa voix sombra.) Richard. (Elle se leva.) Voilà.

— Et maintenant ?

— Il faut qu'on essaie de recoller les morceaux. Allons-nous-en.

Un peu plus loin, elles passèrent devant une boutique d'informatique.

— Une minute, dit Kelly.

Diane sur ses talons, elle entra et se présenta devant le directeur.

— Excusez-moi. Je m'appelle Kelly Harris. Je suis l'assistante de Tanner Kingsley. Nous avons besoin de trois douzaines de vos meilleurs ordinateurs, les plus chers, et il faut les livrer cet après-midi même. Est-ce possible ?

Le directeur souriait de toutes ses dents.

— Mais certainement, madame Harris. Tout est possible pour M. Kingsley. Nous ne les avons pas ici, bien sûr, mais nous les prendrons dans nos entrepôts. Je m'en occupe personnellement. Comment paierez-vous ?

— A la livraison.

Le directeur s'éloigna en hâte, et Diane murmura :

— J'aurais aimé l'avoir cette idée-là.

— Ça viendra, fit Kelly en souriant.

— J'ai pensé que vous apprécieriez cela, monsieur Kingsley.

Kathy Ordonez lui tendit plusieurs coupures de journaux. Il était écrit en gros :

MONSTRUEUSE TORNADE SUR L'AUSTRALIE

LE PREMIER CYCLONE À FRAPPER L'AUSTRALIE A DÉTRUIT
UNE DEMI-DOUZAINE DE VILLAGES. LE NOMBRE DES
VICTIMES N'EST PAS ENCORE CONNU.

LES MÉTÉOROLOGUES NE COMPRENNENT PAS LES
NOUVELLES ORIENTATIONS CLIMATIQUES. ON IMPUTE CES
CHANGEMENTS AU TROU DANS LA COUCHE D'OZONE.

— Envoyez tout ça à la sénatrice van Luven avec ce message : « Chère Madame la Sénatrice, il ne reste plus beaucoup de temps. Salutations, Tanner Kingsley. »
— Oui, monsieur.

Tanner leva les yeux vers un écran qui venait d'émettre une alerte de la division sécurité de son département information et technologie.

Ce département avait installé des robots, modules de moteurs de recherche parcourant le web, afin d'en mémoriser les documents. Tanner les avait programmés pour qu'ils surveillent les personnes à la recherche d'informations sensibles concernant la mort de Richard Stevens et de Mark Harris. A présent, il considérait avec intérêt le signal d'alerte apparu sur son écran.

Il appuya sur un bouton :
— Andrew, viens là.

Andrew était dans son bureau. Il se remémorait les circonstances de son accident. Il se trouvait dans le vestiaire, et s'apprêtait à enfiler la combinaison fournie par l'armée. Il l'avait prise sur le portant, mais Tanner lui en avait tendu une autre, avec un masque à gaz. « Mets celle-là. Cela te portera chance. » Tanner était...
— Andrew ! Amène-toi !

244

Il entendit l'ordre, se leva, et lentement se rendit dans le bureau de son frère.

— Assieds-toi.

— Oui, Tanner, dit-il en s'exécutant.

— Ces salopes viennent de se connecter sur notre site de Berlin. Tu sais ce que ça signifie ?

— Oui... euh, non.

L'interphone s'alluma et la voix de la secrétaire retentit :

— Les ordinateurs sont arrivés, monsieur Kingsley.

— Quels ordinateurs ?

— Ceux que vous avez commandés.

Perplexe, Tanner se leva pour aller voir. Dans la pièce adjacente, trois douzaines d'ordinateurs s'entassaient sur des chariots. A côté, se tenaient trois hommes en bleu de travail et le directeur du magasin. Quand ce dernier vit Tanner apparaître, son visage s'illumina.

— Je vous ai apporté exactement ce que vous vouliez, monsieur Kingsley. La pointe de la technologie. Et nous serons heureux de vous fournir d'autres...

Tanner fixait les caisses.

— Qui a commandé ça ?

— Votre assistante, Kelly Harris. Elle a dit que c'était urgent, aussi...

— Remportez-les, fit Tanner d'une voix douce. Là où elle va, elle n'en aura pas besoin.

Il retourna dans son bureau.

— Andrew, selon toi, pourquoi ont-elles essayé d'accéder à notre site web ? Eh bien je vais te le dire. Elles vont essayer de retrouver les victimes et de découvrir le motif de leur disparition. (Il s'assit.) Pour cela, elles doivent se rendre en Europe. Mais elles n'y arriveront jamais.

— Non..., marmonna Andrew, ensommeillé.

— Comment allons-nous les arrêter, Andrew ?

— Les arrêter..., acquiesça-t-il.

Tanner le regarda et lui lança avec mépris :

— Parfois, j'aimerais avoir en face de moi quelqu'un qui ait un cerveau.

Andrew vit Tanner s'asseoir devant un ordinateur.

— D'abord, nous allons leur couper les vivres. Nous avons leur numéro de Sécurité sociale. (Tout en parlant, il tapait :) Diane Stevens...

Songeur, il utilisa le passage secret qu'ils avaient installé quand la firme Experian leur avait demandé de protéger son système informatique contre le bogue de l'an 2000. Ce passage secret informatique donnait à Tanner des moyens d'accès dont même le PDG de la compagnie ne disposait pas.

— Regarde. Experian a toutes les informations concernant ses comptes, son plan d'épargne-retraite personnel, et tous ses crédits. Tu vois ?

— Oui, Tanner, répondit Andrew avec hésitation.

— Nous allons faire comme si sa carte bancaire avait été volée... Voilà. A présent, faisons la même chose pour Kelly Harris... Ensuite, nous passerons au site web de la banque de Diane Stevens.

Une fois sur le site, il cliqua sur la rubrique « Gérer vos comptes ».

Tanner entra le numéro de compte de Diane et les quatre derniers chiffres de son numéro de Sécurité sociale. L'accès lui fut autorisé. Ensuite, il transféra tous ses soldes dans la rubrique crédit, puis retourna dans la base de données d'Experian et annula son autorisation de crédit.

— Andrew...

— Oui, Tanner ?

— Tu as compris ce que j'ai fait ? J'ai transformé tous les actifs de Diane Stevens en dettes à rembourser, que va prélever le département d'Experian, dit-il d'un ton plein de satisfaction. A présent, je fais la même chose pour Kelly Harris.

Quand il eut terminé, il se leva et s'approcha de son frère.

— C'est fait. Elles ne disposent plus de leur argent, et leurs crédits sont suspendus. Elles n'ont plus aucun moyen de quitter le pays. Elles sont prisonnières. Que dis-tu de ton petit frère ?

Andrew acquiesça :

— Hier soir à la télévision, j'ai vu un film sur...

Furieux, Tanner lui flanqua son poing dans la figure avec une telle brutalité qu'Andrew tomba de sa chaise en percutant le mur à grand bruit.

— Espèce de fils de pute ! Ecoute-moi quand je te parle !

La porte s'ouvrit brusquement, et Kathy Ordonez se précipita.

— Tout va bien, monsieur Kingsley ?

Tanner se retourna vers elle.

— Oui, mais ce pauvre Andrew est tombé.

— Oh, mon Dieu.

Tous deux le remirent sur pied.

— Je suis tombé ?

— Oui, Andrew, fit doucement Tanner, mais tout va bien à présent.

— Monsieur Kingsley, murmura sa secrétaire, vous ne pensez pas qu'il serait mieux dans un institut spécialisé ?

— Certainement. Mais cela lui briserait le cœur. C'est ici chez lui, et je peux prendre soin de lui.

Kathy Ordonez le regarda avec admiration.

— Vous êtes un homme merveilleux, monsieur Kingsley.

Il haussa les épaules avec modestie.

— Nous devons tous faire notre devoir.

Dix minutes plus tard, Kathy Ordonez était de retour.

— Bonnes nouvelles, monsieur Kingsley. Je viens de recevoir ce fax du bureau de la sénatrice van Luven.

— Faites-moi voir ça, dit-il en le lui arrachant des mains.

247

« Cher Mr. Kingsley,

Nous tenons à vous informer que le comité du Sénat à l'environnement a décidé de vous octroyer des fonds immédiats afin de développer les recherches sur le réchauffement de la planète et sur les moyens d'y remédier.

Cordialement,

Madame la Sénatrice van Luven »

CHAPITRE 33

T U as ton passeport ? demanda Diane.
— — Toujours quand je pars à l'étranger. Et ce pays-
là me paraît de plus en plus étranger...
— Le mien est dans un coffre. Je vais le chercher. Et nous
aurons aussi besoin d'argent.

Diane entra dans la banque et descendit à la salle des cof-
fres. Elle sortit son passeport, le rangea dans son sac et remon-
ta pour s'adresser à un guichet.
— Je voudrais clôturer mon compte.
— Oui, madame. C'est à quel nom ?
— Diane Stevens.
— Un moment s'il vous plaît.
Le guichetier alla vers une rangée de placards, ouvrit un
tiroir, et se mit à chercher parmi les dossiers. Il en retira un,
l'étudia un moment, puis revint à son poste.
— Votre compte est déjà clôturé, madame Stevens.
— Non, fit-elle en secouant la tête. Il doit y avoir une er-
reur. J'ai...
L'employé lui mit sous le nez son dossier. Il était écrit :
« Dossier clos. Motif : personne décédée. »

Diane lut, incrédule, puis releva les yeux vers le guichetier.

— Est-ce que j'ai l'air d'être morte ?

— Bien sûr que non. Je suis désolé. Si vous voulez, je vais appeler le directeur, et...

— Non ! s'écria-t-elle, comprenant soudain ce qui s'était passé. Non, merci.

Elle se précipita vers la sortie où l'attendait Kelly.

— Tu as eu ton passeport et l'argent ?

— J'ai mon passeport. Mais ces salopards ont clôturé mon compte.

— Mais comment ?...

— C'est très simple. Nous avons Kingsley International pour adversaire. (Elle réfléchit quelques instants.) Oh, mon Dieu.

— Qu'y a-t-il ?

— J'ai un coup de fil urgent à passer.

Diane se précipita vers une cabine, composa un numéro et sortit une carte de crédit. Quelques instants plus tard, une employée lui répondit.

— Le compte est au nom de Diane Stevens. C'est un...

— Désolée, madame Stevens. D'après l'ordinateur, votre carte a été volée. Si vous voulez nous envoyer confirmation, nous vous adresserons une nouvelle carte dans un jour ou deux et...

— Merci. (Elle raccrocha violemment le combiné et revint vers son amie.) Ils ont annulé mes cartes de crédit.

Kelly inspira profondément.

— Bon, à présent à mon tour.

Au bout d'une demi-heure passée au téléphone, elle revint à son tour vers Diane, furieuse.

— La pieuvre a frappé là aussi. Mais j'ai encore un compte à Paris, alors...

— Nous n'avons pas le temps, Kelly. Nous devons quitter les lieux. Combien as-tu encore sur toi ?

— De quoi nous ramener à Brooklyn. Et toi ?

— Moi ? Assez pour aller jusque dans le New Jersey.

— Nous sommes piégées. Tu sais pourquoi ils font ça ? Pour nous empêcher d'aller chercher la vérité en Europe.

— On dirait qu'ils ont réussi.

Kelly réfléchit.

— Non. On part.

— Comment ? fit Diane sceptique. Avec mon vaisseau spatial ?

— Non. Avec le mien.

Joseph Berry, le directeur de la bijouterie de la Cinquième Avenue, gratifia les deux femmes de son plus beau sourire.

— Puis-je vous aider, mesdames ?

— Oui, fit Kelly. J'aimerais vendre ma bague. Il...

Le sourire s'évanouit.

— Je suis désolé. Nous n'achetons pas de bijoux.

— Vraiment ? Dommage.

Le directeur s'apprêtait à tourner les talons quand elle ouvrit la main, révélant une grosse émeraude montée en bague.

— Il s'agit d'une émeraude de sept carats entourée de trois carats de diamants, montés sur platine.

Joseph Berry regarda le bijou de plus près, impressionné. Il alla chercher une loupe de joaillier et l'inspecta.

— Il est magnifique, mais nous avons pour règle stricte de...

— J'en veux vingt mille dollars.

— Vingt mille dollars ?

— Oui. Cash.

Diane la regarda.

— Kelly...

Le bijoutier regarda de nouveau la bague et acquiesça.

— Eh bien... je crois que nous pouvons peut-être trouver un arrangement. Un moment s'il vous plaît.

Il disparut dans la pièce du fond.

— Tu es folle ? C'est du vol !

— Et après ? Si nous restons ici, nous mourrons. Dis-moi, à combien estimes-tu nos vies ?

Diane ne répondit pas.

Joseph Berry reparut, souriant de nouveau.

— J'envoie de suite quelqu'un à la banque d'en face vous chercher votre argent.

Diane se tourna vers son amie.

— J'aurais préféré que tu ne le fasses pas.

Kelly haussa les épaules.

— Ce n'est qu'un bijou...

Elle ferma les yeux.

Ce n'est qu'un bijou...

C'était le jour de son anniversaire. Le téléphone sonna.

— Bonjour ma chérie.

— Bonjour, Mark.

Elle attendait qu'il lui souhaite son anniversaire.

— Je sais que tu ne travailles pas aujourd'hui. Tu aimes la randonnée ?

Ce n'était pas ce qu'elle avait imaginé. Elle ressentit une pointe de déception. Une semaine plus tôt, ils avaient parlé de son anniversaire. Mark l'avait oublié.

— Oui, fit-elle évasive.

— Ça te dirait d'aller faire une balade ce matin ?

— Pourquoi pas ?

— Très bien. Je passe te chercher dans une demi-heure.

— Je serai prête.

— Où va-t-on ? demanda Kelly en montant dans la voiture.

Tous deux s'étaient habillés pour faire de la marche.

— Il y a de magnifiques promenades dans la forêt de Fontainebleau.

— Ah ? Tu y vas souvent ?

— Avant, oui. J'y allais quand je voulais fuir.

— Fuir quoi ? l'interrogea-t-elle, perplexe.

Il hésita et répondit :

— La solitude. Je me sentais moins seul, là-bas. (Il la regarda en souriant.) Je n'y suis pas retourné depuis que je t'ai rencontrée.

Au sud-est de Paris, le château de Fontainebleau était entouré d'une très belle forêt.

Quand le palais royal apparut au loin, Mark commenta :

— Beaucoup de rois de France ont vécu ici, à commencer par François Ier.

— Vraiment ?

Ils arrivèrent aux abords du château et Mark se gara dans le parking. Puis ils descendirent de voiture et prirent la direction des bois.

— Tu tiendras un ou deux kilomètres ?

— J'en fais bien plus quand je défile ! répondit Kelly en riant.

— Très bien, alors on y va, ajouta-t-il en la prenant par la main.

— Je te suis.

Ils longèrent une série de majestueux bâtiments puis entrèrent dans la forêt. Ils étaient complètement seuls, entourés par la verdure des clairières et des arbres centenaires. C'était une belle journée d'été ensoleillée. Le vent était tiède et caressant, le ciel au-dessus d'eux, sans nuage.

— C'est beau n'est-ce pas ?

— C'est magnifique, Mark.

— Je suis content que tu ne travailles pas aujourd'hui.

Kelly se souvint soudain d'une chose.

— Mais et toi, tu ne devrais pas être au bureau ?

— J'ai décidé de prendre ma journée.

— Ah.

Ils s'enfonçaient de plus en plus dans les bois mystérieux.

Au bout d'un quart d'heure, Kelly demanda :

— Jusqu'où veux-tu aller ?

— Il y a un endroit, un peu plus loin. On y est presque.

Quelques minutes plus tard, en effet, ils émergèrent dans une clairière ornée en son centre d'un énorme chêne.

— Voilà, déclara Mark.

— Quelle paix.

Il semblait y avoir quelque chose de gravé sur le tronc. Kelly s'approcha. BON ANNIVERSAIRE KELLY.

Elle le dévisagea, sans voix.

— Oh, Mark, mon chéri. Merci.

Il n'avait donc pas oublié.

— Je crois qu'il y a quelque chose dans l'arbre.

— Dans l'arbre ?

Elle s'approcha. Il y avait un trou à la hauteur des yeux. Elle y plongea la main et sentit un petit paquet qu'elle retira.

— Mais...

— Ouvre-le.

Elle s'exécuta et ses yeux s'écarquillèrent. Dans la boîte se trouvait une émeraude de sept carats entourée de trois carats de diamants montés en bague sur platine. Kelly la regarda, incrédule. Puis elle se retourna et se jeta au cou de Mark.

— Tu es bien trop généreux.

— J'irais décrocher la lune si tu me le demandais. Kelly, je t'aime.

Elle l'étreignit, s'abandonnant à un bonheur qu'elle n'avait jamais connu. C'est alors qu'elle prononça ces mots qu'elle n'avait jamais envisagé de dire :

— Je t'aime aussi.

Mark rayonnait.

— Marions-nous tout de suite. Nous...

— Non.

Ce fut comme un coup de tonnerre. Mark la considéra, stupéfait.

— Mais pourquoi?

— C'est impossible.

— Kelly, tu doutes de mon amour pour toi?

— Non.

— Tu m'aimes vraiment?

— Oui.

— Et tu ne veux pas m'épouser?

— Je le voudrais, mais... je ne peux pas.

— Je ne comprends pas. Pourquoi?

Il la dévisageait, perplexe. Mais Kelly le savait : lorsqu'elle lui aurait tout raconté, il ne voudrait plus jamais la voir.

— Je ne pourrais jamais être vraiment ta femme.

— Comment ça?

C'était la chose la plus difficile qu'elle ait jamais dû dire.

— Mark, nous ne pouvons pas faire l'amour ensemble. Quand j'avais huit ans, j'ai été violée. (Le regard fixé sur les arbres indifférents, elle raconta sa sordide histoire à cet homme, le premier qu'elle eût jamais aimé.) Le sexe ne m'intéresse pas. Cette simple idée me dégoûte. Cela me fait peur. Je... je ne suis qu'à moitié femme. Je suis une handicapée.

Elle respirait fort, ravalant ses larmes. Soudain, elle sentit la main de Mark sur la sienne.

— Je suis désolé, Kelly. Ça a dû être terrible.

Elle resta muette.

— Le sexe est une chose très importante dans la vie d'un couple. Je suis d'accord.

Elle acquiesça en se mordant les lèvres. Elle savait ce qu'il allait dire ensuite : « Bien sûr. Je comprends pourquoi tu ne veux pas... »

— Mais ce n'est pas tout. Le mariage, c'est d'abord partager sa vie avec une personne qu'on aime, avec qui on peut parler, traverser les bons et les mauvais moments.

Elle l'écoutait, immobile, craignant de mal comprendre ce qu'il disait.

— Le sexe perd de son importance au fil du temps, Kelly, mais l'amour reste intact. J'aime ton cœur, j'aime ton âme. Je veux passer le reste de ma vie à tes côtés. Et je peux me passer de sexe.

Elle essaya de ne pas laisser transparaître son émotion dans sa voix.

— Non, Mark, je ne peux pas te laisser...

— Et pourquoi ?

— Parce qu'un jour, tu le regretterais. Tu tomberais amoureux d'une autre femme qui pourrait te donner... ce que je ne peux pas. Alors tu me quitterais, et ça me briserait le cœur.

Il la prit dans ses bras.

— Tu sais pourquoi je ne te quitterai jamais ? Parce que tu es la meilleure partie de moi-même. Nous allons nous marier.

— Mark, as-tu bien compris dans quoi tu t'engages ? dit-elle en le regardant dans les yeux.

— Je crois qu'il y a d'autres manières de le dire, répondit-il en souriant.

Elle se mit à rire et l'étreignit à son tour.

— Oh, mon chéri, tu es vraiment sûr de toi ?...

— Absolument ! fit-il, rayonnant. Alors, quelle est ta réponse ?

Elle sentit les larmes couler sur ses joues.

— Je dis... oui.

Il lui passa la bague au doigt, puis ils restèrent enlacés un long moment.

— Je veux que tu me conduises au travail demain, je te présenterai d'autres mannequins avec qui je travaille.

— Je croyais qu'il y avait des règles interdisant...

— Les règles ont changé.

— Je fonce à la mairie voir quand la cérémonie peut avoir lieu.

Le lendemain, quand Mark accompagna Kelly sur son lieu de travail, elle lui montra le ciel en disant :

— On dirait qu'il va pleuvoir. Tout le monde se plaint du temps, mais personne ne fait rien.

Mark lui décocha un étrange regard. En voyant son expression, elle poursuivit, penaude :

— Je suis désolée. C'est un cliché, je sais.

Il ne répondit pas.

*

Une demi-douzaine de mannequins se trouvaient dans le vestiaire quand Kelly arriva.

— J'ai une grande nouvelle à vous annoncer. Je me marie et vous êtes toutes invitées.

La pièce se remplit immédiatement d'une joyeuse clameur.

— C'est le mystérieux fiancé que tu refusais de nous présenter ?

— On le connaît ?

— A quoi il ressemble ?

— A Cary Grant jeune, répondit fièrement Kelly.

— C'est vrai ? Quand l'amèneras-tu ici ?

— Tout de suite. Il est là, dit-elle en ouvrant grand la porte. Viens, mon chéri.

Mark entra, et le silence se fit. L'un des mannequins murmura :

— C'est une plaisanterie ?

— Sûrement.

Mark Harris faisait une tête de moins que Kelly, c'était un homme ordinaire, au physique plutôt ingrat, aux cheveux gris et clairsemés.

Le choc passé, les jeunes femmes se levèrent pour féliciter les fiancés.

— C'est une merveilleuse nouvelle.

— Nous sommes si contentes pour vous.

— Je suis sûre que vous serez très heureux ensemble.

Les effusions terminées, ils repartirent. Dans le couloir, Mark demanda :

— Tu crois que j'ai fait bonne impression ?

— Bien sûr, répondit-elle en souriant. Comment peux-tu en douter ?

Soudain elle s'arrêta.

— Qu'y a-t-il ?

— Je fais la couverture d'un magazine qui vient juste de sortir. Je veux voir ce que ça donne. Je reviens tout de suite.

Kelly retourna au vestiaire. En arrivant près de la porte elle entendit une voix dire :

— Elle va vraiment l'épouser ?

Kelly s'arrêta pour écouter.

— Elle est devenue folle.

— Je l'ai vue refuser les avances des hommes les plus beaux et les plus riches du monde. Que voit-elle donc en celui-là ?

L'un des mannequins qui s'était tu jusqu'alors prit la parole.

— C'est très simple pourtant.

— Quoi ?

— Tu vas rire si je te le dis, fit-elle avec hésitation.

— Mais non, vas-y.

— Tu connais cette expression : « Voir avec les yeux de l'amour » ?

Cela ne fit rire personne.

Le mariage eut lieu à l'Hôtel de Ville, et les mannequins servirent de demoiselles d'honneur. Une foule immense s'était massée sur le parvis dès que la nouvelle des noces de la célèbre Kelly s'était répandue. Les paparazzi étaient surexcités.

Sam Meadows était le témoin de Mark.

— Où irez-vous pour votre lune de miel ? demanda-t-il.

Mark et Kelly se regardèrent. Ils n'y avaient même pas pensé.

— Euh..., hésita Mark avant de dire au hasard : Saint-Moritz.

— Saint-Moritz, renchérit Kelly avec un sourire forcé.

Ni l'un ni l'autre ne connaissait la célèbre station de sports d'hiver. Suite sans fin de majestueuses montagnes et de vallées verdoyantes, le panorama était d'une beauté à couper le souffle.

Le Badrutt Palace Hotel était perché au sommet d'une colline. Mark avait pris des réservations et, à leur arrivée, ils furent accueillis par la directrice.

— Bon après-midi, Mr. et Mrs. Harris. La suite nuptiale vous attend.

Mark hésita un instant.

— Serait-il possible... de faire installer des lits jumeaux ?

— Des lits jumeaux ? répéta la directrice, incrédule.

— Oui, s'il vous plaît.

— Mais certainement.

— Merci. (Mark se retourna vers Kelly.) Il y a beaucoup de choses à voir, par ici. (Il sortit une liste de sa poche.) Le musée d'Engadine, la pierre des druides, la fontaine Saint-Maurice, la tour penchée...

Une fois seuls dans leur suite, Mark dit à Kelly :

— Mon amour, je ne veux pas que tu te sentes mal à l'aise. Nous faisons cela pour éviter les rumeurs. Nous allons passer tout le reste de notre vie ensemble. Et ce que nous allons partager est plus important que tout rapport physique. Je veux juste être avec toi.

Kelly le serra dans ses bras.

— Je... je ne sais pas quoi dire.

— Mais il n'y a rien à ajouter, fit Mark en souriant.

Ils dînèrent sur place, puis remontèrent dans leur chambre. A leur retour, des lits jumeaux avaient été installés.

— On la joue à pile ou face ?

— Non, fit Kelly en souriant, choisis celui que tu veux.

Quand elle ressortit de la salle de bains un quart d'heure plus tard, Mark était couché.

Elle s'approcha et s'assit au bord de son lit.

— Mark, tu es bien sûr que ça va aller ?

— Je n'ai jamais été aussi sûr de moi. Bonne nuit, mon amour.

— Bonne nuit.

Kelly se coucha. Elle ne pouvait s'empêcher de repenser à cette nuit qui avait changé sa vie. « Chut ! Ne fais pas de bruit... Si tu racontes à ta mère ce qui s'est passé, je reviendrai pour la tuer. » Ce monstre l'avait brisée. Il avait tué quelque chose en elle, et depuis elle avait peur du noir... peur des hommes... de l'amour. Il l'avait contrainte mais ça ne pouvait pas continuer. C'était terminé. Et soudain, toutes les émotions qu'elle réprimait en elle depuis des années, toute cette passion accumulée, tout explosa d'un seul coup. Elle regarda Mark, et eut brusquement envie de lui. Elle repoussa les couvertures.

— Fais-moi de la place, chuchota-t-elle.

Mark se redressa, surpris.

— Tu as dit que... tu ne voulais pas de moi dans ton lit, et...

— Oui, mais je n'ai pas dit que je ne pouvais pas m'inviter dans le tien...

Elle vit l'expression qui se dessinait sur son visage lorsqu'elle ôta sa chemise de nuit pour se glisser auprès de lui.

— Fais-moi l'amour, susurra-t-elle.

— Oh, Kelly... Tes désirs sont des ordres.

Il lui fit l'amour avec beaucoup de tendresse et de douceur.

Trop de tendresse. Trop de douceur. Les digues s'étaient rompues, et Kelly ressentait un désir impérieux. Elle se démenait avec une ardeur sans limite, jamais de sa vie elle n'avait éprouvé quelque chose d'aussi fort.

Plus tard, enlacés, elle lui dit :

— Tu sais, cette liste que tu m'as montrée.

— Oui ?

— Tu peux la jeter, murmura-t-elle.

Mark sourit.

— Comme j'ai été stupide, ajouta-t-elle.

Elle serra Mark tout contre elle, et ils continuèrent de parler et de faire l'amour jusqu'à épuisement.

— Je vais éteindre les lumières, dit Mark.

Kelly se tendit et ses paupières fermées se crispèrent. Elle allait protester, mais elle sentit le corps de Mark, chaud contre le sien, qui la protégeait, et ne broncha pas.

Quand la pièce fut plongée dans le noir, elle rouvrit les yeux.

Elle n'avait plus peur du noir. Elle...

— Kelly ? Kelly !

Elle fut brutalement arrachée à sa rêverie. A nouveau, elle était dans la bijouterie de la Cinquième Avenue à New York, face à Joseph Berry qui lui tendait une épaisse enveloppe.

— Voilà. Il y a vingt mille dollars en billets de cent, comme vous l'avez demandé.

Il lui fallut un moment pour retrouver une contenance.

— Merci.

Elle retira dix mille dollars et les tendit à Diane qui la considéra, perplexe.

— Qu'est-ce que c'est ?

— C'est ta part.

— Comment ? Mais je ne peux pas...

— Tu me rembourseras plus tard, répondit son amie en

haussant les épaules. Si nous sommes toujours de ce monde. Sinon, de toute façon, je n'en aurai plus besoin. A présent, voyons comment nous pouvons sortir d'ici.

CHAPITRE 34

IANE héla un taxi sur Lexington Avenue.
— Où allons-nous ?
— A l'aéroport de La Guardia.
— Mais tu ne penses pas qu'ils surveillent tous les aéroports ? fit Kelly, surprise.
— J'espère bien que oui.
— Alors qu'est-ce que tu... Tu as un plan ?
— Exactement, fit Diane en souriant, tout en tapotant la main de son amie.

Arrivée dans l'aéroport, Diane se dirigea vers le comptoir de la compagnie Alitalia.
— Bonjour, fit l'employé. Puis-je vous aider ?
— Oui. Nous voudrions deux places pour Los Angeles.
— Quand voulez-vous partir ?
— Sur le prochain vol. C'est au nom de Diane Stevens et Kelly Harris.
Kelly fit la grimace. L'homme consulta son planning.
— L'embarquement a lieu à quatorze heures quinze.
— C'est parfait, déclara Diane en regardant Kelly.
— Souhaitez-vous payer par carte ou en espèces ?

— En espèces, fit-elle en lui tendant l'argent.

— Tant qu'on y est, pourquoi ne pas nous balader avec une enseigne au néon indiquant à Kingsley où nous sommes ? interrompit Kelly.

— Tu te fais trop de souci.

Elles s'éloignèrent du comptoir Alitalia, et Diane se dirigea vers la compagnie American Airlines.

— Bonjour, nous voudrions deux places sur le prochain vol à destination de Miami.

— Certainement, dit l'employé en vérifiant l'horaire. Vous embarquez dans trois heures.

— Parfait. C'est aux noms de Diane Stevens et de Kelly Harris.

Kelly ferma les yeux un instant.

— Vous réglerez en espèces ou par carte ?

— En espèces.

Diane paya, et l'employé lui remit les billets.

Elles s'éloignèrent et Kelly dit :

— C'est comme ça que tu comptes bluffer les génies de KIG ? Ça ne tromperait même pas un enfant de dix ans.

Diane prit la direction de la sortie. Son amie lui courut après.

— Où allons-nous ?

— Eh bien maintenant...

— Oh ! et puis je ne veux pas le savoir.

Un groupe de taxis stationnaient devant l'aéroport. Quand les deux femmes sortirent, l'un d'eux quitta la file et s'approcha. Elles y prirent place.

— Où voulez-vous aller ?

— A Kennedy Airport.

— Je ne sais pas si ça va les désorienter, mais en tout cas, sur moi ça marche. Enfin, j'aimerais bien avoir une arme pour pouvoir me défendre.

— Je ne sais même pas où nous pourrions en trouver une.

Le chauffeur démarra et Diane se pencha pour examiner sa plaque d'identité. Mario Silva.

— Monsieur Silva, nous craignons d'être suivies, pensez-vous pouvoir semer d'éventuels poursuivants ?

Elle le vit sourire dans le rétroviseur.

— Alors là, vous êtes bien tombées, mes petites dames.

Il appuya sur l'accélérateur et fit brusquement demi-tour. Au premier carrefour, il prit l'artère principale, et tourna soudain dans une ruelle.

Les deux femmes regardèrent par la vitre arrière : personne ne les suivait.

Mario Silva souriait toujours.

— Ça va ?

— C'est parfait, fit Kelly.

Dans la demi-heure qui suivit, le conducteur ne cessa de tourner à l'improviste dans de petites rues afin de brouiller les pistes. Enfin, ils arrivèrent devant l'aéroport Kennedy.

— Vous y êtes, annonça-t-il triomphalement.

Diane sortit de l'argent de son sac.

— Voilà pour vous, avec un petit supplément.

— Merci mesdames, répondit le chauffeur, satisfait.

Il observa les deux femmes tandis qu'elles pénétraient dans l'aéroport. Dès qu'elles eurent disparu, il saisit son portable.

— Ici Tanner Kingsley.

Au comptoir de Delta Airlines, l'employée s'assura qu'il restait bien des places disponibles dans l'avion.

– Oui, il y en a encore deux sur ce vol. Il part à dix-sept heures cinquante. Il y a une escale d'une heure à Madrid, et vous arrivez à Barcelone à neuf heures vingt demain matin.

— C'est très bien, fit Diane.

— Vous paierez en espèces ou par carte ?

— En espèces.

Diane donna l'argent à l'employée puis se tourna vers Kelly.

— Allons dans la salle d'attente.

Trente minutes plus tard, Harry Flint fit le point sur la situation avec Tanner sur son portable.

— J'ai l'information que vous m'avez demandée. Elles ont pris des billets pour Barcelone sur un vol Delta. Leur avion part à dix-sept heures cinquante, et il y a une escale d'une heure à Madrid. Elles arrivent à Barcelone à neuf heures vingt le matin.

— Bien. Vous allez prendre un jet de la compagnie pour vous rendre à Barcelone, monsieur Flint, et vous les cueillerez à leur arrivée. Je compte sur vous pour les recevoir comme il se doit.

Tanner raccrocha au moment où Andrew entrait. Il portait une fleur à la boutonnière.

— Voilà les papiers...

— Mais qu'est-ce que c'est que ça ?

— Tu m'as demandé de t'apporter..., répondit-il, désarçonné.

— Je ne te parle pas de ça ! Je te parle de cette espèce de fleur !

Le visage d'Andrew s'éclaira.

— C'est pour ton mariage. Je suis ton témoin.

Tanner fronça les sourcils.

— Mais de quoi... (Soudain, il comprit.) C'était il y a sept ans, espèce d'imbécile. A présent fous-moi le camp d'ici !

Un peu perdu, Andrew demeura immobile, ne sachant que faire.

— Dehors !

Tanner le regarda sortir. « J'aurais dû me débarrasser de lui il y a longtemps déjà. L'heure a sonné. »

Le décollage se fit en douceur, sans la moindre anicroche.

Par le hublot, Kelly vit New York disparaître peu à peu dans le lointain.

— Tu crois qu'on est hors de danger ?

— Non, fit Diane en secouant la tête. Tôt ou tard, ils réussiront à nous retrouver. Mais au moins nous serons loin. (Elle sortit les documents imprimés qu'elle avait trouvés sur Internet et les examina de nouveau.) Sonja Verbrugge, à Berlin, elle est décédée et son mari est porté disparu... Gary Reynolds, à Denver... (Puis d'une voix hésitante :) Mark et Richard...

Kelly jeta à son tour un coup d'œil aux papiers.

— Nous allons donc à Paris, Berlin, Denver, puis retour à New York.

— C'est ça. Nous franchirons la frontière franco-espagnole à San Sebastian.

Kelly avait hâte de rentrer à Paris. Elle voulait parler à Sam Meadows car elle avait le sentiment qu'il pourrait lui être utile. Et puis Angel l'attendait.

— Es-tu déjà allée en Espagne ?

— Oui, une fois, avec Mark. C'était le plus... (Kelly se tut et garda le silence un long moment.) Toute ma vie je vais être confrontée au même problème, dorénavant. Il n'existe personne au monde qui ressemble à Mark. Tu sais, Diane, quand on est enfant, on lit des histoires où des gens tombent amoureux, et soudain, le monde devient merveilleux. Pour Mark et moi, c'est exactement ce qui s'est produit. Je suppose que c'était pareil, toi et Richard, dit-elle en la regardant.

— Oui, acquiesça-t-elle doucement. Parle-moi de Mark.

Un sourire fleurit sur les lèvres de Kelly.

— Il y avait en lui quelque chose de merveilleusement gamin. J'ai toujours pensé que son cerveau génial abritait l'âme d'un enfant, poursuivit-elle en riant.

— C'est vrai ?

— Oui. Sa manière de s'habiller, par exemple. A notre premier rendez-vous, il portait un costume gris mal coupé, avec des chaussures marron, une chemise verte et une cravate rouge vif. Après notre mariage, je me suis occupée de sa garde-robe. (Elle se tut. Puis reprit d'une voix étranglée :) Tu sais quoi ? Je donnerais n'importe quoi pour le voir à nouveau avec ce costume gris, ces chaussures marron, sa chemise verte et sa cravate rouge vif. (Elle avait les larmes aux yeux.) Mark aimait me faire des surprises. Mais le plus beau présent qu'il m'ait fait, c'est de m'apprendre à aimer. (Elle essuya ses yeux avec un mouchoir.) Parle-moi de Richard, maintenant.

A son tour, Diane se mit à sourire.

— C'était un romantique. Quand nous nous mettions au lit, le soir, il me disait : « Appuie sur la touche secrète », ça me faisait rire, et je lui répondais : « Heureusement que personne ne nous entend ! (Elle se tourna vers Kelly et poursuivit :) La touche secrète, c'était celle qui permet de couper la sonnerie du téléphone. Ensuite, il me disait que nous étions dans un château, seuls, et que la touche du téléphone, c'était les douves qui empêchaient les envahisseurs d'entrer. (Diane pensa à quelque chose qui la fit rire.) C'était un scientifique brillant, et il aimait bricoler dans la maison. Il réparait les robinets qui fuyaient, les courts-circuits, mais il fallait toujours que je fasse venir le plombier ou l'électricien après, car ça ne marchait pas ! Je ne le lui ai jamais dit.

Elles parlèrent ainsi jusqu'à presque minuit.

Diane réalisa soudain que c'était la première fois qu'elles discutaient de leurs maris. C'était comme si la barrière invisible qui les séparait encore s'était évaporée.

Kelly bâilla.

— Mieux vaudrait dormir. J'ai le sentiment que demain, nous allons avoir une journée mouvementée.

Elle n'imaginait pas à quel point elle avait raison.

*

A travers la foule de l'aéroport El Prat de Barcelone, Harry Flint se fraya un chemin jusqu'aux grandes baies vitrées qui surplombaient les pistes. Il regarda le panneau d'affichage annonçant les arrivées et les départs. L'avion de New York était à l'heure et devait atterrir dans trente minutes. Tout se déroulait selon le plan. Il s'assit en attendant.

Une demi-heure plus tard, les passagers du vol en provenance de Kennedy Airport commencèrent à débarquer. Ils semblaient tous surexcités : c'était le groupe typique de touristes insouciants, d'hommes d'affaires, de familles avec enfants et d'amoureux en vacances. Flint prit soin de se dissimuler pour observer tranquillement jusqu'au dernier le flot des passagers qui entraient dans le terminal. Il fronça les sourcils. Aucun signe de Diane ou de Kelly. Il attendit encore cinq minutes puis se dirigea vers la passerelle.

— Monsieur, vous ne pouvez pas aller par là.

— FAA, fit-il sèchement. Nous avons reçu des informations de la Sécurité nationale concernant un colis suspect caché dans les toilettes de l'avion. J'ai ordre de procéder à une inspection immédiate des lieux.

Déjà, il se dirigeait vers le tarmac. En atteignant l'appareil, il s'aperçut que l'équipage avait commencé à son tour à débarquer.

— Puis-je vous aider ? lui demanda une hôtesse.

— Je suis inspecteur de la FAA.

Il gravit les marches et pénétra dans l'avion. Il n'y avait plus personne.

— Il y a un problème ? continua l'hôtesse.

— Oui. Peut-être une bombe.

269

Elle le vit se rendre au fond de l'appareil et ouvrir la porte des sanitaires. Personne.

Les deux femmes s'étaient volatilisées.

*

— Elles n'étaient pas dans l'avion, monsieur Kingsley.

— Les avez-vous vues embarquer, monsieur Flint? répondit Tanner d'un ton dangereusement doucereux.

— Oui, monsieur.

— Et elles ne sont pas descendues avant le décollage?

— Non, monsieur.

— Dans ce cas nous pouvons déduire avec un fort degré de probabilité que soit elles ont sauté en parachute au milieu de l'Atlantique, soit elles ont débarqué à Madrid. Vous me suivez?

— Oui, monsieur Kingsley. Mais...

— Fort bien. Cela signifie donc qu'elles ont l'intention de rejoindre la France en passant par San Sebastian. (Il se tut un instant.) Elles ont par conséquent quatre possibilités : elles peuvent reprendre un autre vol pour Barcelone, ou bien faire le trajet en train, en car, ou encore en voiture. (Il fit une nouvelle pause.) Elles vont certainement juger que le car, l'avion et le train sont risqués. La logique me pousse à croire qu'elles choisiront de rejoindre la France en voiture, en passant par San Sebastian.

— Si...

— Ne m'interrompez pas, monsieur Flint. Il leur faudra environ cinq heures pour aller de Madrid à San Sebastian. Voilà ce que vous allez faire. Reprenez l'avion pour Madrid. Allez voir toutes les agences de location de voitures. Découvrez quel véhicule elles ont loué : la couleur, le modèle, tout.

— Bien, monsieur.

— Ensuite, vous retournerez à Barcelone, et à votre tour, vous louerez une voiture : une grosse. Vous leur tendrez une embuscade sur la route de San Sebastian. Je ne veux pas qu'elles passent la frontière. Encore une chose, monsieur Flint.

— Oui, monsieur.

— N'oubliez pas : il faut que ça ait l'air d'un accident.

CHAPITRE 35

DIANE et Kelly étaient arrivées à l'aéroport Barajas, à Madrid. Il ne leur restait plus qu'à choisir une agence de location de voitures entre Hertz, Europe Car, Avis et d'autres. Elles préférèrent Alesa, qui était beaucoup moins connue.

— Quelle est la route la plus rapide pour aller à San Sebastian ? demanda Diane.

— C'est très simple, *señora*. Prenez la N-1 en direction de la frontière française jusqu'à Hondarribia, puis prenez à droite pour San Sebastian. Il faut entre quatre et cinq heures.

— *Gracias.*

Et sans attendre, elles démarrèrent.

Quand le jet privé de KIG atterrit à Madrid, une heure plus tard, Harry Flint se rua à son tour vers les agences de location de voitures.

— Je devais retrouver ma sœur et son amie – une Noire sculpturale – mais nous nous sommes manqués. Elles sont arrivées tout à l'heure sur le vol Delta de neuf heures vingt en provenance de New York. Ont-elles loué une voiture chez vous ?

— Non, *señor.*

— Non, *señor.*

— Non, *señor.*

Au comptoir Alesa, la chance tourna.

— Mais oui, *señor.* Je me souviens très bien. Elles...

— Vous vous souvenez de la marque du véhicule qu'elles ont loué ?

— C'était une Peugeot.

— Quelle couleur ?

— Rouge. C'était la seule...

— Vous avez le numéro de la plaque ?

— Bien sûr. Un instant, s'il vous plaît.

L'employé tapa quelque chose sur son ordinateur, puis donna le numéro à Flint.

— J'espère que vous allez les retrouver, fit-il avec un grand sourire.

— Vous pouvez compter sur moi.

Dix minutes plus tard, le jet repartait pour Barcelone. Une fois là-bas, il avait ordre de louer à son tour un véhicule, de les attendre quelque part sur le trajet, puis de les suivre jusqu'à un endroit tranquille où il provoquerait un accident. Il n'aurait alors plus qu'à s'assurer qu'elles étaient bien mortes, cette fois.

Diane et Kelly n'étaient plus qu'à une demi-heure de San Sebastian. Dans le silence, elles roulaient à vive allure sur la route déserte. Autour d'elles se déployait la magnifique campagne espagnole. Les blés mûrs ondoyaient sous la brise, et les vergers croulaient sous le poids des grenades, des pêches et des abricots. En retrait, on apercevait de vieilles maisons de pierre, aux murs recouverts de treilles et de jasmin. Quelques minutes après avoir passé la cité médiévale de Burgos, le paysage commença à changer, et les premiers contreforts des Pyrénées apparurent.

— Nous y sommes presque, déclara Diane.

Soudain, elle fronça les sourcils et freina. Un peu plus loin, des gens étaient rassemblés autour d'une voiture en flammes. La circulation était bloquée par des hommes en uniforme.

— Mais que se passe-t-il ? interrogea-t-elle, perplexe.

— Nous sommes au Pays basque. C'est sans doute un acte terroriste. Les indépendantistes sont en guerre contre le gouvernement espagnol depuis des décennies.

Un homme à l'uniforme vert et or bordé de rouge, coiffé d'un béret noir, portant ceinture et chaussures noires, leva la main pour leur faire signe de s'arrêter sur le bas-côté.

— Si c'est l'ETA, il ne faut pas obtempérer, car il va y en avoir pour des heures.

Le soldat s'approcha d'elles.

— Bonjour. Je suis le capitaine Iradi. Pouvez-vous descendre du véhicule, s'il vous plaît.

Diane lui sourit et répondit :

— J'aimerais vraiment vous aider à mener votre combat, mais nous en avons déjà un sur les bras.

Sur ce, elle appuya sur l'accélérateur et la voiture démarra en trombe, évitant le véhicule en feu et la foule qui se dispersa à grands cris.

— C'est fini ? demanda Kelly qui avait fermé les yeux.

— Tout va bien, la rassura Diane.

Les paupières de la jeune femme se rouvrirent, et elle regarda tout de suite dans le rétroviseur. Derrière elles, se trouvait une Citroën Berlingo noire. Elle observa le conducteur.

— C'est Godzilla ! s'écria-t-elle. Il est dans la voiture juste après nous !

— Quoi ?! Mais comment a-t-il fait pour nous retrouver aussi vite ?

Diane appuya un peu plus sur le champignon. La Citroën gagnait du terrain. Elle jeta un coup d'œil au compteur : 175 kilomètres à l'heure.

— Je crois que tu es prête pour les 24 heures du Mans ! fit Kelly, nerveuse.

Soudain, Diane aperçut au loin un barrage de police.

— Frappe-moi, ordonna-t-elle à Kelly.

— Mais tu es folle ?

— Frappe-moi, insista-t-elle.

La Citroën se rapprochait dangereusement.

— Mais qu'est-ce que...

— Allez !

Avec réticence, Kelly gifla Diane.

— Non, tabasse-moi !

Deux voitures les séparaient à présent du tueur.

— Dépêche-toi ! hurla Diane.

Kelly fit la grimace et assena un violent coup de poing à son amie.

— Encore !

Kelly recommença, mais cette fois, son solitaire entailla la joue de Diane et le sang se mit à couler. Elle était horrifiée.

— Je suis désolée, Diane, je ne voulais pas...

Elles arrivèrent au barrage, et Diane freina.

Un policier s'approcha.

— Bonjour, mesdames.

— Bonjour, monsieur l'agent, fit Diane en tournant la tête de manière à rendre visible sa plaie.

— Que vous est-il arrivé ? fit-il, surpris.

Diane se mordit les lèvres.

— C'est mon ex-mari. Il me bat. J'ai porté plainte et il n'a plus le droit de m'approcher, mais... rien ne l'arrête. Il ne cesse de me poursuivre. Il est juste derrière nous. Mais je sais que vous ne pouvez rien pour moi, personne ne peut l'arrêter.

Le policier se redressa pour observer la file de voiture.

— Dans quel véhicule se trouve-t-il ?

— La Citroën noire, deux voitures plus loin. Je crois qu'il veut me tuer.

— Vraiment ? gronda l'agent. Allez-y, mesdames. Et ne vous faites plus de souci.

Diane le regarda en minaudant :

— Oh, merci. Merci beaucoup, monsieur.

Elles repartirent en direction de la frontière toute proche. Kelly mit sa main sur l'épaule de sa compagne.

— Diane.

— Oui ?

— Je suis sincèrement désolée...

— On s'est débarrassées de Godzilla ! s'exclama-t-elle en souriant.

Elle fit un clin d'œil à Kelly, et s'aperçut qu'elle pleurait.

— Tu pleures ?

— Non, fit-elle en reniflant. C'est ce fichu mascara. Ce que tu as fait, c'était... Tu es vraiment quelqu'un, conclut-elle en essuyant le sang qui coulait sur la joue de la jeune femme.

Harry Flint arriva à son tour au barrage.

— Garez-vous sur le côté et descendez du véhicule, lui ordonna le policier.

— Mais je suis pressé, je n'ai pas le temps. Il faut que je...

— Faites ce qu'on vous dit.

— Pourquoi ? C'est quoi, le problème ? le défia Flint.

— Nous sommes à la recherche d'un véhicule terroriste ayant cette immatriculation.

— Mais vous êtes fou ? Je vous l'ai dit, je suis pressé. Jamais je n'ai... (Il s'arrêta soudain et sourit.) C'est bon, j'ai compris. (Il fouilla dans sa poche et tendit au policier un billet de cent dollars.) Voilà. Prenez ça et oubliez-moi.

— José ! cria le policier.

Un capitaine en uniforme s'approcha. Son collègue lui montra le billet.

276

— Tentative de corruption de fonctionnaire dans l'exercice de ses fonctions.

— Descendez de voiture. Vous êtes en état d'arrestation pour corruption. Allez vous garer là-bas.

— Non, vous ne pouvez pas m'arrêter maintenant ! Je suis au beau milieu d'une...

— Ah vous résistez ? Appelle du renfort.

Flint soupira et regarda la route. La Peugeot était loin à présent.

— Je peux passer un coup de fil ? demanda-t-il.

Diane et Kelly traversaient les Landes à vive allure. Les forêts de pins interminables défilaient sous le soleil. L'Espagne était à présent loin derrière elles.

— Tu as parlé d'un ami, à Paris ?

— Oui, Sam Meadows. Il travaillait avec Mark. Je pense qu'il pourra nous aider.

Kelly fouilla dans son sac et en extirpa son portable. Elle composa un numéro à Paris.

— Kingsley International, fit la standardiste.

— Bonjour, je voudrais parler à Sam Meadows.

Un instant plus tard, il était en ligne.

— Allô ?

— Sam ? C'est Kelly. Je rentre à Paris.

— Kelly ! Je me suis fait un sang d'encre ! Tout va bien ?

— Je crois, fit-elle avec prudence.

— C'est un vrai cauchemar. Je n'y comprends rien.

« Moi non plus », se dit-elle.

— Sam, j'ai quelque chose à te dire : je crois que Mark a été assassiné.

— Moi aussi.

En entendant la réponse de son ami, Kelly frissonna.

— Il faut que je découvre ce qui s'est passé, dit-elle la gorge nouée. Tu peux m'aider ?

277

— Je ne crois pas que nous devrions discuter de tout ça au téléphone, Kelly, fit-il d'un ton qui se voulait désinvolte.

— Je comprends.

— Pourquoi ne pas nous voir ce soir ? Viens dîner à la maison.

— Très bien.

— A dix-neuf heures ?

— J'y serai.

Elle raccrocha.

— Je pense obtenir quelques réponses, ce soir.

— Parfait. Pendant que tu t'occupes de tout ça, je vais prendre l'avion pour Berlin afin de parler aux gens qui travaillaient avec Franz Verbrugge.

Soudain, Kelly se tut. Diane lui jeta un coup d'œil.

— Qu'y a-t-il ?

— Rien. C'est juste que... nous formons une si bonne équipe. Je n'ai pas envie qu'on se sépare. Pourquoi ne pas nous rendre ensemble à Paris et...

— Ne t'inquiète pas, Kelly, dès que tu auras parlé à Sam Meadows, tu m'appelles, et on se retrouve à Berlin. J'aurai probablement obtenu moi aussi des informations de mon côté. Avec nos portables, nous ne perdrons pas le contact. J'ai hâte de savoir ce que tu vas découvrir ce soir.

Enfin, les portes de Paris apparurent. En rentrant sur le périphérique, Kelly éprouva presque un sentiment de joie.

Diane regarda dans le rétroviseur.

— Pas de Citroën en vue. Nous l'avons enfin semé. Où veux-tu que je te dépose ?

Elles arrivaient du côté de la place de la Concorde.

— Tu n'as qu'à ramener la voiture et partir de ton côté. Je vais prendre un taxi.

— D'accord. Fais bien attention à toi.

— Toi aussi.

278

Deux minutes plus tard, Kelly était en route vers son appartement. Elle piaffait d'impatience. Dans peu de temps, elle serait chez Sam Meadows.

Quand le taxi la déposa devant son immeuble, elle ressentit un immense soulagement. Enfin chez elle ! Elle poussa la porte et entra. En apercevant un homme de dos en tenue de travail, elle s'écria :

— Philippe ! C'est moi !

Elle s'arrêta net :

— Bonjour madame, répondit un inconnu en se retournant.

— Mais, qui êtes-vous ?

— Jérôme Malo. Je suis le nouveau concierge de l'immeuble.

Kelly resta interdite. Derrière lui, se tenait Nicole Paradis.

— Bonjour, madame Kelly, dit-elle les yeux écarquillés.

— Mais où sont Philippe Cendre et sa famille ?

— Ils ont déménagé en Espagne. Une affaire personnelle, répondit l'homme en haussant les épaules.

Kelly sentit la peur l'envahir.

— Et leur fille ?

— Elle est partie avec eux.

« Est-ce que je vous ai dit que ma fille s'était inscrite à la Sorbonne ? Pour nous, c'est un rêve qui se réalise. »

Kelly essayait de garder son calme.

— Quand sont-ils partis ?

— Il y a quelques jours. Mais ne vous inquiétez pas, madame, nous avons bien surveillé votre appartement.

— Et Angel ?

— Oh, votre chien ? Philippe l'a emmené avec lui.

Elle sentit la panique la gagner. Sa gorge était de plus en plus nouée.

— Puis-je monter vos bagages, madame ? Nous avons prévu une petite surprise, là-haut, pour fêter votre retour.

« Pour ça, je vous fais confiance ! » Kelly réfléchissait à présent à toute vitesse.

— Oui oui, j'ai tout laissé dans le taxi, je reviens !

Et avant que Jérôme Malo ait eu le temps de bouger, elle était dans la rue. Pris de court, il n'eut pas le temps de réagir. Il bondit à son tour au-dehors flanqué d'un complice, mais c'était trop tard, Kelly était déjà loin.

« Mon Dieu ! Qu'ont-ils fait à Philippe et à sa famille ? Et Angel ? »

— Où allons-nous, madame ? lui demanda le chauffeur de taxi qu'elle venait de héler.

— Droit devant vous !

« Ce soir, je saurai enfin ce qui se cache derrière tout ça. En attendant, j'ai quatre heures à tuer. »

Dans son appartement, Sam Meadows était en grande conversation au téléphone.

— Oui, je comprends combien c'est important. Je m'en occupe... Elle doit arriver dans quelques minutes... Oui. J'ai pris toutes les dispositions pour faire disparaître le corps. Merci, vous êtes très généreux, monsieur Kingsley.

Sam Meadows raccrocha et consulta sa montre. Son invitée n'allait pas tarder.

CHAPITRE 36

A Tempelhof, l'aéroport de Berlin, Diane dut attendre un quart d'heure avant d'avoir un taxi.

— *Wohin ?* lui demanda le chauffeur en souriant.

— Bonjour, vous parlez anglais ?

— Bien sûr.

— Alors nous allons à l'hôtel Kempiski

Vingt-cinq minutes plus tard, elle était à la réception pour réserver sa chambre.

— Je voudrais également une voiture avec chauffeur.

— Certainement, madame. Vous avez des bagages ?

— Ils arriveront plus tard.

*

Dès que le véhicule fut prêt, Diane repartit.

— Où désirez-vous aller, madame ?

Mais elle avait encore besoin de réfléchir.

— Je voudrais commencer par visiter un peu la ville.

— Ah, il y a tant de choses à voir, à Berlin.

La capitale allemande réservait en effet bien des surprises à Diane. Elle avait encore en mémoire des photos de la ville après les bombardements de la Seconde Guerre mondiale. Quelle ne fut pas sa surprise de découvrir une métropole grouillante d'activité, aux immeubles modernes exhalant un parfum de réussite économique ! Les noms des rues en revanche la laissaient perplexe : Windscheidstrasse, Regensburgerstrasse, Lützowufer...

Tout en conduisant, le chauffeur lui racontait l'histoire des monuments, des parcs, mais Diane ne l'écoutait pas. Elle devait parler aux collègues des époux Verbrugge et découvrir ce qu'ils savaient. D'après les informations glanées sur le web, Sonja Verbrugge avait été assassinée et son mari était porté disparu. Auparavant, Sonja avait travaillé dans un cyber-café.

Elle se pencha en avant pour parler au conducteur.

— J'ai besoin de me rendre au Cyberlin Café, dit-elle en lui donnant l'adresse.

— Mais bien sûr, madame. C'est un endroit qui attire beaucoup de monde. Vous y trouverez toutes les informations que vous voulez.

« Je l'espère », songea Diane.

Le Cyberlin Café n'était pas aussi vaste que celui de Manhattan, mais l'activité y était tout aussi intense.

Diane entra, et une femme vint vers elle.

— Il y aura de la place dans dix minutes.

— J'aimerais m'entretenir avec le directeur, fit Diane.

— C'est moi. De quoi s'agit-il ?

— Eh bien j'aurais voulu vous parler de Sonja Verbrugge.

— Elle n'est pas là.

— Je le sais. Elle est morte. J'essaie justement de savoir ce qui lui est arrivé.

La directrice de l'établissement dévisagea Diane.

— C'était un accident. Quand la police a confisqué son ordinateur, ils ont découvert... (Un éclair passa dans ses yeux.) Mais attendez une minute, je vais chercher quelqu'un qui pourra mieux vous renseigner.

Diane la vit se hâter vers le fond du cyber-café, et soudain un sentiment de malaise l'envahit. Dès que la directrice eut disparu, elle fit demi-tour et remonta dans la voiture. Ce n'était pas là qu'elle trouverait les renseignements qu'elle cherchait. Elle devait essayer de parler à la secrétaire de Franz Verbrugge.

Un peu plus loin, d'une cabine téléphonique, elle appela les renseignements pour avoir le numéro de KIG, puis composa le numéro.

— KIG.

— Bonjour, j'aimerais parler à la secrétaire de Franz Verbrugge.

— De la part de qui ?

— Susan Stratford.

— Un instant, s'il vous plaît.

Dans le bureau de Tanner, une lueur bleue se mit à clignoter. Il sourit à son frère.

— C'est Diane Stevens. Voyons si nous pouvons l'aider, dit-il en actionnant un haut-parleur.

— La secrétaire n'est pas là, reprit le standardiste. Voulez-vous parler à son assistante ?

— Oui, merci.

— Un instant, s'il vous plaît.

Au bout d'un instant, une voix de femme prit la parole.

— Heidi Fronk, puis-je vous aider ?

Le cœur de Diane se mit à battre plus fort.

— Bonjour, je m'appelle Susan Stratford. Je suis journaliste au *Wall Street Journal*. Nous faisons un reportage sur les drames successifs qui ont endeuillé KIG. J'aimerais vous rencontrer.

— Je ne sais pas si...

— C'est juste pour recueillir quelques informations de fond.

Tanner écoutait attentivement.

— Etes-vous libre pour le déjeuner ?

— Non, je suis désolée.

— Pour le dîner, alors ?

Elle sentit qu'elle hésitait.

— Oui, peut-être.

— Où voulez-vous que nous nous retrouvions ?

— Il y a un restaurant qui s'appelle Rockendorf. Nous pourrions nous voir là-bas à vingt heures trente ?

— Oui, c'est parfait.

Diane raccrocha, le sourire aux lèvres.

Tanner se retourna vers Andrew.

— Nous allons faire ce par quoi nous aurions dû commencer. J'appelle Greg Holliday. Je lui confie immédiatement l'affaire. Il n'a jamais commis d'erreur. Cela va nous coûter les yeux de la tête, mais ça en vaut la peine, ajouta-t-il en esquissant un sourire.

CHAPITRE 37

SAM Meadows habitait au 14, rue du Bourg-Tibourg, dans le IVe arrondissement. Plus Kelly se rapprochait de son but, plus elle doutait. Sa course folle touchait à son terme, elle allait enfin avoir des réponses. Soudain, craignant ce qu'elle allait découvrir, elle eut envie de faire demi-tour.

Elle sonna à la porte. Dès qu'elle vit Sam devant elle, toutes ses peurs s'envolèrent. C'était bon de se retrouver face à un ami de Mark, et elle se sentit apaisée.

— Kelly ! s'écria-t-il en la serrant dans ses bras.

— Oh, Sam.

— Entre, dit-il en la prenant par la main.

Sam Meadows possédait un charmant trois-pièces dans un ancien hôtel particulier, autrefois propriété d'une famille d'aristocrates.

Le salon était spacieux et luxueusement orné de meubles français. Dans une petite alcôve se trouvait un curieux bar de chêne sculpté. Sur les murs, des dessins de Man Ray et Adolf Wölfli.

— Tu ne peux pas savoir à quel point la mort de Mark m'a bouleversé, fit-il avec maladresse.

285

— Je sais, murmura-t-elle en lui tapotant le bras.

— C'est incroyable.

— J'essaie de découvrir ce qui est arrivé. C'est la raison de ma présence. J'espère que tu pourras m'aider.

Elle s'assit sur le canapé, remplie d'impatience et d'appréhension.

Sam se rembrunit.

— Personne ne sait exactement ce qui s'est passé. Mark travaillait sur un projet top-secret. Apparemment, il collaborait avec deux ou trois autres employés de Kingsley International. Ils disent qu'il s'est suicidé.

— Je n'y crois pas une seconde, s'enflamma Kelly.

— Moi non plus. (Sa voix se radoucit.) Et tu sais pourquoi ? A cause de toi.

Elle le regarda, surprise.

— Je ne comprends pas...

— Comment Mark aurait-il pu abandonner une femme aussi belle que toi ? Comment un homme pourrait-il renoncer à pareille créature ? (Il se rapprochait d'elle.) Ce qui s'est passé est terrible, Kelly, mais la vie continue, non ? (Il lui prit la main.) On a tous besoin de quelqu'un. Mark est parti, mais moi je suis toujours là. Tu es le genre de femme qui a besoin d'être protégée par un homme.

— Moi ?...

— Mark m'a raconté combien tu étais passionnée. Il dit que tu aimes vraiment ça.

Kelly se retourna, interloquée. Jamais Mark n'aurait raconté une telle chose. Jamais il n'aurait parlé d'elle à quiconque en ces termes.

Son bras s'enroula autour de ses épaules.

— Oui. Mark m'a confié que tu étais une vraie tigresse, que tu étais le coup du siècle.

Kelly se sentit prise de panique.

— Et si ça peut te rassurer, il n'a pas souffert.

Elle le regarda dans les yeux, et elle comprit.

— Nous allons passer à table dans quelques minutes. Si on faisait un petit câlin, en guise d'apéritif?

Elle se sentit soudain très vulnérable et se força à sourire.

— Pourquoi pas? réussit-elle à articuler.

Son esprit réfléchissait à toute vitesse. Il était trop fort pour qu'elle puisse l'affronter, et elle n'avait aucune arme.

La main de Sam s'égarait.

— Tu sais que tu as un cul d'enfer? Ça m'excite terriblement.

— C'est vrai? (Elle lui sourit, puis huma les odeurs qui s'échappaient de la cuisine.) J'ai faim. Ça sent bon par ici.

— C'est le dîner qui cuit.

Avant qu'il ait pu l'arrêter, elle s'était levée pour aller voir. En passant près de la table, elle eut un choc : le couvert était mis pour une seule personne.

Elle se retourna. Sam s'était levé lui aussi. Elle le vit aller à la porte, fermer à clef puis ranger la clef dans le tiroir d'une armoire.

Kelly regarda autour d'elle, à la recherche d'une arme. Impossible de savoir où étaient rangés les couteaux. Sur le comptoir, se trouvait une boîte de capellini. Sur la cuisinière, bouillait une casserole d'eau, à côté d'une autre, plus petite, où mijotait une sauce à la tomate.

A son tour, Sam pénétra dans la cuisine et passa un bras autour d'elle. Les yeux rivés sur la sauce, elle feignit l'indifférence.

— Ça a l'air délicieux.

Il se mit à la caresser.

— Ça l'est. Dis-moi, qu'est-ce que tu préfères, au lit?

Les pensées se bousculaient dans la tête de la jeune femme. Elle répondit doucement :

— J'aime tout. Mais tu sais, il y avait un truc particulier qui excitait Mark. Ça le faisait grimper aux rideaux.

287

L'œil de Sam se mit à briller de convoitise.

— Quoi donc ?

— Je prenais un tissu chaud et humide et... (Elle attrapa un torchon sur l'évier.) Tu vas voir. Enlève ton pantalon.

Sam Meadows était comblé. Il déboutonna sa ceinture, et son pantalon lui tomba sur les chevilles.

— Ton caleçon, à présent.

Il s'exécuta. Son membre dressé surgit.

— Wouah ! fit Kelly d'un ton admiratif.

Alors, le torchon bien serré dans sa main droite, elle attrapa la casserole d'eau bouillante et jeta le contenu sur l'entrejambe de Sam Meadows.

Ses hurlements résonnèrent dans tout l'appartement. Sans demander son reste, Kelly fila vers l'entrée, ouvrit le tiroir de l'armoire, prit la clef, déverrouilla la porte et s'enfuit.

CHAPITRE 38

ROCKENDORF comptait parmi les restaurants les plus connus d'Allemagne. Son décor Art nouveau était l'un des symboles de la prospérité berlinoise.

A son arrivée, Diane fut accueillie par le maître d'hôtel.

— Puis-je vous aider, madame?

— J'ai réservé au nom de Stevens. J'attends une amie.

Le maître d'hôtel la mena à une table située dans un angle. Une fois assise, elle regarda attentivement autour d'elle. Il y avait là une quarantaine de clients, qui devaient tous être plus ou moins dans les affaires. En face de Diane, un homme séduisant dînait seul. Elle repensa à sa conversation avec Heidi Fronk. Que savait-elle exactement? Le maître d'hôtel lui tendit un menu.

— Merci.

Leberkäs, Haxen, Labskaus... Le nom des plats lui était totalement inconnu. Heidi Fronk lui expliquerait.

Diane regarda sa montre. Son invitée avait déjà vingt minutes de retard. Un serveur s'approcha.

— Puis-je prendre votre commande?

— Non, merci, j'attends mon amie.

Les minutes s'écoulaient. Diane commençait à se demander s'il n'y avait pas eu un imprévu.

Au bout d'un quart d'heure, le serveur revint.

— Puis-je vous servir quelque chose en attendant ?

— Je vous remercie, mais mon invitée ne devrait plus tarder à présent.

Hélas, à vingt et une heure trente, Heidi Fronk n'était toujours pas là. A sa grande déception, Diane comprit qu'elle ne viendrait pas.

En examinant de nouveau les lieux, elle aperçut deux hommes attablés près de l'entrée, mal habillés, l'air louche. Le mot « voyous » lui vint immédiatement à l'esprit. Elle vit le serveur s'approcher d'eux, mais ils le congédièrent sans ménagement. Visiblement, ils n'étaient pas là pour la nourriture. Ils se retournèrent vers Diane. Alors, avec un profond désespoir, elle réalisa qu'elle avait été piégée. Heidi Fronk l'avait menée en bateau. Elle sentit son cœur battre plus fort et regarda autour d'elle, à la recherche d'une issue. Il n'y en avait aucune. Bien sûr, elle pouvait rester assise là, mais il faudrait bien qu'elle s'en aille, et alors ils l'attraperaient. Son portable ne lui servait à rien, car elle ne connaissait personne dans cette ville.

A force de regarder autour d'elle, ses yeux s'arrêtèrent sur son élégant voisin qui sirotait son café. Diane lui sourit et le salua.

— Bonsoir.

Il leva les yeux, surpris, et lui répondit avec amabilité :

— Bonsoir.

— Je vois que vous êtes seul vous aussi, fit-elle d'un ton enjoué. Voulez-vous vous joindre à moi ?

Il hésita un instant, puis répondit en souriant :

— Mais bien sûr.

Il vint s'asseoir en face de Diane.

— Ce n'est pas drôle de dîner seul, vous ne trouvez pas ?

— Vous avez tout à fait raison.

— Je m'appelle Diane Stevens, déclara-t-elle en lui tendant la main.

— Greg Holliday.

Kelly sortit de chez Sam Meadows, terrifiée. Après avoir pris la fuite, elle remonta jusqu'à Montmartre et passa la nuit à arpenter les rues, regardant régulièrement derrière elle pour s'assurer qu'elle n'était pas suivie. « Je ne peux quand même pas quitter Paris sans avoir découvert ce qui s'était passé ! »

A l'aube, elle fit halte dans un petit café. Soudain, elle eut une idée : l'assistante de Mark. Elle l'adorait. Kelly était persuadée qu'elle ferait tout pour l'aider.

A neuf heures, elle se rendit dans une cabine téléphonique et composa ce numéro qu'elle connaissait si bien. Une standardiste au fort accent français lui répondit :

— Kingsley International Group.

— Bonjour, je voudrais parler à Dominique Viel.

— Un moment s'il vous plaît.

Quelques secondes plus tard, Kelly l'entendit répondre :

— Dominique Viel. Puis-je vous aider ?

— Dominique ? C'est Kelly Harris.

— Oh ! s'exclama-t-elle. Madame Harris...

Dans le bureau de Tanner Kingsley, une lueur bleue s'alluma.

Il empoigna le téléphone. Il était trois heures du matin à New York, mais il avait résolu de ne pas quitter son bureau avant que l'affaire soit définitivement enterrée. A présent, il écoutait la conversation des deux femmes à Paris.

— Je suis vraiment navrée pour ce qui est arrivé à M. Harris. C'est épouvantable.

— Merci, Dominique. J'ai besoin de vous parler. Pourrions-nous nous voir ? Etes-vous libre pour le déjeuner ?

— Oui.

— Retrouvons-nous dans un lieu public.

— Vous connaissez le Ciel de Paris ? C'est le restaurant de la tour Montparnasse.

Tanner Kingsley prit note mentalement.

— A treize heures ?

— C'est parfait, à tout à l'heure.

Tanner se réjouit. « Profite bien de ton dernier repas. » Il ouvrit le tiroir fermé à clef, et saisit le combiné du téléphone d'or.

Lorsqu'on décrocha à l'autre bout de la ligne, Tanner dit simplement :

— Bonnes nouvelles. C'est terminé. Nous les tenons toutes les deux.

Il écouta, puis acquiesça.

— Je sais. Cela a pris un peu plus de temps que prévu, mais à présent nous pouvons continuer... Moi aussi... A plus tard.

La tour Montparnasse. Deux cents dix mètres de verre et d'acier. Une véritable ruche grouillante d'activité. Tous les étages étaient occupés par des bureaux. Le bar et le restaurant étaient situés au sommet, au cinquante-sixième étage.

Kelly était la première. Dominique arriva avec un quart d'heure de retard, en s'excusant. Kelly ne l'avait pas vue souvent, mais elle se souvenait très bien d'elle. C'était une femme minuscule au visage sympathique.

— Merci d'être venue.

— Je ferais n'importe quoi... M. Harris était un homme merveilleux. Au bureau, tout le monde l'adorait. Nous n'arrivons pas à croire ce qui s'est passé.

— C'est ce dont je voulais que nous parlions, Dominique. Vous avez travaillé avec lui pendant cinq ans, donc vous le connaissiez bien.

— Oh oui.

— Avez-vous remarqué quelque chose au cours de ces derniers mois qui vous ait paru étrange ? Je veux dire, avez-vous constaté un changement dans son attitude, dans ses propos ?

La secrétaire évitait son regard.

— Je ne suis pas certaine...

292

— Rien de ce que vous direz ne pourra plus le blesser à présent, déclara Kelly en toute franchise. Et cela pourrait m'aider à comprendre ce qui s'est passé. (Elle se blinda avant de poser la dernière question :) A-t-il jamais parlé d'Olga ?

Dominique la regarda, perplexe.

— Olga ? Non.

— Vous ne savez pas de qui il s'agit ?

— Aucune idée.

Soulagée, Kelly se pencha en avant.

— Est-ce que vous essayez de me cacher quelque chose ?

— Eh bien...

Le serveur s'approcha.

— Bonjour mesdames. Avez-vous fait votre choix ?

— Oui, nous allons prendre le chateaubriand pour deux.

Dès qu'il fut parti, Kelly reprit :

— Vous disiez ?

— Eh bien, dans les jours qui ont précédé sa mort, M. Harris semblait très nerveux. Il m'a demandé de lui réserver un billet pour Washington.

— Je suis au courant. Je croyais qu'il s'agissait d'un voyage de routine.

— Non. Ça n'avait rien d'ordinaire. C'était une urgence.

— Avez-vous idée de quoi il s'agissait ?

— Pas la moindre. Soudain, tout est devenu très secret. C'est tout ce que je sais.

Pendant l'heure qui suivit, Kelly pressa Dominique de questions, mais sans succès. Elle ne savait rien d'autre.

A la fin de leur conversation, elle lui demanda :

— Pourriez-vous éviter de parler de notre entrevue à qui que ce soit ?

— N'ayez crainte, madame Harris, personne n'en saura rien. Bien, il faut que je retourne travailler, dit-elle en se levant. Mais vous savez, rien ne sera plus jamais comme avant.

Ses lèvres tremblaient.

— Merci, Dominique.

Elle n'en savait pas plus. Ni sur la personne que Mark devait voir à Washington, ni sur ces étranges appels téléphoniques en Allemagne, à Denver et à New York.

Kelly prit l'ascenseur pour redescendre. « Je vais appeler Diane pour voir ce qu'elle a trouvé. Peut-être... »

C'est en arrivant à la sortie qu'elle les vit. Deux gorilles, de chaque côté de la porte. Ils la regardèrent, et échangèrent un sourire. La jeune femme savait qu'il n'y avait pas d'autre issue. « Dominique m'aurait-elle trahie ? »

Les deux hommes commencèrent à avancer vers elle, bousculant sans ménagement les gens qui entraient et sortaient.

La jeune femme regarda tout autour d'elle, affolée, et recula jusqu'au mur. Son coude heurta quelque chose de dur. Elle jeta un coup d'œil machinal. Et sans plus réfléchir, elle saisit le petit marteau et brisa la glace pour déclencher l'alarme incendie. Soudain des sonneries se mirent à retentir dans tout le bâtiment. Kelly se mit à hurler :

— Au feu ! Au feu !

La réaction fut instantanée : pris de panique, les gens se mirent à courir en tous sens, se ruant tous en désordre vers la sortie. Les deux hommes essayèrent de rattraper Kelly, mais elle avait disparu.

A présent, les clients se pressaient au Rockendorf.

— J'attendais une amie, expliqua Diane à son séduisant voisin. Mais on dirait qu'elle m'a posé un lapin.

— Quel dommage. Et vous êtes à Berlin en vacances ?

— Oui.

— C'est une ville magnifique. Je vous l'aurais bien fait visiter si je n'étais pas marié. Toutefois je peux vous recommander d'excellents guides.

— C'est très gentil.

Elle jeta un coup d'œil à la porte et vit les deux hommes sortir. Ils allaient l'attendre dehors. Il était temps de partir.

— En fait, ajouta-t-elle, je suis en voyage organisé. (Elle consulta sa montre.) Mes camarades doivent m'attendre à présent. Pourriez-vous me raccompagner jusqu'à un taxi?

— Bien sûr.

Quelques instants plus tard, ils s'acheminaient vers la sortie.

Diane respirait. Seule, elle n'avait aucune chance. Mais elle était sûre qu'ils n'oseraient pas l'attaquer si elle était accompagnée. Cela eût trop attiré l'attention.

Effectivement, dehors, il n'y avait plus personne. Devant le restaurant stationnait un taxi. Une Mercedes était garée derrière.

— Je suis heureuse d'avoir fait votre connaissance, monsieur Holliday. J'espère que...

Il lui sourit et la saisit par le bras, serrant si fort que Diane ressentit une atroce douleur.

Elle le regarda, stupéfaite.

— Mais?...

— Nous allons prendre la voiture, dit-il doucement.

A présent, il entraînait Diane vers la Mercedes, lui tordant le bras de plus en plus douloureusement.

— Non, je ne veux pas...

En arrivant près du véhicule, elle aperçut les deux hommes du restaurant assis à l'avant. Horrifiée, elle comprit soudain ce qui s'était passé et une véritable terreur s'empara d'elle.

— Non, je vous en supplie, je...

Elle fut poussée sans ménagement à l'intérieur. Greg Holliday monta derrière elle et ferma la portière.

— *Schnell!*

Ils démarrèrent et se mêlèrent à la circulation dense. Diane était hystérique.

— Je vous en prie!

Greg Holliday se retourna vers elle et lui adressa un sourire rassurant.

— Détendez-vous. Nous ne vous ferons aucun mal. Je vous promets que dès demain, vous serez de retour chez vous.

Dans une poche fixée sur le siège avant, il prit une seringue hypodermique.

— Je vais vous faire une petite piqûre. Ce n'est rien. C'est juste pour vous endormir une heure ou deux.

Il empoigna à nouveau le bras de Diane.

— *Scheisse!* s'écria le conducteur.

Un piéton avait brusquement surgi sur la chaussée, obligeant la Mercedes à piler. Emportée par l'élan, la tête de Greg Holliday vint cogner contre le montant métallique de l'appuie-tête avant. Étourdi par le choc, il essaya de se rasseoir et hurla :

— Mais qu'est-ce que...

Sans perdre une seconde, Diane saisit sa chance. Elle arracha la seringue de la main de son agresseur, et la lui planta dans le bras.

Holliday se retourna vers elle, décomposé.

— Non! cria-t-il.

Vision d'horreur : sous les yeux de Diane, il fut soudain pris de spasmes, et en quelques secondes il tomba raide mort. A l'avant, les deux compères se retournèrent pour voir ce qui se passait. Mais Diane s'était déjà enfuie et avait attrapé un taxi allant dans la direction opposée.

CHAPITRE 39

LA sonnerie de son portable la fit sursauter. Elle décrocha avec prudence.

— Allô ?

— Allô, Kelly.

— Diane ! Où es-tu ?

— A Munich. Et toi ?

— Sur un ferry, je traverse la Manche pour me rendre à Londres.

— Comment s'est passée ta rencontre avec Sam Meadows ?

— Je te raconterai plus tard. As-tu obtenu des informations ?

— Pas grand-chose. Il faut qu'on décide ce qu'on va faire maintenant. Il ne nous reste plus beaucoup de possibilités. L'avion de Gary Reynolds s'est écrasé près de Denver. Je pense que nous devrions aller faire un tour là-bas. C'est probablement notre dernière chance.

— Très bien.

— La nécrologie disait qu'il avait une sœur à Denver. Peut-être sait-elle quelque chose. Pourquoi ne pas nous retrouver là-bas ? Au Brown Palace Hotel. Je prends l'avion à l'aéroport Schoenfeld à Berlin dans trois heures.

— Je partirai de Heathrow.

— Parfait. Je réserverai une chambre au nom de Harriet Beecher Stowe.

— Diane... Tu sais...

— Oui. Toi aussi.

Seul dans son bureau, Tanner était en grande conversation sur le téléphone d'or.

— ... et elles ont réussi à s'échapper. Sam Meadows a perdu le sens de l'humour, et Greg Holliday est mort. (Il se tut un moment pour réfléchir.) Logiquement, le seul endroit où elles peuvent se rendre à présent, c'est Denver. C'est leur dernière chance... On dirait que je vais devoir régler le problème moi-même. Elles ont réussi à gagner mon respect, aussi est-il juste que je m'occupe de leur cas dans les règles. (Il écouta, puis éclata de rire.) Oui, bien sûr. A bientôt.

Andrew rêvassait dans son bureau. Dans son esprit défilaient d'étranges visions. Il était sur un lit d'hôpital, et Tanner lui murmurait : « Tu me surprends, Andrew. Tu aurais dû mourir. Et voilà que les docteurs me disent que tu seras dehors dans quelques jours. Je vais te donner un bureau chez Kingsley International. Je veux que tu voies comment je me débrouille. Ah ! tu refusais de comprendre, hein ! Eh bien je vais transformer ton institut caritatif en mine d'or, et tu seras aux premières loges. Au fait, la première mesure que j'ai prise, c'est de mettre un terme à tous tes projets humanitaires, Andrew... Andrew... Andrew... »

Les appels allaient crescendo.

— Andrew ! Tu es sourd !

Tanner l'appelait. Andrew se leva et se rendit dans le bureau de son frère.

Tanner leva les yeux.

— J'espère que je ne t'ai pas interrompu dans ton travail ? fit-il sarcastique.

— Non, j'étais...

Tanner le scrutait.

— Tu n'es vraiment bon à rien, hein, Andrew ? Tu ne sèmes rien, et tu ne récoltes rien. C'est utile pour moi d'avoir sous la main quelqu'un à qui parler, mais je ne sais pas si je vais supporter encore bien longtemps de t'avoir dans les jambes.

Kelly arriva à Denver la première et prit une chambre au vénérable Brown Palace Hotel.

— J'attends une amie qui devrait arriver cet après-midi.

— Voulez-vous une deuxième chambre ?

— Non, une double fera l'affaire.

Dès qu'elle atterrit à l'aéroport international de Denver, Diane bondit dans un taxi et fila à l'hôtel. A la réception, elle donna son nom.

— Oui, madame Stevens, Mme Stowe vous attend. Chambre 638.

La jeune femme poussa un soupir de soulagement. Impatiente, elle courut retrouver son amie.

— Tu m'as manqué.

— A moi aussi. Comment s'est passé ton voyage ?

— Dieu merci, il n'est rien arrivé. Et toi, ton séjour à Paris s'est-il déroulé comme prévu ?

Kelly inspira profondément.

— Tanner Kingsley. Et à Berlin ?

— Tanner Kingsley, fit Diane avec lassitude.

Sur la table, la top model attrapa un annuaire.

— Regarde, Loïs, la sœur de Gary Reynolds, je l'ai trouvée. Elle habite Marion Street.

— Très bien, la félicita son amie en jetant un coup d'œil à sa montre. Il est trop tard pour entreprendre quoi que ce soit maintenant. Nous irons la voir demain matin.

Elles dînèrent dans leur chambre et discutèrent jusqu'à minuit.

Au moment de se coucher, elles se dirent bonne nuit, et Diane éteignit la lumière, plongeant la chambre dans l'obscurité.

— Non ! hurla Kelly. Rallume !

— Je suis désolée, fit Diane en s'exécutant. J'avais oublié.

— J'avais peur du noir, jusqu'à ce que je rencontre Mark. Depuis qu'il est mort... (Elle commençait à étouffer et luttait pour ne pas céder à la panique. Elle inspira profondément.) J'aimerais tellement que cela cesse.

— Ne t'inquiète pas. Quand tu te sentiras vraiment en sécurité, ça s'arrêtera.

Le lendemain matin, les deux jeunes femmes quittèrent l'hôtel de bonne heure. Une file de taxis attendait, et elles montèrent dans le premier. Kelly donna l'adresse de Loïs Reynolds, sur Marion Street.

Un quart d'heure plus tard, le chauffeur s'arrêta devant :

— Vous y voilà.

Les deux amies jetèrent un coup d'œil par la vitre, consternées. Devant elles s'étalaient les vestiges carbonisés d'une demeure ravagée par les flammes. L'incendie n'avait laissé que quelques moignons de bois noirs et une cendre épaisse sur les fondations de béton.

— Les salauds, ils l'ont tuée, s'exclama Kelly. (Elle regarda Diane, désespérée.) Voilà, nous sommes arrivées au bout du voyage.

— Non, il y a encore une chance.

*

Ray Fowler, le sévère directeur de l'aéroport de Denver, jeta un regard méfiant à ses visiteuses.

300

— Voyons voir si j'ai bien compris. Vous enquêtez sur un accident d'avion sans avoir été mandatées par aucune autorité, et vous voudriez que je vous permette d'interroger le contrôleur aérien qui était de service ce jour-là afin qu'il vous révèle des informations confidentielles ? C'est cela ?

Elles se regardèrent.

— Eh bien, fit Kelly, nous espérions...

— Vous espériez quoi ?

— Que vous nous aideriez.

— Et pourquoi le ferais-je ?

— Monsieur Fowler, nous voulons juste nous assurer que Gary Reynolds a bel et bien eu un accident.

Ray Fowler les observait attentivement.

— Intéressant.

Il s'assit, sans mot dire, puis continua.

— C'est une question que je me pose moi aussi depuis un certain temps. Peut-être devriez-vous en discuter avec Howard Miller, finalement. C'est lui qui était de service ce jour-là. Voici son adresse. Je vais l'appeler pour lui annoncer votre visite.

— Merci, fit Diane, c'est très aimable à vous.

— La seule raison pour laquelle je fais ça, c'est parce que le rapport de la FAA est un véritable torchon, grommela-t-il. Nous avons retrouvé la carcasse de l'appareil, mais, chose étrange, la boîte noire manquait. Elle avait disparu.

Howard Miller vivait dans une modeste maison, à environ dix kilomètres de l'aéroport. C'était un petit homme énergique d'une quarantaine d'années. Il ouvrit tout de suite aux deux femmes.

— Entrez, Ray Fowler m'a signalé votre visite. Que puis-je faire pour vous ?

— Eh bien, nous aimerions vous poser quelques questions, monsieur Miller.

— Asseyez-vous, dit-il en désignant le canapé. Voulez-vous un café ?

— Non merci. Nous recherchons des informations sur le crash de Gary Reynolds.

— Oui, était-ce un accident ou... ?

— Honnêtement, je n'en sais rien, répondit-il en haussant les épaules. Depuis toutes ces années, je n'ai jamais rien vu de tel. Tout se déroulait selon les règles. Gary Reynolds a lancé un appel radio pour demander la permission d'atterrir, et nous lui avons donné le feu vert. Et soudain, alors qu'il était à trois kilomètres, il nous annonce une tornade ! Vous vous rendez compte ? Une tornade ! Et rien sur nos écrans ! Un peu plus tard, j'ai appelé les bureaux de la météo. Il n'y avait pas un souffle d'air ce jour-là. A dire vrai, sur le moment j'ai pensé qu'il avait bu ou pris de la drogue. Et puis soudain, il est tombé et s'est écrasé sur le flanc d'une montagne.

— J'ai cru comprendre qu'on n'avait pas retrouvé la boîte noire ? interrogea à son tour Kelly.

— C'est un des problèmes, commenta Howard Miller, songeur. Nous avons tout retrouvé. Sauf la boîte noire. La FAA a débarqué et ils nous ont dit qu'on avait tout faux. Ils ne nous ont pas cru quand on leur a raconté ce qui s'était passé. Mais on le sent bien quand il y a quelque chose qui cloche, vous voyez ce que je veux dire ?

— Absolument.

— Donc, il y a un problème quelque part, mais je n'arrive pas à mettre le doigt dessus. Je suis désolé de ne pas pouvoir vous renseigner davantage.

Un peu déçues, les deux jeunes femmes se levèrent.

— En tout cas, merci beaucoup pour le temps que vous nous avez accordé, monsieur Miller.

— Ce n'est rien. (En les raccompagnant jusqu'à la porte, il ajouta :) J'espère que la sœur de Gary va s'en sortir.

Kelly s'arrêta net :

— Quoi ?

— Elle est à l'hôpital, vous savez. La pauvre, sa maison a brûlé en pleine nuit. On ne sait pas encore si elle va survivre.

Diane eut un frisson d'effroi.

— Que s'est-il passé ?

— D'après les pompiers, c'est un court-circuit. Loïs a réussi à ramper jusqu'à la porte, puis sur la pelouse, mais quand les secours sont arrivés, elle était dans un triste état.

— Où est-elle hospitalisée ? demanda Diane d'un ton posé.

— A l'hôpital de l'Université du Colorado. Service des grands brûlés.

Au service des grands brûlés, l'infirmière fut intraitable.

— Je regrette, mais Mme Reynolds ne doit recevoir aucune visite.

— Pouvez-vous nous dire dans quelle chambre elle se trouve ?

— Non, c'est impossible.

— Mais c'est urgent, reprit Diane. Nous devons absolument lui parler et...

— Pas sans autorisation écrite, fit-elle d'un ton qui ne souffrait aucune réplique.

Les deux amies se regardèrent. Et s'éloignèrent.

— Que fait-on ? fit Kelly. C'est notre dernière chance.

— J'ai une idée.

Un livreur en uniforme portant un gros paquet enrubanné arriva à son tour dans le service.

— J'ai un colis pour Loïs Reynolds.

— Donnez-moi le reçu, je transmettrai.

— Impossible, j'ai ordre de lui remettre en personne. C'est un objet de grande valeur.

L'infirmière hésita.

— Très bien, je vous accompagne.

303

Le garçon suivit l'infirmière jusqu'au bout du couloir. Lorsqu'ils atteignirent la chambre 391, elle ouvrit la porte :

— Vous pouvez le déposer à l'intérieur.

*

Quelques instants plus tard, le livreur retrouva Diane et Kelly, un étage plus bas.

— C'est la chambre 391.

— Merci, fit Diane en lui glissant un billet.

Les deux femmes montèrent à leur tour discrètement au deuxième étage, attendirent que l'infirmière aille répondre au téléphone, puis, quand elle eut le dos tourné, se faufilèrent dans le couloir et pénétrèrent dans la chambre 391.

Loïs Reynolds gisait sur un lit au beau milieu d'un enchevêtrement de tuyaux et de fils. Elle portait des bandes sur tout le corps. Les deux jeunes femmes s'approchèrent. Elle avait les yeux fermés.

— Madame Reynolds, je m'appelle Diane Stevens, et voici Kelly Harris. Nos maris travaillaient pour Kingsley International.

Les paupières de Loïs se soulevèrent péniblement, dévoilant des yeux vitreux. Elle murmura d'une voix à peine audible :

— Quoi ?

— Nos maris étaient employés chez Kingsley International, reprit Kelly. Ils ont été tués, tous les deux. Nous pensons qu'en raison de ce qui est arrivé à votre frère, vous pourrez peut-être nous aider.

Elle essaya de secouer la tête.

— Je ne peux pas... Gary est mort.

Ses yeux se gonflèrent de larmes. Diane s'approcha.

— Votre frère a-t-il dit quelque chose avant son accident ?

— C'était un homme merveilleux. (Elle s'exprimait avec une lenteur douloureuse.) Son avion s'est écrasé.

Ses paupières se refermèrent.

— Madame Reynolds, s'il vous plaît, ne vous rendormez pas. Je vous en prie. C'est très important. Votre frère a-t-il dit quelque chose qui pourrait nous aider à comprendre ce qui s'est passé ?

Loïs rouvrit les yeux, et regarda Diane avec méfiance.

— Mais qui êtes-vous ?

— Nous pensons que votre frère a été assassiné.

— Je sais..., murmura la blessée.

Les deux jeunes femmes furent soudain prises de vertige.

— Pourquoi ? demanda Kelly.

— Prima.

— Prima ? Qu'est-ce que c'est ? fit à nouveau Kelly en se penchant davantage.

— Gary m'a tout dit... quelques jours avant... d'être tué. C'est une machine... qui contrôle le climat. Pauvre Gary. Il n'est jamais arrivé à Washington.

— Washington ?

— Oui... Ils devaient tous s'y retrouver... pour voir une sénatrice... tout lui raconter... Gary disait que Prima était une catastrophe.

— Vous vous souvenez du nom de cette sénatrice ?

— Non.

— Essayez de vous en souvenir.

— C'est peut-être Levin... non, Luven, van Luven. Il allait la voir. Il devait...

A cet instant, la porte s'ouvrit, et un médecin en blouse blanche entra, un stéthoscope autour du cou. Il jeta aux deux femmes un regard courroucé.

— Vous ne savez pas que les visites sont interdites ?

— Non, nous n'étions pas au courant, nous avions besoin de...

— A présent, sortez.

Les deux femmes jetèrent un dernier regard à Loïs Reynolds et s'en allèrent. L'homme s'approcha du lit, se pencha sur Loïs et saisit un oreiller...

CHAPITRE 40

KELLY et Diane retraversèrent l'hôpital.
— Voilà donc pourquoi Richard et Mark voulaient se rendre à Washington : pour voir la sénatrice van Luven.

— Comment allons-nous la contacter ?

— Oh, c'est facile, déclara Diane en sortant son portable.

— Non, l'arrêta Kelly, allons plutôt dans une cabine téléphonique.

Elles appelèrent d'abord les renseignements pour obtenir le numéro de téléphone du Sénat, puis Diane composa le numéro.

— Bureau de la sénatrice van Luven.

— Bonjour, j'aimerais parler à la sénatrice.

— De la part de qui ?

— C'est personnel.

— Votre nom, s'il vous plaît ?

— Je ne peux pas vous le donner : dites-lui que c'est très important.

— Je suis désolée, madame, c'est impossible, dit-elle en raccrochant.

Diane se retourna vers Kelly :

— On ne peut pas dévoiler notre identité.

Elle reprit le combiné et rappela.

— Bureau de la sénatrice van Luven.

— Je vous en prie, écoutez-moi. C'est très important. J'ai vraiment besoin de parler à la sénatrice van Luven, et je dois garder l'anonymat.

— Alors je suis désolée, mais je ne peux pas vous la passer.

La secrétaire raccrocha.

Diane rappela une troisième fois.

— Bureau de la sénatrice van Luven.

— S'il vous plaît, ne raccrochez pas. Je sais que vous faites votre travail, mais c'est une question de vie ou de mort. J'appelle d'une cabine publique. Je vais vous donner le numéro. S'il vous plaît, demandez à la sénatrice de me rappeler.

La secrétaire prit le numéro puis raccrocha.

— Qu'est-ce qu'on fait, maintenant ? demanda Kelly.

— Eh bien il faut attendre.

Au bout de deux heures, Diane finit par se décourager.

— Je crois que ça ne marchera pas.

C'est alors que le téléphone sonna. Diane inspira profondément, et se précipita sur le combiné.

— Allô ?

A l'autre bout de la ligne, une voix de femme répondit sèchement.

— Ici la sénatrice van Luven. Qui est à l'appareil ?

Diane fit signe à Kelly de s'approcher afin qu'elles puissent toutes deux entendre ce que disait leur interlocutrice. Elle était si émue qu'elle parvenait à peine à s'exprimer.

— Madame la sénatrice, je m'appelle Diane Stevens, et je me trouve actuellement avec Kelly Harris. Savez-vous qui nous sommes ?

— Non, je suis désolée, je ne vois pas.

— Nos maris ont été tués alors qu'ils allaient vous rencontrer.

— Mon Dieu, souffla-t-elle. Richard Stevens et Mark Harris.

— Exactement.

— Tous deux avaient pris rendez-vous avec moi, mais ma secrétaire a reçu un appel disant qu'ils annulaient. Ensuite... ils sont morts.

— Ce n'est pas eux qui ont téléphoné. Ils ont été tués alors même qu'ils se rendaient auprès de vous.

— Comment ? s'écria-t-elle visiblement choquée. Mais pourquoi...

— On les a tués pour les empêcher de vous parler. Kelly et moi nous aimerions venir vous voir à Washington afin de tout vous raconter.

Il y eut une brève hésitation.

— Je veux bien vous rencontrer, mais pas à mon bureau. Ce ne serait pas assez discret. De plus, si ce que vous dites est vrai, ce serait dangereux. J'ai une maison sur Long Island, à Southampton. Nous pourrions nous retrouver là-bas. D'où appelez-vous ?

— De Denver.

— Très bien, ne quittez pas.

Trois minutes plus tard, la sénatrice reprit la ligne.

— Le prochain avion pour New York part cette nuit. C'est un vol United Airlines, direct jusqu'à La Guardia. Il décolle à minuit vingt-cinq et se pose à New York à six heures neuf. S'il est déjà complet, il y en a...

— Nous prendrons celui-ci.

Kelly regarda Diane avec surprise.

— Et si on n'y arrive pas...

— Ne t'inquiète pas, fit Diane avec assurance.

— Quand vous arriverez, continua la sénatrice, une Lincoln Town Car grise vous attendra. Allez-y tout de suite. Le chauffeur est asiatique. Il s'appelle Kunio. K-U-N-I-O. Il vous conduira chez moi. Je vous attendrai là-bas.

— Merci, madame la sénatrice.

Diane raccrocha en poussant un profond soupir. Puis elle se retourna vers Kelly.

— Les jeux sont faits.

— Comment peux-tu être sûre que nous aurons des places sur ce vol ?

— J'ai un plan.

*

A l'hôtel, le concierge leur trouva très vite une voiture de location : trois quarts d'heure plus tard, elles étaient sur le chemin de l'aéroport.

— J'ai tellement hâte de rencontrer la sénatrice, mais j'ai aussi très peur, fit Kelly.

— Je crois que nous n'avons plus rien à craindre.

— Peut-être, mais beaucoup de gens ont essayé d'arriver jusqu'à elle, et personne n'a réussi, Diane. Ils ont tous été tués.

— Dans ce cas, nous serons les premières.

— J'aimerais tellement...

— Je sais, Kelly, avoir une arme, tu l'as déjà dit. Mais nous avons notre tête, et c'est déjà beaucoup.

— Quand même, j'aimerais avoir une arme.

Kelly regardait par la fenêtre. Soudain elle dit :

— Arrête-toi là.

Diane se gara.

— Qu'y a-t-il ?

— J'ai quelque chose à faire.

Elles s'étaient arrêtées devant un salon de coiffure. Kelly ouvrit la portière et descendit.

— Où vas-tu ?

— Chez le coiffeur.

— Tu plaisantes ?

— Pas du tout.

— Tu vas chez le coiffeur, maintenant ! Kelly, je te rappelle que nous sommes en route pour l'aéroport, nous avons un avion à prendre, et nous n'avons pas le temps de...

— Diane, on ne peut pas savoir ce qui va se passer. Et si jamais je dois mourir, j'aimerais au moins être coiffée.

Bouche bée, Diane vit Kelly entrer dans le salon de coiffure.

Vingt minutes plus tard, elle en ressortit, portant une perruque noire au chignon spectaculaire.

— Je suis prête, nous pouvons donner l'assaut, s'écria-t-elle.

CHAPITRE 41

— **I**L Y A une Lexus blanche qui nous suit, dit soudain Kelly.

— Je l'ai vue. Et une demi-douzaine de types dedans.

— Tu peux les semer?

— Pas besoin.

— Comment? fit Kelly déconcertée.

— Regarde.

Elles approchaient de l'entrée de l'aéroport réservée aux livraisons. Le garde qui surveillait les allées et venues actionna la barrière pour les laisser passer.

Les passagers de la Lexus virent Kelly et Diane descendre de voiture pour monter dans un véhicule appartenant à l'aéroport qui tout de suite prit la direction des pistes.

Quand la Lexus s'approcha du garde, celui-ci interpella le conducteur :

— C'est une entrée réservée au service.

— Mais elles, vous les avez laissées passer?

— C'est une entrée réservée au service, répéta-t-il.

Et il referma la barrière.

*

La voiture de l'aéroport déposa Kelly et Diane juste à côté d'un Jumbo jet. Là, elles retrouvèrent Howard Miller.

— Tout s'est bien passé ?

— Oui, fit Diane. Merci pour tout ce que vous avez fait.

— C'est un plaisir. (Il se rembrunit :) J'espère que tout ira bien pour vous.

— Remerciez Loïs Reynolds pour tout, ajouta Kelly, et dites-lui bien...

— Elle est morte la nuit dernière, déclara-t-il sombrement.

Les deux jeunes femmes eurent un choc. Il fallut un moment à Kelly pour retrouver l'usage de la parole.

— Je suis désolée.

— Que s'est-il passé ? interrogea Diane.

— Je crois que c'est le cœur qui a lâché.

Howard Miller jeta un coup d'œil à l'avion.

— Il est prêt à partir. Je me suis arrangé pour qu'on vous réserve des places près de la sortie.

— Merci encore.

Le directeur de l'aéroport les vit gravir la rampe d'accès. Quelques instants plus tard, la porte de l'appareil se referma et les moteurs s'allumèrent.

A l'intérieur, Kelly se tourna vers Diane en souriant :

— On a réussi ! On a battu ces petits génies à leur propre jeu. Que feras-tu après avoir vu la sénatrice van Luven ?

— Je n'y ai pas vraiment réfléchi. Je suppose que toi, tu vas rentrer à Paris ?

— Ça dépend. Retourneras-tu à New York ?

— Je pense.

— Alors peut-être que j'y séjournerai aussi un moment.

— Ensuite on pourrait aller à Paris ensemble.

Elles échangèrent un sourire complice.

— Je me disais combien Richard et Mark seraient fiers de

nous s'ils savaient que nous allons terminer ce qu'ils avaient commencé, continua Diane.

— Oh oui !

Elle regarda le ciel à travers le hublot et murmura doucement :

— Merci, Richard.

Kelly lui lança un regard muet et secoua la tête.

« Richard, je sais que tu m'entends, mon amour. Nous allons achever ce que tu avais entrepris. Nous allons vous venger, toi et tes amis. Cela ne te ramènera pas, bien sûr, mais cela nous fera du bien. Tu sais ce qui me manque le plus ? Tout. »

Quand l'avion atterrit à l'aéroport de La Guardia, trois heures et demie plus tard, Diane et Kelly furent les premières à descendre. Elles se remémoraient les paroles de la sénatrice van Luven : « Quand vous arriverez, une Lincoln Town Car grise vous attendra. »

Effectivement, un véhicule stationnait devant l'entrée du terminal. Debout, juste à côté, attendait un chauffeur japonais d'un certain âge, en uniforme. Quand il vit les deux femmes venir vers lui, il se redressa.

— Madame Stevens ? Madame Harris ?

— Oui.

— Je suis Kunio.

Il leur ouvrit la portière et elles montèrent en voiture. Quelques instants plus tard, elles étaient en route pour Southampton.

— Le trajet dure deux heures. Le paysage est magnifique, leur dit Kunio.

Mais le paysage était bien la dernière de leurs préoccupations. Chacune réfléchissait à la façon la plus simple de tout expliquer à la sénatrice.

— Crois-tu qu'elle sera elle aussi en danger quand nous lui aurons tout raconté ? fit Kelly.

— Je suis sûre qu'elle sera protégée. Elle saura quoi faire.

— Je l'espère.

Enfin, au bout de presque deux heures, la Lincoln arriva en vue d'une importante demeure en pierre, au toit d'ardoise surmonté de hautes et fines cheminées dans le style anglais du XVIIIᵉ. De vastes pelouses parfaitement tondues s'étendaient de part et d'autre, et l'on distinguait un peu plus loin les quartiers du personnel et le garage.

Le véhicule vint s'arrêter devant l'entrée principale et Kunio leur dit poliment :

— Je reste à votre disposition si vous avez besoin de mes services.

— Merci.

Un majordome vint leur ouvrir la porte.

— Bonjour, mesdames. Entrez, s'il vous plaît. Madame la sénatrice vous attend.

Diane et Kelly s'exécutèrent. Elles traversèrent un salon élégant et sobre. Le mobilier consistait en un assortiment éclectique de meubles anciens, de sièges et de divans confortables. Sur le mur, des appliques en forme de chandelles encadraient le manteau baroque d'une grande cheminée.

— Par ici, s'il vous plaît, dit le majordome.

Les deux femmes le suivirent jusque dans une grande salle adjacente.

La sénatrice van Luven les attendait. Elle avait les cheveux dénoués et portait un tailleur de soie bleu clair sur un chemisier. Elle était plus féminine que ne l'avait imaginé Diane.

— Je suis Pauline van Luven.

— Diane Stevens.

— Kelly Harris.

— Je suis contente de vous voir. Tout cela dure depuis bien trop longtemps.

— Pardon ? fit Kelly, déconcertée.

Soudain, derrière elles, résonna la voix de Tanner Kingsley.

315

— Elle veut dire que vous avez eu beaucoup de chance jus-que-là, mais que c'est terminé.

Diane et Kelly se retournèrent. Tanner Kingsley et Harry Flint venaient d'entrer à leur suite.

— A vous, monsieur Flint, reprit Tanner.

Le tueur sortit un revolver. Sans un mot, il visa et fit feu sur les deux femmes. Pauline van Luven et Tanner Kingsley les virent s'effondrer sur le sol.

Tanner s'approcha de la sénatrice et la prit dans ses bras.

— Ça y est, Princesse, les ennuis sont finis.

CHAPITRE 42

QUE dois-je faire des corps ? demanda Flint.
— — Attachez-leur des poids aux chevilles et lâchez-les à trois cents kilomètres des côtes, répondit Tanner sans hésiter.

— Bien, monsieur, dit-il en quittant la pièce.

Tanner se retourna vers Pauline.

— Voilà, Princesse, nous pouvons nous en aller.

Elle s'approcha pour l'embrasser.

— Tu m'as tellement manqué, chéri.

— Toi aussi, tu m'as manqué.

— C'était tellement frustrant, ces rendez-vous mensuels, car à chaque fois, je savais que tu allais repartir.

Tanner la serra plus fort.

— A partir de maintenant, on ne se quitte plus. Nous allons attendre trois ou quatre mois par respect pour ton défunt mari, puis nous annoncerons notre mariage.

— Un mois suffira, dit-elle en souriant.

— Très bien.

— J'ai donné ma démission au Sénat hier. Ils se sont montrés très compréhensifs en raison du deuil qui m'a frappée.

— Parfait. A présent, nous pouvons nous afficher ensemble

en public. Je vais enfin te dévoiler un projet secret de KIG dont je n'avais pas pu te parler auparavant.

Une fois dans les locaux de la compagnie, Tanner mena Pauline vers le bâtiment de briques rouges. Une épaisse porte blindée en interdisait l'accès. Au centre, se trouvait un petit renfoncement. Tanner portait une lourde chevalière à l'effigie d'un guerrier grec. Il appuya sa bague dans le renfoncement et la porte coulissa.

Derrière, se trouvait une salle gigantesque pleine d'écrans et d'ordinateurs. Dans la partie la plus éloignée il y avait des générateurs informatiques et un équipement électronique reliés au poste de commandes central.

— Voici le point zéro. Ce que tu as sous les yeux va changer la face du monde pour toujours. Cette pièce est le centre de commandes d'un réseau de satellites qui contrôlent le climat sur toute la planète. Nous pouvons créer des tempêtes n'importe où sur le globe. Nous pouvons créer la famine en détournant les nuages. Nous pouvons plonger les aéroports dans le brouillard. Créer des cyclones et des tornades capables de mettre à genoux l'économie mondiale. (Il sourit.) Je t'ai déjà fait la démonstration de notre pouvoir. De nombreux pays ont travaillé sur le contrôle du climat, mais aucun n'a abouti.

Tanner appuya sur un bouton et un grand écran de télévision s'alluma.

— Ce que tu vois là est le rêve de toute armée. Le seul obstacle qui empêchait Prima d'avoir la maîtrise totale du ciel, c'est l'effet de serre, et tu as réglé ce problème de façon magistrale. (Il soupira.) Tu sais qui a créé tout ça ? Andrew. C'était un vrai génie.

Pauline contemplait l'équipement sophistiqué qui s'étalait sous ses yeux.

— Je ne comprends pas du tout comment fonctionne ce système.

318

— Eh bien, pour dire les choses simplement, l'air chaud monte vers l'air plus froid, et s'il y a de l'humidité...

— Epargne-moi ton discours pour les débiles, s'il te plaît.

— Excuse-moi, mais la version longue est un peu indigeste.

— Je t'écoute.

— C'est assez technique, alors suis-moi bien. D'abord il y a les lasers à micro-ondes, fruits de la nanotechnologie mise au point par mon frère. Si on les dirige vers l'atmosphère, ils produisent de l'oxygène qui se lie à l'hydrogène, ce qui donne de l'ozone et de l'eau. Les atomes d'oxygène de l'atmosphère se mettent par paires, c'est pour cela qu'on l'appelle 0_2, et mon frère a découvert que si ce laser tire depuis l'espace vers l'atmosphère, l'oxygène se lie avec deux atomes d'hydrogène, ce qui donne de l'ozone, 0_3, et de l'eau, H_2O.

— Je ne comprends toujours pas comment...

— C'est l'eau qui règle le climat. Andrew a découvert lors de tests à grande échelle que son expérience avait pour effet secondaire de créer une telle quantité d'eau que cela faisait tourner les vents. Plus il y a de lasers, plus il y a de vent. Si l'on contrôle l'eau et le vent, on contrôle le climat.

Il se tut un moment.

— Quand j'ai appris qu'Akira Iso à Tokyo puis Madeleine Smith à Zurich étaient eux aussi proches de la solution, je leur ai proposé de venir travailler pour nous. Ainsi, ils auraient été sous contrôle. Mais ils ont refusé. Je ne pouvais pas me permettre de les laisser mener à bien leurs expériences. (Il haussa les épaules.) Je t'ai dit que quatre de mes meilleurs météorologistes travaillaient avec moi sur ce projet.

— Oui.

— C'étaient de brillants scientifiques. Franz Verbrugge à Berlin, Mark Harris à Paris, Gary Reynolds à Vancouver et Richard Stevens à New York. J'avais confié à chacun un problème différent, et comme ils étaient géographiquement éloignés, je pensais qu'ils ne feraient pas le rapprochement entre eux et par conséquent ne comprendraient pas quel était le but ultime de l'opération. Hélas, ils l'ont quand même découvert. Ils sont alors venus me voir à Vienne et m'ont demandé quels étaient les objectifs de Prima. Je leur ai dit que tout était destiné au gouvernement. Je croyais que cette réponse les satisferait, mais par acquit de conscience, je leur ai tendu un piège. Alors qu'ils se trouvaient dans la salle d'attente, j'ai appelé ton bureau au Sénat en m'assurant qu'ils entendaient bien tout ce que je disais, et au cours de la conversation, j'ai nié l'existence de Prima. Le lendemain matin, ils t'ont appelée pour prendre rendez-vous. J'ai donc compris qu'il fallait m'en débarrasser. (Tanner sourit.) Laisse-moi te montrer maintenant de quoi nous sommes capables.

Sur un écran d'ordinateur apparut une carte du monde semée de lignes et de symboles. Tout en continuant à parler, Tanner déplaçait un curseur : soudain, le Portugal apparut.

— Les vallées fertiles du Portugal sont arrosées par des rivières qui coulent de l'Espagne vers l'Atlantique. Imagine ce qui se passerait si un déluge noyait ces vallées.

Tanner appuya sur un bouton et, sur un écran géant, se dessina un palais massif en pierre rose, placé sous la surveillance de gardes en uniformes, disséminés parmi de luxuriants jardins inondés de soleil.

— Voici le palais présidentiel.

On vit ensuite sur l'écran la salle à manger où une famille prenait son petit déjeuner.

— Voilà le président, sa femme et ses deux enfants. Bien sûr, entre eux, ils parlent portugais, mais tout est automatiquement traduit et tu vas les entendre s'exprimer dans notre langue. Il y a des douzaines de nano-caméras et de micros cachés à l'intérieur du palais. Le président l'ignore, mais son chef de la sécurité travaille pour moi.

Un assistant s'adressait au président :

— A onze heures, vous avez un rendez-vous à l'ambassade

où vous devez prononcer un discours sur les syndicats. A treize heures, déjeuner au musée. Ce soir a lieu un dîner officiel.

Le téléphone se mit soudain à sonner. Le président décrocha.

— Allô.

Instantanément traduite en portugais, la voix de Tanner résonna :

— Monsieur le Président ?

Son interlocuteur eut un mouvement de surprise.

— Mais qui est à l'appareil ?

— Un ami qui vous veut du bien.

— Comment avez-vous obtenu mon numéro personnel ?

— Cela n'a aucune importance. Je veux que vous m'écoutiez attentivement. J'aime beaucoup votre pays, et cela m'ennuierait qu'il soit détruit. Si vous ne voulez pas que de terribles tempêtes le réduisent à néant, il faudra me verser deux milliards de dollars en or. Comme je crains que vous ne soyez pas intéressé dans l'immédiat, je vous recontacterai dans trois jours.

Sur l'écran, ils virent le président raccrocher avec colère avant de confier à son épouse :

— C'est un fou qui a réussi à avoir notre numéro. Il est bon pour l'asile.

Tanner se tourna vers Pauline.

— Tout cela a été enregistré il y a quelques jours. A présent, je vais te faire visionner notre conversation d'hier.

Un ciel de plomb zébré d'éclairs déversait des trombes d'eau sur le massif palais de pierre rose et ses superbes jardins.

Tanner pressa un bouton et Pauline découvrit le bureau du président. Lugubre, il était assis à une table de conférence, entouré d'une demi-douzaine d'assistants parlant tous en même temps. Soudain, sur son bureau, le téléphone sonna.

— Voilà, fit Tanner en souriant.

Le président saisit le combiné et répondit avec une anxiété visible :

— Allô ?

— Bonjour, monsieur le Président. Comment...

— Vous êtes en train de détruire mon pays ! Vous avez déjà anéanti nos récoltes. Les villages sont noyés sous les crues... (Il s'arrêta pour reprendre son souffle.) Jusqu'à quand cela va-t-il durer ? s'écria-t-il au bord de l'hystérie.

— Tout rentrera dans l'ordre quand j'aurai reçu les deux milliards de dollars.

Ils virent le président serrer les dents et fermer les yeux quelques instants.

— Ensuite, les tempêtes cesseront ?

— Absolument.

— Comment voulez-vous qu'on vous remette l'argent ?

Tanner coupa l'enregistrement.

— Tu vois comme c'est facile, Princesse ? Nous avons déjà la rançon. A présent, je vais te montrer de quoi Prima est capable. Il s'agit des premiers tests effectués.

Il appuya sur un autre bouton et cette fois, Pauline découvrit une tornade dévastant une plantation de citronniers.

— C'est en direct depuis la Floride. La température y est proche de zéro, en juin ! Les récoltes vont être perdues.

Il pressa un autre bouton : un cyclone faisait vaciller des bâtiments.

— C'est au Brésil, fit Tanner avec fierté. Comme tu peux le constater, Prima sait tout faire.

— Comme son papa, ajouta doucement Pauline en s'approchant de lui.

Tanner éteignit la télévision et montra trois DVD à sa maîtresse.

— Voici trois autres conversations fort intéressantes que j'ai eues avec les autorités du Pérou, du Mexique et d'Italie.

Tu sais comment nous récupérons l'or ? Nous envoyons des camions jusqu'à leur banque centrale, et ils les remplissent. Ensuite, ils sont pris au piège : je les préviens que s'ils essaient de nous suivre, les tempêtes recommenceront et ne s'arrêteront plus.

— Mais ne vont-ils pas essayer de repérer d'où viennent les appels ? demanda Pauline, inquiète.

— J'espère bien que oui ! fit Tanner en éclatant de rire. Si quelqu'un tente de remonter la ligne, il arrive d'abord au premier relais, qui est une église. La deuxième fois, il tombe sur une école. La troisième fois, cela déclenche automatiquement des tempêtes qui ne s'arrêtent plus. Enfin, la quatrième fois, ils aboutissent au Bureau Ovale, à la Maison-Blanche !

Pauline se mit à rire à son tour.

Soudain, la porte s'ouvrit, et Andrew entra.

— Tiens, s'exclama Tanner, voilà mon cher frère

Andrew dévisagea Pauline, perplexe.

— Je vous connais ? (Au bout d'une minute de silence et de concentration, son visage s'éclaira.) Vous et Tanner, vous deviez vous marier. Je devais être témoin. Vous... vous êtes Princesse.

— Bravo, Andrew, répondit-elle.

— Mais... vous êtes partie. Vous n'aimiez pas Tanner.

— Laisse-moi te mettre les points sur les i, coupa son cadet. Elle est justement partie parce qu'elle m'aimait ! Le lendemain de son mariage, elle m'a appelé. Elle a épousé un homme riche et puissant, et elle s'est servie de son réseau pour nous trouver de gros clients. C'est comme ça que Kingsley International a pu décoller si vite. (Tanner serra Pauline dans ses bras.) Nous nous voyions en secret tous les mois, ajouta-t-il fièrement. Ensuite elle s'est intéressée à la politique, et elle est devenue sénatrice.

Andrew fronça les sourcils.

— Et Sebastiana Cortez ?

323

— Elle ? répéta son frère en éclatant de rire. C'était une diversion, pour tromper tout le monde. Je me suis arrangé pour que mes employés croient avoir découvert le pot aux roses. Nous ne pouvions laisser planer le doute sur mon éventuelle liaison avec Princesse.

— Je vois.

— Viens par ici, Andrew, dit Tanner pour qu'il s'approche du poste de contrôle de Prima. Tu te souviens de tout ceci ? C'est toi qui as permis son développement. A présent, tout est achevé.

Andrew écarquillait les yeux.

— Prima...

— Oui. Contrôle du climat, dit Tanner en désignant un bouton. Localisation, dit-il en désignant un autre bouton. Tu vois comme c'est simple !

— Je me souviens, murmura Andrew.

— Et ça ne fait que commencer, Princesse, poursuivit Tanner en se tournant vers Pauline. (Il la prit dans ses bras.) Je m'apprête à rançonner trente autres pays. Maintenant, tu as ce que tu voulais. Le pouvoir et l'argent.

— Un ordinateur comme ça vaut...

— J'ai une autre surprise pour toi. As-tu déjà entendu parler de l'atoll de Tamoa, dans le Pacifique Sud ?

— Non.

— Nous l'avons acheté. Cent cinquante-cinq kilomètres carrés d'une incroyable beauté. Il fait partie de la Polynésie française, possède une piste d'atterrissage et un petit port. Il y a tout ce qu'il faut dessus, y compris... (il marqua une pause pour renforcer l'effet) Prima II.

— Tu veux dire qu'il y en a un autre ? fit Pauline, surprise.

— Exactement. Tout est souterrain, impossible à détecter. A présent que nous nous sommes débarrassés de ces deux veuves un peu trop curieuses, le monde nous appartient.

CHAPITRE 43

KELLY fut la première à ouvrir les yeux. Elle était allongée sur le dos, nue sur le sol de béton d'une cave, les mains entravées par des menottes reliées au mur par une chaîne de vingt centimètres de long. A l'autre bout de la pièce se trouvait une lourde porte, et tout en haut du mur, un soupirail donnait un peu de lumière.

Kelly se tourna vers Diane qui était attachée tout près d'elle, également nue et menottée. Leurs vêtements gisaient dans un coin de la pièce.

— Où sommes-nous? fit Diane en émergeant.

— En enfer, partenaire.

Kelly testa les menottes. Elles étaient bien serrées et fermement attachées. Elle parvenait à bouger les bras dans un rayon de vingt centimètres, pas plus.

— Nous nous sommes jetées dans la gueule du loup, fit-elle avec amertume.

— Tu sais ce qui me met le plus en rage?

Kelly jeta un regard autour d'elle :

— J'ai du mal à imaginer.

— Eh bien c'est qu'ils aient gagné. Nous savons à présent pourquoi ils ont tué nos maris, et pourquoi nous allons mourir à notre tour, et nous ne pouvons même pas le dire au reste du monde. Ils ont réussi à s'en tirer. Kingsley avait raison. La chance nous a tourné le dos.

— Peut-être pas encore.

La porte venait de s'ouvrir, et Harry Flint entra en arborant un large sourire. Il verrouilla soigneusement derrière lui et mit la clef dans sa poche.

— J'ai tiré avec de la Xylocaïne. Normalement, j'aurais dû vous liquider, mais j'ai pensé que ce serait dommage pour vous de quitter ce monde sans vous être amusées une dernière fois.

Il s'approcha et commença à se déshabiller. Les deux femmes échangèrent un regard terrifié.

— Regardez un peu ce que j'ai pour vous, mes jolies.

Il laissa choir son caleçon, découvrant son membre rigide et turgescent. Il les reluqua toutes les deux, puis s'approcha de Diane.

— Je crois bien que je vais commencer par toi, ma poulette, et après...

— Une seconde, chéri, s'exclama soudain Kelly, pourquoi tu viens pas me voir en premier ? J'ai très envie, moi.

Diane la regarda, stupéfaite.

— Kelly...

Flint se retourna vers la top model avec un petit sourire satisfait.

— Pour sûr, ma mignonne. Je te promets que tu vas grimper aux rideaux.

Il s'approcha d'elle et s'étendit sur la jeune femme nue.

— Oh oui, grogna-t-elle, ça m'a tellement manqué.

Diane ferma les yeux. C'était trop insoutenable.

Kelly écarta les jambes, et au moment où le tueur allait la prendre, elle releva le bras droit jusqu'à son chignon à moitié défait. De ses doigts agiles, elle retira un peigne d'où dépassait une pointe métallique de douze centimètres. D'un geste rapide, elle le planta dans la nuque de Harry Flint, et l'enfonça de toutes ses forces.

Le tueur voulut hurler, mais seul un gargouillis rauque s'échappa de sa gorge tandis que le sang giclait de son cou. Diane écarquillait les yeux. Son amie lui lança un regard rassurant.

— C'est bon, tu es tranquille à présent, dit-elle en repoussant le lourd cadavre qui s'était abattu sur elle. Il est mort.

Le cœur de Diane cognait si fort qu'elle crut qu'il allait bondir hors de sa poitrine. Elle était livide.

— Tu te sens bien ? lui demanda Kelly, inquiète.

— J'ai cru qu'il allait te... (Les mots ne purent sortir de sa bouche. Elle regarda le corps nu, ensanglanté, et frissonna.) Pourquoi ne m'as-tu rien dit ?

— Parce que si ça n'avait pas marché... Allez, viens, on s'en va.

— Comment va-t-on sortir ?

— Tu vas voir.

Kelly tendit sa longue jambe jusqu'au pantalon de Flint, en tas sur le sol, un peu plus loin. Hélas, il manquait quelques centimètres. Elle tira sur les menottes. Encore trop juste. Enfin, s'étirant de toute sa longueur à s'en écorcher les poignets, ses orteils se refermèrent sur le tissu.

— Voilà ! fit-elle en souriant.

Doucement, elle ramena petit à petit le pantalon vers elle, puis s'en saisit. Elle fouilla les poches, dont elle extirpa bientôt la clef. Quelques minutes plus tard, ses mains étaient libres. Elle alla libérer sa compagne.

— Tu es une magicienne, fit Diane en guise de remerciements.

— Remercie plutôt ma perruque ! Allez, filons en vitesse.

Elles ramassèrent leurs vêtements et se rhabillèrent prestement. Ensuite, elles s'approchèrent doucement de la porte et écoutèrent. Pas un bruit. Kelly ouvrit. Devant elles s'étendait un long couloir vide.

— Il doit bien y avoir une sortie quelque part, fit Diane.

— Bien sûr. Tu vas de ce côté, et moi de l'autre, ainsi...

— Non, s'il te plaît. Restons ensemble.

Kelly posa la main sur l'épaule de Diane et hocha la tête.

— D'accord.

*

Quelques minutes plus tard, les deux femmes se retrouvèrent dans un garage. Il y avait là une Jaguar et une Toyota.

— Vas-y, fit Kelly, je te laisse choisir.

— Avec une Jaguar, on se ferait trop remarquer. Prenons la Toyota.

— J'espère que la clef...

Elle se trouvait justement sur le tableau de bord. Diane prit le volant.

— Sais-tu où nous allons ? demanda Kelly.

— A Manhattan. Mais après...

— Bon, soupira son amie.

— Il nous faut un endroit pour dormir. Quand Kingsley découvrira que nous lui avons encore échappé, il va devenir fou. Nous ne serons plus en sécurité nulle part.

— Si, fit Kelly qui venait d'avoir une idée.

— Que veux-tu dire ?

— J'ai un plan, répondit-elle fièrement.

CHAPITRE 44

EN arrivant à White Plains, à une quarantaine de kilomètres au nord de Manhattan, Diane fit remarquer :
— C'est une jolie petite ville, mais que faisons-nous ici ?

— J'ai une amie qui pourra nous cacher.

— Ah bon ? Parle-moi d'elle.

— Eh bien, commença lentement Kelly, ma mère a été mariée à un alcoolique qui la battait. Quand j'ai eu les moyens de l'aider, je l'ai persuadée de le quitter. Un mannequin que je connaissais dont le petit ami était violent m'avait parlé d'un foyer. C'est une sorte de pension tenue par un ange du nom de Grace Seidel. J'ai emmené ma mère là-bas, le temps de lui trouver un appartement. Je venais la voir tous les jours. Elle s'y plaisait bien, et s'était liée avec d'autres pensionnaires. Quand le problème du logement a été réglé, je suis venue la chercher.

Comme elle ne disait plus rien, Diane la regarda :

— Que s'est-il passé ?

— Elle était retournée avec son mari. (Elle se tut à nouveau.) Voilà, nous sommes arrivées, conclut-elle.

Grace Seidel était une femme d'une cinquantaine d'années, dynamique et maternelle. En voyant Kelly, elle ouvrit la porte, rayonnante.

— Kelly ! (Elle se jeta à son cou.) Je suis si heureuse de te voir.

— Je te présente mon amie Diane.

Elles se saluèrent.

— La chambre est prête. En fait, je t'ai réservé celle de ta mère. Et j'ai rajouté un lit.

Grace Seidel leur fit traverser un grand salon confortable où une douzaine de femmes jouaient aux cartes, discutaient, et se livraient à toutes sortes d'activités.

— Combien de temps pensez-vous rester ?

Diane et Kelly se regardèrent.

— Je ne sais pas encore.

— Aucun problème, dit Grace en souriant. La chambre est à toi aussi longtemps que tu en auras besoin.

L'endroit était charmant et d'une propreté exemplaire.

Quand leur hôtesse les eut quittées, Kelly déclara :

— Ici, nous sommes en sécurité. Je crois que nous pourrions entrer dans le Livre des Records. Sais-tu combien de fois ils ont essayé de nous tuer ?

— Oui, fit Diane en regardant par la fenêtre. Puis Kelly l'entendit murmurer : Merci Richard.

Elle s'apprêtait à ajouter quelque chose, mais se retint. Ça ne servait à rien.

Dans son bureau, Andrew somnolait. Il rêvait qu'il dormait dans une chambre d'hôpital, quand des voix l'avaient réveillé.

— ... par chance, j'ai découvert ceci en passant l'équipement d'Andrew à la décontamination. J'ai pensé qu'il fallait vous le montrer sans attendre.

— Et ces salopards de l'armée m'avaient affirmé qu'il n'y aurait aucun danger.

L'homme tendit à Tanner un masque à gaz fourni par les militaires.

— C'est un trou minuscule, à la base. On dirait qu'on l'a fait volontairement. Ce serait suffisant pour expliquer l'accident de votre frère.

Tanner examina le masque en fulminant :

— Les responsables de tout ceci vont payer, vous pouvez me croire. (Puis en regardant son employé droit dans les yeux :) Je m'en occupe tout de suite. Merci de m'avoir apporté ce masque.

De son lit, encore à demi inconscient, Andrew vit l'homme quitter la chambre. Tanner considéra le masque un moment, puis s'approcha d'une grande corbeille située dans un angle de la pièce, où l'on jetait le linge sale, et il camoufla le masque tout au fond.

Andrew essaya d'interroger son frère sur ce qui se passait, mais il était trop faible et s'assoupit.

Tanner, Andrew et Pauline étaient de retour dans le bureau principal.

Tanner demanda à sa secrétaire de lui apporter les journaux du matin qu'il se mit à feuilleter.

— Regarde ça : « *Les scientifiques sont sans réponse face aux tempêtes monstrueuses qui ravagent le Guatemala, le Pérou, le Mexique et l'Italie.* » (Il observait Pauline avec enthousiasme.) Et ce n'est que le début. Ils ne sont pas prêts d'en trouver, des réponses.

Vince Carballo surgit alors dans le bureau.

— Monsieur Kingsley...

— Je suis occupé. Qu'y a-t-il ?

— Flint est mort.

Tanner resta sans voix.

— Quoi ! Que dites-vous ? Que s'est-il passé ?

— Stevens et Harris l'ont refroidi.

— Mais c'est impossible !

— Il est pourtant bien mort. Elles se sont enfuies dans une voiture appartenant à Mme van Luven. Nous avons déclaré le vol. La police a retrouvé le véhicule à White Plains.

— Voilà ce que vous allez faire, reprit Tanner d'un ton menaçant. Je veux que vous preniez avec vous une douzaine d'hommes et que vous vous rendiez à White Plains. Cherchez dans tous les hôtels, les pensions, les chambres d'hôtes, dans tous les endroits où elles pourraient se cacher. J'offre une récompense de cinq cent mille dollars à quiconque nous les livrera. Dépêchez-vous !

— Bien, monsieur.

Et Vince Carballo détala.

Kelly et Diane se trouvaient toujours dans leur chambre, chez Grace Seidel.

— Je suis désolée pour ce qui s'est passé à Paris. Ont-ils tué ton concierge ?

— Je ne sais pas. Il a disparu avec toute sa famille.

— Et Angel, ton petit chien ?

— Je préfère ne pas en parler.

— Excuse-moi. Tu sais ce qu'il y a de plus frustrant ? Nous sommes si près du but. A présent, nous savons ce qui s'est passé, mais nous ne pouvons en parler à personne. Ce serait notre parole contre celle de Kingsley International. On nous internerait.

— Tu as raison. Nous n'avons plus personne vers qui nous tourner.

Elles restèrent silencieuses un moment, puis Diane reprit.

— Peut-être que si.

Les hommes de Vince Carballo s'étaient disséminés à travers la ville et vérifiaient scrupuleusement chaque hôtel, pension et chambres d'hôtes. L'un d'eux se rendit à l'hôtel

Esplanade où il montra une photo de Diane et Kelly au concierge.

— Vous avez vu ces deux femmes ? Il y a une récompense d'un demi-million de dollars si on les retrouve.

— J'aimerais bien savoir où elles sont, fit l'employé en secouant la tête.

A l'hôtel Renaissance Westchester, la même scène se reproduisit.

— Un demi-million ? Tu parles d'un magot !

Au Crown Plaza, le gardien ajouta :

— Si je les vois, vous pouvez être sûr que je vous appelle !

Vince Carballo en personne vint frapper à la porte de Grace Seidel.

— Bonjour madame. Je m'appelle Vince Carballo. Avez-vous vu ces deux femmes ? demanda-t-il en lui montrant les portraits de Kelly et de Diane.

Le visage de Grace s'illumina d'un sourire :

— Mais c'est Kelly ! s'écria-t-elle.

Dans le bureau de Tanner, Kathy Ordonez était débordée. Les fax tombaient plus vite qu'elle ne pouvait les lire, et sa boîte à courriel était submergée. Elle ramassa une pile de messages et les apporta à son patron. Tanner et Pauline discutaient, assis sur le divan.

— Qu'y a-t-il ? demanda-t-il à sa secrétaire.

— De bonnes nouvelles. Votre soirée s'annonce bien.

— De quoi parlez-vous ? fit-il en fronçant les sourcils.

Elle lui tendit les papiers :

— Des réponses à votre invitation. Tout le monde vient.

— Comment ? Laissez-moi voir ça, dit-il en se levant.

Kathy retourna à son bureau.

Tanner lut le premier courriel à haute voix.

— « Nous sommes ravis de nous rendre dans les bureaux de Kingsley International vendredi soir pour assister à la

333

présentation de Prima, votre macnine de contrôle climatique. » Et c'est signé par le rédacteur en chef du *Time Magazine.*

Il devint livide et passa au suivant.

— « Merci pour votre invitation à découvrir Prima, votre ordinateur de contrôle climatique. Nous avons hâte de voir ça. » Et cela émane du rédacteur en chef de *Newsweek.* (Il feuilleta la pile de messages.) CBS, NBC, le *Wall Street Journal*, le *Chicago Tribune*, le *Times* de Londres : ils sont tous impatients à l'idée de voir Prima.

Pauline resta interdite. Furieux, Tanner parvenait à peine à articuler.

— Mais bordel, qu'est-ce qui se passe ! (Il s'arrêta net :) Les salopes...

Chez Irma Internet Café, Diane envoyait message sur message avec frénésie. Elle leva les yeux vers Kelly.

— Nous n'avons oublié personne ?

— *Elle, Cosmopolitan, Vanity Fair, Mademoiselle, Reader's Digest...*

— Je crois que ça ira, répondit-elle en riant. J'espère que Kingsley a un bon traiteur, parce qu'il va y avoir du monde à cette soirée !

— Vous la connaissez ! fit Vince Carballo avec enthousiasme.

— Bien sûr ! C'est l'un des top models les plus célèbres au monde !

— Où est-elle ?

— Comment voulez-vous que je le sache ? Je ne l'ai jamais rencontrée !

— Mais pourtant vous la connaissez ! tonna-t-il.

— Evidemment, tout le monde la connaît. Elle est très célèbre ! Vous ne trouvez pas qu'elle est belle ?

— Donc vous n'avez aucune idée d'où elle se trouve ?

334

— Eh bien, en y réfléchissant, peut-être.

— Où ça ? Dites !

— Ce matin, j'ai vu une femme qui lui ressemblait prendre le car. Elle était avec une autre femme...

— Et il allait où, ce car ?

— Dans le Vermont.

— Merci, dit-il en filant.

De rage, Tanner jeta la pile de fax et de courriels par terre. Puis il se tourna vers Pauline :

— Tu sais ce qu'elles ont fait, ces salopes ?... Hors de question qu'on leur montre Prima. (Il réfléchit un moment.) Je crois qu'il va se produire un accident chez Kingsley International à la veille de cette soirée.

Pauline le regarda un moment, puis ajouta en souriant :

— Il nous reste Prima II.

— Exactement. Nous pourrons voyager de par le monde, et quand nous voudrons, nous irons à Tamoa pour faire travailler Prima II.

La voix de Kathy Ordonez retentit dans le bureau. Elle paniquait.

— Monsieur Kingsley, le standard va sauter ! J'ai en ligne le *New York Times,* le *Washington Post*, et Larry King ! Ils sont tous en attente, ils veulent vous parler !

— Dites-leur que je suis en réunion. (Puis à Pauline :) Il faut partir d'ici. (Il s'approcha de son frère et lui tapota l'épaule :) Andrew, suis-nous.

— Oui, Tanner.

Tous trois se rendirent au laboratoire secret.

— J'ai une tâche très importante à te confier, Andrew.

— Tout ce que tu voudras, Tanner.

Ils entrèrent dans le bâtiment de briques rouges, et Tanner alla tout droit au poste de commande.

— Voilà ce que tu vas faire. Princesse et moi, nous allons partir, mais à dix-huit heures, je veux que tu arrêtes cet ordinateur. C'est très simple. Tu vois ce gros bouton rouge ?

— Oui, Tanner, fit-il en opinant du chef.

— Tout ce que tu as à faire, c'est appuyer dessus trois fois de suite, à dix-huit heures. Trois fois. Tu t'en souviendras ?

— Oui, Tanner. A dix-huit heures. Trois fois.

— Très bien, on se reverra tout à l'heure

Tanner et Pauline s'éloignèrent.

— Mais, vous ne m'emmenez pas avec vous ?

— Non, toi tu restes ici. Rappelle-toi seulement de ça : dix-huit heures, trois fois.

— Je m'en souviendrai.

Une fois dehors, Pauline demanda :

— Tu n'as pas peur qu'il oublie ?

Tanner éclata de rire :

— Ça n'a aucune importance. J'ai tout programmé pour que ça saute à dix-huit heures. Je voulais juste m'assurer qu'il sera là au moment de l'explosion.

CHAPITRE 45

LES conditions météo étaient idéales ce jour-là. Sous un ciel d'azur, le 757 de la compagnie Kingsley International volait au-dessus de l'océan Pacifique. A l'intérieur, Pauline et Tanner étaient blottis l'un contre l'autre sur le canapé de la cabine principale.

— Chéri, c'est quand même dommage que nul ne sache quel génie tu es.

— Si jamais on le découvrait, je serais dans de beaux draps !

— Mais non, nous achèterions un pays dont nous nous proclamerions roi et reine. Nous serions alors intouchables.

Il éclata de rire. Pauline lui prit la main.

— Tu sais que j'ai eu envie de toi dès le premier instant où je t'ai vu ?

— Non, je ne savais pas. Tu ne m'as pas ménagé, au début.

— Oui, et ça a marché, n'est-ce pas ? Tu avais besoin de me revoir, pour me donner une bonne leçon.

Ils échangèrent un long baiser sensuel.

Au loin, un éclair lacéra le ciel.

— Tu vas adorer Tamoa. Nous y resterons une semaine ou deux pour nous reposer, puis nous partirons en voyage à travers le monde. Nous allons rattraper toutes ces années d'amours clandestines.

Elle le regarda et lui lança un sourire espiègle.

— Oh oui, nous allons rattraper le temps perdu.

— Et une fois par mois, environ, nous reviendrons sur Tamoa pour faire travailler Prima II. Nous pourrons choisir nos cibles ensemble.

— Oui, enfin il reste des cibles inaccessibles. Si tu envoyais une tempête sur l'Angleterre, par exemple, ils ne s'en apercevraient même pas !

— Ne t'inquiète pas, le monde entier est notre terrain de jeu, répondit Tanner en riant.

Un steward s'approcha.

— Puis-je vous apporter quelque chose ?

— Non, répondit Tanner, nous avons tout.

Et au fond de lui, il savait qu'il disait vrai.

A l'horizon, de nouveaux éclairs zébrèrent l'azur.

— J'espère qu'il ne va pas y avoir de tempête, dit Pauline. J'ai horreur des turbulences en avion.

— Ne t'inquiète pas, ma chérie, la rassura Tanner. Il n'y a pas un nuage. (Puis il songea à quelque chose qui le fit sourire.) Inutile de te faire du souci pour le temps. C'est nous qui le contrôlons. (Il regarda sa montre.) Bientôt, Prima aura sauté.

Soudain des gouttes de pluie s'abattirent sur l'appareil. Tanner serra Pauline plus fort.

— Ne crains rien, c'est juste une ondée.

Mais le ciel s'obscurcit et le tonnerre gronda. L'énorme avion se mit à tanguer. Tanner regardait à présent dehors, perplexe face à cet événement imprévu. La pluie cinglait l'appareil avec de plus en plus de violence.

— Regarde-moi ça, fit-il. Et soudain, il comprit : Prima ! s'écria-t-il avec exaltation, une lueur de triomphe dans les yeux.

Au même instant, la tornade aspira l'avion, qui fut pris de soubresauts incontrôlables. Pauline hurla.

Dans le bâtiment de briques rouges, à Manhattan, Andrew Kinsgley avait repris le contrôle de Prima. Ses doigts jouaient avec agilité sur le clavier, comme autrefois. Suivant sa cible sur l'écran, il imaginait l'avion de son frère, emporté à 500 kilomètres à l'heure par les vents titanesques du typhon. Il appuya sur un autre bouton.

Dans une douzaine de bases des services de la météo nationale, depuis Anchorage, en Alaska, jusqu'à Miami, en Floride, tous les météorologistes étaient rivés à leurs écrans, incrédules. Ce qui se passait semblait impossible, pourtant c'était bien réel.

Dans les locaux de Kingsley International, Andrew eut la satisfaction de constater qu'il lui restait encore la possibilité de rendre ce monde meilleur. Il faisait peu à peu monter la tornade F-6 qu'il avait créée vers les hauteurs, de plus en plus haut...

Tanner regardait toujours par le hublot de l'avion quand il entendit le bruit d'enfer de la tornade lancée à 500 kilomètres à l'heure, couvrant celui de la tempête. Son visage s'empourpra, et en la voyant s'approcher, il se mit à trembler d'excitation.
— Regarde ! hurla-t-il. On n'a jamais vu un cyclone aussi puissant. Jamais ! Et c'est moi qui l'ai créé ! C'est un miracle ! Seuls Dieu et moi avons le pouvoir...

A Manhattan, Andrew appuya sur un bouton et, sur l'écran, il vit l'avion exploser, pulvérisé par la force des vents.
Ensuite, il pressa le bouton rouge, trois fois.

CHAPITRE 46

KELLY et Diane finissaient de s'habiller quand Grace Seidel frappa à leur porte.

— Le petit déjeuner est servi. C'est quand vous voudrez.

— On arrive, répondit Kelly.

— J'espère qu'ils ont mordu à l'hameçon. Allons voir si Grace a le journal du matin.

Elles quittèrent leur chambre et traversèrent le salon où quelques personnes regardaient la télévision. Au même moment, un présentateur annonça :

« D'après les rapports il n'y aurait aucun survivant. Tanner Kingsley et la sénatrice Pauline van Luven étaient à bord, ainsi qu'un pilote, un copilote, et un steward. »

Les deux jeunes femmes s'arrêtèrent net, se regardèrent et s'approchèrent du poste. A l'écran, défilaient des images des locaux de Kingsley International à Manhattan.

« Kingsley International constitue le plus gros *think tank* du monde, avec des bureaux dans trente pays. Le service météo a confirmé la présence d'un orage électrique imprévu dans le Pacifique Sud, que traversait le jet privé de Tanner Kingsley. Pauline van Luven était l'ancienne présidente du comité du Sénat à l'environnement... »

Diane et Kelly écoutaient, osant à peine y croire.

« ... Autre mystère que la police essaie de résoudre : les médias avaient été invités à une soirée au siège de la compagnie où devait être dévoilé un nouvel ordinateur nommé Prima, destiné à contrôler le climat. Mais hier, une explosion a retenti dans les locaux de Manhattan, et il semble que Prima ait été complètement détruit. D'après les pompiers on ne déplore qu'une seule victime en la personne d'Andrew Kingsley. »

— Tanner Kingsley est mort, souffla Diane.

— Répète-moi ça lentement.

— Tanner Kingsley est mort.

Kelly poussa un profond soupir de soulagement. Elle regarda son amie en souriant.

— Eh bien, la vie va nous paraître bien morne, à présent.

— Je l'espère. Que dirais-tu de dormir au Waldorf Astoria, ce soir ?

— Pourquoi pas ? répondit-elle en riant.

Elles se préparèrent puis allèrent faire leurs adieux à leur hôtesse. Grace Seidel serra Kelly dans ses bras et lui dit :

— Tu reviens quand tu veux.

Elle ne parla pas de la récompense qu'on lui avait offerte pour leur capture.

Dans la suite présidentielle du Waldorf Astoria, un serveur dressa la table pour quatre personnes. Il se retourna vers Diane :

— Vous avez bien dit quatre couverts ?

— Tout à fait.

Kelly la regarda sans rien dire.

Diane savait bien ce qu'elle en pensait. Lorsqu'elles prirent place, elle lui dit :

— Tu sais, je ne crois pas que nous ayons fait ça toutes seules. Je pense qu'on nous a un peu aidées. (Elle leva sa

341

coupe de champagne et se tourna vers la chaise vide, à côté d'elle.) Merci, Richard, mon amour. Je t'aime.

Mais avant qu'elle ait eu le temps de porter le verre de cristal à ses lèvres son amie s'exclama :

— Attends !

A son tour, elle leva sa coupe vers le siège vide qui se trouvait près d'elle.

— Mark, je t'aimerai toujours. Merci.

Elles burent ensemble. Puis Kelly sourit :

— Ça fait du bien. Et maintenant, que fait-on ?

— Je vais aller voir le FBI à Washington pour leur raconter tout ce que je sais.

— Nous irons voir le FBI ensemble pour raconter tout ce que nous savons, corrigea Kelly.

— Tu as raison. Je crois que nous avons fait du bon travail. Nos maris seraient fiers de nous.

— Absolument. Nous avons résolu ce mystère. Quand tu vois qui nous avions aux trousses... Tu sais ce que nous devrions faire à présent ?

— Quoi ?

— Monter une agence de détectives.

— Tu plaisantes ! lança Diane en riant.

— Tu crois ? répondit son amie en lui adressant un sourire complice.

Après le dîner, elles allumèrent la télévision. Toutes les chaînes diffusaient des reportages sur la mort de Tanner Kingsley. Tout en regardant, Kelly réfléchissait.

— Tu sais, quand tu coupes la tête d'un serpent, le reste de la bête meurt aussi.

— Que veux-tu dire ?

— Laisse-moi vérifier. (Elle attrapa le téléphone.) Bonjour, j'ai un appel pour Paris.

Cinq minutes plus tard, elle entendit la voix de Nicole Paradis.

— Kelly ! Kelly ! Kelly ! Je suis si heureuse de vous entendre !

Elle se préparait au pire : Nicole allait lui apprendre la mort d'Angel.

— Je ne savais pas comment vous joindre.

— Vous avez appris la nouvelle ?

— Oui, dès qu'elle nous est parvenue, Jérôme Malo et ses sbires ont plié leurs bagages et sont partis sans demander leur reste.

— Et Philippe et sa famille ?

— Ils seront là demain.

— C'est merveilleux.

Kelly redoutait de poser la question qui la taraudait.

— Et... Angel ?

— Elle est chez moi, je l'ai récupérée ! Ils voulaient l'utiliser comme appât, au cas où vous refuseriez de coopérer.

Elle ressentit soudain un immense soulagement.

— Oh, c'est merveilleux !

— Voulez-vous que je la remette à Philippe ?

— Non, envoyez-la-moi à New York par le prochain vol Air France. Prévenez-moi de l'heure de son arrivée et j'irai la chercher. Vous pouvez me rappeler au Waldorf Astoria.

— Je m'en occupe.

— Merci, Nicole, dit-elle en raccrochant.

— Tout va bien, alors ? l'interrogea Diane qui avait tout entendu.

— Oui.

— C'est formidable.

— Ah, si tu savais combien j'ai hâte de la retrouver ! Au fait, que vas-tu faire de ta moitié de la récompense ?

— Mais de quoi parles-tu ? fit Diane, perplexe.

— Rappelle-toi, KIG avait promis cinq millions de dollars à qui aiderait à résoudre cette affaire. Je crois que cette récompense nous revient.

— Mais Kingsley est mort.

— Je sais, mais sa compagnie existe toujours.

Elles éclatèrent de rire.

— Et après Washington, que comptes-tu faire ? Tu vas recommencer à peindre ?

Diane réfléchit un moment et répondit :

— Non.

— Tu es sûre ? insista son amie.

— En fait, il y a un tableau que je voudrais faire. Une scène de pique-nique à Central Park. (Sa gorge se noua.) Deux amants, partageant un repas sous la pluie. Après... on verra. Et toi ? Tu vas reprendre les défilés ?

— Non, je ne crois pas... Enfin, peut-être, parce que dans ces moments-là, je pourrai toujours imaginer que Mark est dans la salle. Et puis, je pense qu'il aurait voulu que je continue.

— C'est bien, acquiesça-t-elle en souriant.

Elles restèrent encore une heure devant la télévision, puis Diane déclara :

— Bon, il est temps d'aller se coucher.

Un quart d'heure plus tard, elles étaient au lit, et méditaient sur le dénouement de leur folle aventure.

Kelly bâilla.

— Diane, j'ai sommeil. Tu peux éteindre la lumière ?

Postface

Aujourd'hui, on ne peut plus dire que nous sommes impuissants face à la météo. En réalité, deux grands pays exercent un certain contrôle : les États-Unis et la Russie.

D'autres pays y travaillent avec acharnement.

C'est Nikola Tesla qui a été le premier, à la fin du XIXe siècle, à effectuer des expériences concluantes en la matière, fondées sur la transmission de l'énergie électrique à travers l'espace.

Les conséquences de telles recherches sont considérables. Contrôler le temps peut être un bienfait, mais aussi une arme redoutable. Et aujourd'hui, on a tous les éléments pour le faire...

En 1969, le Bureau des brevets américain a donné son accord pour développer « une méthode augmentant la probabilité des précipitations par l'introduction artificielle de vapeur d'eau de mer dans l'atmosphère ».

En 1971, la compagnie américaine Westinghouse Electric a reçu le feu vert pour procéder à l'irradiation de surfaces terrestres.

La même année, aux Etats-Unis, la Fondation nationale pour les sciences a été autorisée à mettre au point une méthode permettant de modifier les conditions météorologiques.

Au début des années 1970, une commission parlementaire travaillant sur les océans et l'environnement a procédé à une enquête sur les recherches militaires dans le domaine de la modification du climat. Il a découvert que le ministère de la

345

Défense envisageait de créer des raz de marée en faisant exploser une série de bombes atomiques.

En 1977, le danger d'une confrontation directe entre les Etats-Unis et la Russie a atteint un seuil critique. Par l'intermédiaire de l'ONU, les deux pays ont signé un traité interdisant les atteintes au climat pour des motifs militaires.

Mais ce traité ne signifie pas que toutes les recherches aient été abandonnées dans ce domaine. En 1978, les Etats-Unis ont procédé à une expérience dans le nord du Wisconsin. Ils ont déclenché des pluies artificielles, qui ont généré des vents atteignant 280 kilomètres à l'heure, créant 50 millions de dollars de dommages.

En 1992, le *Wall Street Journal* a rapporté qu'une compagnie russe, Elat Intelligence Technologies, vendait du matériel permettant de contrôler la météo.

Dans ces deux pays, les expériences se sont donc poursuivies, et la météo a changé. Dès le début des années 1980, d'étranges phénomènes se sont produits.

« Une zone de haute pression flotte à 1300 kilomètres des côtes californiennes depuis deux mois, bloquant ainsi l'air humide du Pacifique. » *Time Magazine,* janvier 1981.

« ... Les hautes pressions saisonnières perdurent, agissant comme une barrière qui empêche les flux climatiques normaux de l'ouest vers l'est. » *New York Times*, 29 juillet 1993.

Les catastrophes naturelles décrites dans ce livre se sont toutes produites.

Le climat est la force la plus puissante que nous connaissions. Ceux qui le contrôlent peuvent mettre à genoux l'économie en déclenchant des tempêtes sans fin ou des tornades interdisant le trafic aérien, en créant la sécheresse pour détruire les récoltes, mais aussi des tremblements de terre et des raz de marée pour nuire à un ennemi potentiel.

Je dormirais mieux si j'étais certain que personne ne pourra contrôler le climat.

Cet ouvrage a été imprimé par

FIRMIN DIDOT

GROUPE CPI

Mesnil-sur-l'Estrée

pour le compte des Éditions Grasset
en avril 2007

Imprimé en France

Dépôt légal : avril 2007
N° d'édition : 14859 – N° d'impression : 84898